SACRAMENTO PUBLIC LIBRARY
828 "I" STREET
SACRAMENTO, CA 95814

S0-BME-878

СТО ОТТЕНКОВ ЛЮБВИ

Таммара Веббер

Просто ЛЮБОВЬ

Санкт-Петербург

УДК 821.111(73)
ББК 84(7Сое)-44
    В 26

EASY
by Tammara Webber
Copyright © 2012 by Tammara Webber
All rights reserved

Перевод с английского Марии Николенко

Оформление Ильи Кучмы

© М. Николенко, перевод, 2014
© ООО «Издательская Группа
   „Азбука-Аттикус“», 2014
   Издательство АЗБУКА®

ISBN 978-5-389-06866-7

ГЛАВА 1

До той ночи я не замечала Лукаса: его будто не было, а потом он вдруг оказался повсюду.

Пару минут назад я слиняла с вечеринки; отмечали Хеллоуин, и веселье еще шло полным ходом. Я петляла между машинами, тесно припаркованными за общагой, где жил мой бывший парень, и печатала эсэмэску соседке по комнате. Южная ночь была теплой и полной очарования — настоящее бабье лето. Из раскрытых окон доносилась громкая музыка, к которой примешивались взрывы хохота, пьяная ругань и призывы опрокинуть еще по бокальчику.

В тот вечер мы с Эрин договорились, что я буду за рулем и, даже если весь этот гудеж мне совершенно осточертеет, обязательно дождусь ее и отвезу в целости и сохранности через весь кампус прямо к нам в общежитие. И вот теперь я эсэмэсила ей, чтобы она позвонила или написала, когда будет готова ехать. Похоже было, что ждать мне придется до утра: Эрин и ее парень Чез как следует заправились текилой, исполнили несколько брачных танцев и, взявшись за руки, рванули наверх, к нему в комнату. Я усмехнулась, представив себе, как моя подруга, поджав хвост, побежит с переднего крыльца к моему грузовичку.

Я нажала «отправить» и стала рыться в сумке в поисках ключей. Луну закрывали облака, а освещенные окна были от меня слишком далеко, и найти что-нибудь в такой кромешной темноте я могла только на ощупь.

В руку воткнулось острие механического карандаша; я выругалась и топнула каблуком: наверняка поранилась до крови. Добыв наконец-то ключи, принялась сосать палец. Судя по металлическому привкусу, кожу я проколола.

— Так и знала, — проворчала я, открывая машину.

Что со мной произошло в следующие несколько секунд, я понять не успела. Только заглянула внутрь — и вдруг лежу на сиденье лицом вниз: ни пошевелиться, ни вздохнуть. Я попыталась подняться, но меня придавили.

— Тебе идет костюм чертика, Джеки, — пробормотал кто-то довольно невнятно, хотя голос показался мне знакомым.

Я хотела было сказать, чтобы меня не называли Джеки, но тут мне стало не до этого: чья-то лапа полезла мне под юбку. Моя правая рука была зажата моим же туловищем, а левой я уцепилась за сиденье, пытаясь оттолкнуться от него и высвободиться. Тогда лапа, шарившая по моему бедру, схватила меня за запястье. Я вскрикнула, потому что мне заломили руку назад и теперь ее крепко удерживала вторая лапа. А еще этот урод надавил предплечьем мне на лопатки, и я уже вообще не могла шевелиться.

— Слезь с меня, Бак, пусти! — Я попыталась произнести это как можно более грозно, но голос у меня дрожал.

Дыхание парня отдавало пивом, а пот — чем-то покрепче. Меня затошнило. Бак опять стал лапать мое бедро, навалившись на меня правым боком. Мои ноги торчали из открытой дверцы машины. Я попробовала поджать под себя колено, а он только ржал над моими жалкими потугами его стряхнуть. Когда он засунул мне руку между ногами, я закричала и попыталась вернуться в прежнее положение, но было уже поздно. Я опять принялась извиваться, а потом, поняв, что он слишком тяжелый и мне его не спихнуть, стала просить:

— Бак, перестань. Ты просто пьяный, и завтра тебе будет стыдно. О господи...

Он раздвинул мне ноги коленом, и я почувствовала, как воздух холодит мое бедро. Бак расстегнул молнию и расхохотался прямо мне в ухо. Потеряв надежду вразумить его, я запричитала:

— Нет-нет-нет-нет!..

Он навалился на меня всей тяжестью, и я не могла набрать в легкие достаточно воздуху, чтобы закричать. Рот мой был прижат к сиденью. Продолжая беспомощно барахтаться, я все еще не могла поверить, что парень, которого я знала больше года, напал на меня в моей собственной машине, да еще прямо на стоянке за общагой. Ведь до сих пор — все время, что я встречалась с Кеннеди, — он вел себя вполне нормально.

Бак начал стягивать с меня трусы, и, не переставая дергаться, я услышала, как рвется тонкая ткань.

— Боже мой, Джеки, я всегда знал, что у тебя классная задница, но теперь вижу, что ты просто супер!

Его лапа опять оказалась у меня между ногами, и на долю секунды он приподнялся. Мне хватило этого, чтобы сделать вдох и закричать. Тогда Бак отпустил запястье и прижал мою голову к сиденью лицом вниз. Теперь я молчала, с трудом дыша. В том, что мою левую руку оставили в покое, проку оказалось немного: я попыталась оттолкнуться ею от пола, но она болела и не слушалась. Я ревела в подушку, и чехол подо мной был весь мокрый от слез и слюны.

— Пожалуйста, не надо! Пожалуйста, не надо! Господи... Перестань! Перестань! — Мне было противно от того, каким слабым и жалким сейчас казался мой голос.

Бак опять приподнялся: то ли передумал, то ли устраивался поудобнее — выяснять было некогда. Я вывернулась, бросилась к дальнему концу сиденья, разрывая каблуками мягкую кожу обивки, и ухватилась за ручку дверцы. Кровь ударила в голову. Нужно было быстро собраться с силами для побега или боя не на жизнь, а на смерть. И тут вдруг я увидела, что Бака нет в машине.

Сначала я не могла понять, почему он стоит за дверцей, отвернувшись от меня. Его голова резко запрокинулась: сначала один раз, потом второй. Бак изо всех сил размахивал руками, но, пока он не оступился, наскочив на мою машину, я не могла разглядеть, с кем он дерется.

Не сводя глаз с моего обидчика, противник два раза с силой ткнул его кулаком в лицо. Они поменялись местами, и я увидела, что у Бака пошла носом кровь. Он попытался дать сдачи, но ничего не вышло. Наконец он набычился и упрямо попер на врага, получив от него сначала апперкот в челюсть, а потом еще и удар локтем в висок, — при этом раздался тошнотворный глухой звук. Бак снова налетел на мою машину и снова попытался атаковать неизвестного мне противника. Тот эффектно, как в кино, схватил Бака за плечи, пригнул и ударил коленом в подбородок. Бак повалился на землю и, съежившись, застонал. Незнакомый парень смотрел на него сверху вниз, готовый, если нужно, нанести новый удар: кулаки сжаты, локти присогнуты.

Но в новом ударе необходимости не было. Бак и без того почти совсем вырубился. Ну а я сидела в своем углу, съежившись и тяжело дыша. Моя паника сменилась шоком. Видимо услышав, как я хнычу, парень поймал мой взгляд, ботинком отодвинул Бака с дороги, подошел к дверце и заглянул внутрь машины:

— Ты в порядке? — Его голос звучал негромко, участливо. Я хотела сказать «да», собиралась кивнуть, но не могла. Потому что была далеко не в порядке. — Я наберу девять-один-один. Тебе нужна медицинская помощь или просто вызовем полицию?

Мне представилось, как в студенческий городок въезжает полицейская машина и народ высыпает из общаги на звук сирены. Я дружила не только с Эрин и Чезом: там, на празднике, тусовалась масса моих приятелей и приятельниц, причем многие из них были несовершеннолетние и успели хорошо выпить. Не хотелось привлекать внимание полиции к нашей вечеринке. После этого от меня все отвернулись бы. Поэтому я замотала головой и проскрипела:

— Не звони.

— Может, хотя бы «скорую» вызовем?

Я прочистила горло и снова замотала головой:

— Никуда не звони. И полицию не вызывай.

Парень оглядел сиденье, и у него отвисла челюсть.

— По-моему, этот гад только что пытался тебя изнасиловать. — (При этом слове я поежилась.) — И ты считаешь, полицию вызывать не надо? — Он покачал головой и еще раз заглянул мне в лицо. — Или, может быть, я зря вас побеспокоил?

Теперь уже я разинула рот и вытаращила глаза:

— Н-нет. Просто я хочу домой.

Бак застонал и перевернулся на спину.

— В-в-вашу мать! — пробурчал он, даже не пытаясь открыть глаза, один из которых, похоже, здорово заплыл.

Мой спаситель, скривив рот, поглядел на поверженного врага, склонил голову набок, потом выпрямился, повел плечами и заявил:

— Ладно. Я тебя отвезу.

«Не для того я отбивалась от Бака, чтобы потом сразу же сесть в машину к незнакомому мужчине», — подумала я и проскрежетала:

— Сама доеду.

Тут мой взгляд упал на сумку, содержимое которой рассыпалось по полу вокруг кресла водителя. Парень глянул вниз и, наклонившись, стал искать ключи, а найдя, потряс ими и спросил:

— Ты, наверное, это ищешь?

Тут только я поймала себя на том, что до сих пор ни на сантиметр к нему не приблизилась. Лизнув губу, я во второй раз за вечер почувствовала вкус крови. Придерживая юбку, я придвинулась к тусклому свету лампочки, вмонтированной в потолок. При мысли о том, что́ со мной чуть было не произошло, я почувствовала дурноту. Когда я потянулась за ключами, пальцы у меня дрожали. Нахмурившись, парень сжал свою находку в кулаке и опустил руку:

— Тебе нельзя ехать одной.

Судя по выражению его лица, видок у меня был кошмарный. Я удивленно моргнула, все еще продолжая тянуться за отнятыми ключами:

— Что? Почему?

Парень выставил три пальца:

— Во-первых, после того, что случилось, тебя всю трясет. Во-вторых, мне кажется, тебе все-таки нужна медицинская помощь. И в-третьих, ты, наверное, выпила.

— Я не пила, — отрезала я. — Сегодня я должна быть за рулем, чтобы развезти ребят по домам.

Парень вскинул брови и огляделся:

— И где же эти ребята? Если бы они действительно были с тобой, не случилось бы всего этого безобразия. А так ты торчишь одна на темной парковке и даже не смотришь по сторонам. Не очень-то ты осторожна!

Тут я вдруг страшно разозлилась. На Кеннеди — за то, что не был рядом; он бросил меня две недели назад и теперь вот не проводил до машины. На Эрин — за то, что уговорила меня прийти на этот дурацкий праздник, и особенно на себя — за то, что согласилась. Ну и разумеется, я вся кипела при виде подонка, который, ничего не соображая, валялся на асфальте в нескольких футах от моего грузовичка, в крови и слюнях. А еще негодовала на незнакомого парня, который заграбастал мои ключи и рассказывал мне, какая я глупая и несерьезная.

— То есть это я виновата, что он на меня напал? — Саднило горло, но я не обращала внимания на боль. — Я виновата, что мне от общаги до машины нельзя дойти, чтобы кто-нибудь из вас не попытался меня изнасиловать? — Теперь я вернула ему это слово. Пусть видит, что я никаких слов не боюсь.

— *Кто-нибудь из вас?* По-твоему, я то же самое, что этот кусок дерьма? — Он указал на Бака, продолжая смотреть мне в глаза. — У меня с ним нет ничего общего.

Именно в этот момент я заметила, что в нижней губе у него, слева, поблескивает серебряная серьга.

Здорово! Я застряла на стоянке наедине с сердитым незнакомым парнем, у которого во рту кольцо и который не собирается отдавать мне ключи. Вот так ночка выдалась! Я хотела продемонстрировать твердость, но вместо этого всхлипнула.

— Пожалуйста, отдай ключи! — Я опять протянула руку, стараясь, чтобы она не дрожала.

Парень сглотнул, глядя на меня. Я тоже в упор посмотрела ему в глаза. Точно определить их цвет я не могла. Но даже в полумраке было видно, что они ясные, светлые и резко контрастируют с темными волосами. Его голос зазвучал мягче, менее враждебно:

— Ты живешь здесь, в кампусе? Давай я тебя довезу, а потом вернусь сюда пешком и уеду к себе.

Мое сопротивление было сломлено. Я кивнула и потянулась за сумкой, чтобы снять ее с сиденья водителя. Парень помог мне собрать разбросанные по полу ручки и карандаши, блеск для губ, кошелек, тампоны, резинки для волос. Наконец он поднял упаковку презервативов и, кашлянув, протянул ее мне. Я отшатнулась:

— Это не мое!

Он нахмурился:

— Уверена?

— Абсолютно! — Я стиснула зубы, чтобы опять не вспылить.

Тогда парень взглянул на Бака:

— Вот подонок! Хотел, наверное... — Он посмотрел на меня, потом снова на Бака. — Э-э-э... чтобы не осталось улик.

Я предпочла не разбираться в подобных деталях.

— Потом выброшу. Назад он это точно не получит, — сказал парень, запихивая упаковку в передний карман джинсов. Он уселся, завел машину и, все еще хмурясь, в очередной раз смерил меня взглядом, после чего спросил: — Точно не хочешь вызвать полицию?

Из общаги донесся смех. Прямо посредине центрального окна красовался, как в раме, Кеннеди. Он танцевал, обхватив руками девицу в белом полупрозрачном платье с глубоким вырезом. Над головой у нее был нимб, а за спиной крылышки. Прекрасно. Просто прекрасно.

Отбиваясь от Бака, я потеряла ободок с рожками, который Эрин на меня нацепила, когда я сидела на кровати и ныла, что не хочу идти на этот дебильный карнавал. Без рожек я была просто девушкой в коротеньком облегающем платье, красном с блестками, — в обычной жизни я бы такого ни за что не надела.

— Точно.

Когда мы отъезжали, свет фар упал на Бака. Он заслонил лицо рукой и попытался сесть. Даже на расстоянии я увидела его разбитую губу, расквашенный нос и заплывший глаз. Хорошо, что не я была за рулем. А то могла бы его переехать.

Я сказала, в каком общежитии живу, уставилась в окно и за все время, что мы петляли по студенческому городку, больше не смогла выдавить ни слова. Я обхватила себя руками, как будто на мне была смирительная рубашка, и старалась подавлять дрожь, которая пробегала по телу каждые пять секунд. Не хотелось, чтобы молодой человек, сидевший за рулем, видел эти судороги, но поделать я ничего не могла.

Стоянка возле общаги была битком забита. Все места у входа уже заняли. Парень припарковал мой грузовичок в заднем ряду, спрыгнул на асфальт, обошел машину и помог мне сползти с места. Он нажал кнопку, чтобы дверцы закрылись, и передал ключи мне. Я взяла их, изо всех сил стараясь не показывать, как мне плохо. Потом мы пошли к зданию.

— Давай карточку.

Я трясущимися пальцами достала ее из кармана сумочки и передала ему. Заметив у него на костяшках кровь, я охнула:

— Господи! Ты поранился!

Он оглядел руку и мотнул головой:

— Нет, это в основном его кровь.

Тут парень сжал губы и, отвернувшись от меня, приложил карточку к замку. Интересно, молодой человек и внутрь собирался со мной пойти? Вообще-то, я уже очень хотела остаться одна.

Открыв дверь, он протянул карточку мне. В вестибюле было светло, и теперь я могла разглядеть глаза парня: они были серо-голубые и смотрели из-под насупленных бровей. Он во второй раз спросил:

— Ты точно в порядке?

Я невольно поморщилась и, опустив голову, чтобы положить карточку обратно в сумку, кивнула:

— Да, все нормально.

Он понял, что я вру, и со вздохом провел рукой по волосам:

— Может, все-таки позвоним кому-нибудь?

Я покачала головой. Мне нужно было скорее добраться до своей комнаты и упасть на кровать.

— Спасибо, не надо.

Я проскользнула в вестибюль, стараясь не задеть парня, и направилась к лестнице.

— Джеки! — мягко окликнул он, все еще стоя в дверях. Я оглянулась, держась за перила, и мы посмотрели друг на друга. — Ты ни в чем не виновата.

Я больно прикусила губу, кивнула и побежала наверх, стуча каблуками о бетонные ступеньки. На площадке второго этажа я резко остановилась и обернулась еще раз. Парень уже ушел.

Я не знала, как его зовут. До того вечера мы не только не встречались, но, по-моему, я даже мельком его не видела. Иначе бы запомнила эти удивительно ясные глаза. Так что я понятия не имела, кто он. А он назвал меня по имени. Причем не Жаклин, как было написано в моей карточке, а Джеки — так окрестил меня Кеннеди, когда мы еще учились в старших классах.

За две недели до этого

— Вернешься к себе или переночуешь у меня? — Мой голос звучал кокетливо, напевно. — Эрин поехала на выходные к Чезу, потому что его соседа сейчас нет в городе. Выходит, я буду совершенно одна...

Мы с Кеннеди встречались без одного месяца три года. Не было смысла прикидываться скромницей. Эрин уже стала называть нас пожилой супружеской парой. «Завидуй молча!» — отшучивалась я, а она отвечала: «Да иди ты!»

— Мм... зайду к тебе ненадолго.

Мы как раз въехали на стоянку общежития, и он потирал шею в поисках места для парковки. Выражение его лица показалось мне странным. В груди кольнуло от предчувствия чего-то недоброго, и я нервно сглотнула:

— С тобой все хорошо?

Если Кеннеди потирает шею, значит его что-то сильно беспокоит. Он бросил взгляд в мою сторону:

— Да, все отлично.

Он втиснул машину на первое же свободное место между двумя пикапами. Обычно он никогда не парковался как попало. Следил, чтобы его драгоценному «БМВ» было просторно, а то, не дай бог, на дверце будет царапина. Ну а теперь Кеннеди явно что-то беспокоило. Наверное, он волновался из-за промежуточной аттестации, особенно по введению в матанализ. К тому же в их общаге в ближайший вечер устраивали тусовку, а перед аттестацией это было, конечно, очень некстати.

Я потянула Кеннеди за собой, и мы зашли в задний подъезд: я побаивалась ходить там одна, но, когда со мной был мой парень, эти грязные стены, залепленные жвачкой, и этот затхлый кислый запах не наводили на меня ужаса. Я взбежала по лестнице, и мы оказались в коридоре.

Я стала открывать дверь, оглядываясь на Кеннеди. На белой доске, где мы с Эрин и прочими соседками писали друг другу записки фломастерами, кто-то старательно изобразил пенис. Я покачала головой. Нравы в нашей общаге были не такие цивилизованные, как расписывалось на сайте колледжа. Иногда мне казалось, что меня окружают двенадцатилетние.

— Завтра вечером скажешь, что приболел, — предложила я, дотронувшись до его руки. — Давай спрячемся здесь и будем все выходные заниматься. Закажем себе еду... и еще что-нибудь поделаем для поднятия настроения... — Я игриво улыбнулась, а он уставился на свои ботинки.

У меня быстро забилось сердце, и мне вдруг стало жарко. Что-то точно было не так. Мне хотелось услышать от Кеннеди все как есть и ничего себе не надумывать. Эта ситуация была для меня как гром среди ясного неба, ведь мы так давно не сталкивались ни с какими проблемами и не ссорились по-настоящему.

Войдя в комнату, Кеннеди сел на стул возле письменного стола, а не на кровать. Я подошла, наши колени соприкоснулись. Может быть, он скажет мне, что просто волнуется из-за экзаменов или у него плохое настроение? Мое сердце тяжело стучало.

— Кеннеди? — Я положила руку ему на плечо.

— Джеки, нам нужно поговорить.

У меня еще громче застучало в ушах, и пальцы соскользнули с его плеча. Сцепив руки, я села в трех футах от Кеннеди. Во рту все пересохло, и я не могла даже глотать, а не то что говорить. Он тоже молчал, стараясь не смотреть мне в лицо. Это продолжалось минуты две, но они показались мне невыносимо долгими. Наконец он поднял на меня глаза. Печальные очи. О боже мой, боже мой, боже мой...

— У меня кое-какие... сложности... с другими девушками.

Я моргнула. Не сиди я в этот момент на кровати, у меня подкосились бы ноги и я бы упала.

— Что ты хочешь этим сказать? — прохрипела я. — Что это за сложности и какие еще другие девушки?

Он тяжело вздохнул:

— Нет, это не то, о чем ты подумала. Я ничего такого не сделал. — Он отвернулся и снова вздохнул. — Но наверное, мне бы хотелось.

— Чего? Не понимаю...

Мой мозг отчаянно пытался найти словам Кеннеди какое-нибудь объяснение, но от этих попыток становилось еще паршивее. Он встал, два раза прошелся по комнате, а потом снова сел, уперев локти в колени и сцепив пальцы.

— Ты знаешь, как для меня важна моя будущая карьера юриста и политика. — (Я кивнула, все еще не оправившись от потрясения и изо всех сил стараясь не потерять самообладания.) — И ты ведь знаешь наших девчонок? — (Я опять кивнула. Когда Кеннеди еще только переехал в общагу, из-за этих-то девчонок я и беспокоилась. Да видно, мало.) — Так вот есть одна девушка... Несколько девушек... Они... В общем...

Я старалась говорить спокойно и рассудительно:

— Кеннеди, ты несешь какую-то бессмыслицу. Ты ничего не сделал, но хочешь сделать?

Тут он посмотрел на меня так, что обманываться было уже невозможно:

— Да, хочу.

Лучше бы он просто взял и ткнул меня кулаком в живот — ведь понимать слова мой мозг все равно отказывался, а физическое воздействие, наверное, понял бы.

— Хочешь? Какого черта ты хочешь?

Кеннеди вскочил со стула и протопал до двери и обратно, отмерив с десяток шагов:

— А ты как думаешь? Господи! Не заставляй меня это говорить!

— Почему же? — Я недоуменно раскрыла рот. — Если ты хочешь что-то сделать, так почему... какого хрена ты не можешь об этом сказать? И при чем тут твоя карьера?

— Я как раз пытался объяснить. Мы все знаем, что для человека, который хочет победить на выборах, нет ничего хуже, чем вляпаться в какой-нибудь скандал. — Кеннеди уставился на меня так, будто я была его противником на предвыборных дебатах. — Но я всего лишь человек. Хотя бы, пока я молодой, мне нужно, что называется, перебеситься. Если я буду себя сдерживать, то потом все эти желания станут только сильнее, так что я не смогу с ними справиться и моей карьере придет конец. — Он беспомощно развел руками. — Поэтому я должен дать себе волю сейчас, пока мои приключения еще ничем мне не грозят.

Я твердила себе, что этого не может быть. Мой парень, с которым мы встречались три года, хочет порвать со мной для того, чтобы без зазрения совести путаться с однокурсницами. Я зажмурилась и попыталась сделать глубокий вдох, но не смогла. В комнате не хватало кислорода. Ничего не говоря, я смотрела на Кеннеди. Он стиснул зубы и процедил:

— Ладно. Я-то хотел тебя подготовить... Думал, просто расстанемся по-хорошему, без сцен. Но, видно, глупо было на такое рассчитывать.

— Ты называешь это «расстаться по-хорошему»? И для тебя это просто? Кинуть меня, чтобы кувыркаться с другими девчонками и не чувствовать себя виноватым? Ты серьезно?

— Серьезней не бывает!

Запуская в Кеннеди учебником по экономике, я подумала: «У него даже не осталось для меня человеческих слов — одни только вонючие штампы!»

ГЛАВА 2

Меня разбудил голос Эрин:

— Жаклин Уоллес, поднимай задницу с кровати и беги спасать свой средний балл! Боже мой, ну нельзя же так забивать на учебу из-за парней! Ты потом все это не расхлебаешь!

Я негодующе хмыкнула в одеяло и только потом высунула голову:

— А кто тут забил на учебу?

Эрин минуту назад вышла из душа и стояла подбоченясь, замотанная в полотенце:

— Ха-ха! Очень смешно. Вставай.

Я фыркнула, продолжая лежать:

— У меня со всеми предметами все в порядке. Могу я хоть один завалить?

Эрин разинула рот:

— Ты сама-то себя слышишь?

Я себя слышала. Моя трусость бесила меня не меньше, чем мою подругу. А может быть, даже больше. Но я и думать не могла о том, чтобы трижды в неделю по часу отсиживать рядом с Кеннеди. Я не знала, как он собирался пользоваться своим новым статусом свободного мужчины: с кем флиртовать, кого клеить. В любом случае смотреть на это не хотелось. От одних только мыслей становилось паршиво.

И зачем я записалась на тот же курс, что и он? В начале семестра он спросил меня, почему я решила ходить на экономику. Ведь я получаю музыкальное образование, и это для меня необязательный предмет. Вдруг Кеннеди уже тогда чувствовал, что нашим отношениям скоро придет конец? Или даже знал?

— Не могу я.

— Еще как можешь! — Эрин стянула с меня одеяло. — Теперь вставай и иди в душ. Если я из-за тебя опоздаю на французский, месье Бидо замучает меня своим passé composé[1]. Я и по-английски в прошедших временах не сильна, а уж en français[2], да еще в такую рань, я вообще двух слов не свяжу.

Я подошла к аудитории ровно в девять. Кеннеди наверняка был уже там, ведь он никогда не опаздывал. Лекции по экономике проходили в большом зале, где парты располагались амфитеатром. Я шмыгнула в заднюю дверь, сразу же заметив Кеннеди в середине шестого ряда. Место возле него, мое место, было свободно. Доктор Хеллер еще на втором занятии записал, кто где должен сидеть, чтобы он мог сразу видеть, кого нет (посещаемость учитывалась при выставлении зачета). «Придется к нему подойти и объяснить, что я хочу пересесть», — подумала я.

Оглядев аудиторию, я увидела два свободных места сзади. Одно в четвертом ряду от конца, между парнем, который спал, подперев щеку рукой, и девчонкой, которая пила что-то из большущего стакана и непрерывно болтала с соседкой. Другое — в самом верху, рядом с молодым человеком, рисовавшим что-то на полях учебника. Я остановилась на втором варианте. Тут вошел профессор, и «художник» поднял голову. Я остолбенела: это был тот самый парень, который спас меня два дня назад. Если бы я не застыла на месте, я бы развернулась и выбежала из аудитории.

---

[1] Составное прошедшее время. — *Здесь и далее примеч. перев.*
[2] По-французски.

Меня с головой накрыли воспоминания о том ужасном вечере: беспомощность, страх, унижение. Придя к себе в комнату, я свернулась клубком на кровати и всю ночь проплакала. Я облегченно вздохнула, когда Эрин написала мне, что останется у Чеза. На следующий день я решила не рассказывать ей о случившемся: во-первых, не хотела, чтобы она чувствовала себя виноватой, — ведь это она уломала меня пойти на вечеринку, а потом позволила мне уйти одной, а во-вторых, хотелось поскорее это забыть.

— Если все усядутся, мы начнем.

Услышав голос профессора, я вышла из ступора. Все, кроме меня, сидели. Я бросилась к свободному месту между болтушкой и соней. Когда я плюхнулась на прикрученный к полу стул, девушка на секунду обернулась и продолжила свой рассказ о том, где, с кем и до какого состояния она напилась в прошедшие выходные, а парень только приоткрыл осоловелые глаза и даже не пошевелился.

— Здесь не занято? — шепотом спросила я.

Он покачал головой и пробормотал:

— Было занято. Но она давно не ходит. Видно, бросила.

Немного успокоившись, я достала из сумки тетрадь. На Кеннеди я старалась не смотреть, но при таком расположении парт это было довольно трудно. Стоило ему пошевелиться, его тщательно уложенные светло-русые волосы и выглаженная рубашка, так хорошо мне знакомая, сразу же притягивали к себе взгляд. Эта ткань в зеленую клетку очень шла к его ярко-зеленым глазам. Мы с ним были знакомы с девятого класса. Я видела, как он постепенно превращался из пацана в шортах и кедах в молодого человека с глянцевой обложки, который отдает свои идеально подогнанные вещи гладить в прачечную и следит за тем, чтобы его обувь всегда блестела.

Фигура у него была безупречная, и даже преподавательницы нередко оборачивались ему вслед, а потом быстро отводили взгляд, как от запретного плода.

В старшей школе мы вместе ходили на английский. Кеннеди заметил меня на первом же уроке: перед тем как сесть, улыбнулся, показав ямочки на щеках, и предложил заниматься в его группе. Потом спросил про мои планы на выходные, а вскоре и сам стал частью этих планов. Он ухаживал за мной без робости, не сомневаясь в успехе. Как староста нашего класса, Кеннеди старался со всеми дружить: он придавал большое значение тому, чтобы всем нравиться. Это был один из лучших учеников, спортсмен (гордость школьной бейсбольной команды), звезда дискуссионного клуба (в споре он всегда находил веские доводы, которые помогали ему победить).

Со мной Кеннеди был терпелив и внимателен, не форсировал события, никогда не забывал про мой день рождения или годовщину нашего знакомства. Я даже не сомневалась в том, что у нас все серьезно. Когда мы начали открыто встречаться, он переименовал меня в Джеки, и все это подхватили. Даже я сама стала так себя называть. «Ты моя Джеки», — говорил он, отождествляя меня с женой Джона Кеннеди, своего тезки и кумира.

К президентской семье мой Кеннеди не имел никакого отношения. Просто его родители, вечно ссорившиеся друг с другом, были помешаны на политике. Его сестру они назвали Рейган, а брата — Картер.

Прошло три года с тех пор, как я перестала быть Жаклин. Теперь я старалась отвоевать свое прежнее имя — частичку себя, которой я когда-то пожертвовала ради Кеннеди. Я поступилась не только этим, но и другими, более важными вещами. Просто это было единственное, что я могла вернуть.

❖ ❖ ❖

Итак, две недели я пропускала занятия, а теперь пришла и потратила пятьдесят минут лекции на то, чтобы не позволять себе смотреть на Кеннеди. Вялые мозги не слушались. Когда прозвенел звонок, я поняла, что не много усвоила из рассказа профессора.

По пути в кабинет доктора Хеллера я усиленно соображала, как же уговорить его дать мне возможность наверстать упущенное. До этого момента мне было наплевать, сдам я экономику или нет. И вот теперь я испугалась: я ведь еще ни разу не заваливала ни одного предмета, а сейчас все к этому шло. Если я получу «F»[1], эта оценка останется у меня в дипломе на всю жизнь. Что я скажу родителям и куратору?

— Что ж, миз[2] Уоллес, — достав из поношенного портфеля учебник и кипу разрозненных листков, доктор Хеллер принялся ходить по комнате так, будто меня рядом не было, — изложите ваши обстоятельства.

Я прокашлялась:

— Обстоятельства?

Он устало посмотрел на меня поверх очков:

— Вы отсутствовали две недели подряд, пропустили промежуточную аттестацию, и сегодня вас тоже не было. Надо полагать, сейчас вы пришли ко мне, потому что все-таки хотите сдать макроэкономику. Слушаю вас затаив дыхание. — Тут он вздохнул и поставил учебник на полку. — Мне кажется, что я уже слышал обо всех мыслимых и немыслимых причинах студенческих прогулов, но, может быть, вам все-таки удастся меня уди-

---

[1] «F» — самая низкая оценка по шкале «A—F», принятой в большинстве учебных заведений США.

[2] *Миз* (*англ.* Ms.) — обращение, которое ставится перед фамилией женщины, чье семейное положение неизвестно или не подчеркивается; вошло в употребление в 1970-е годы по инициативе феминистского движения.

вить? Попробуйте! Только у меня мало времени, и у вас, наверное, тоже.

Я сглотнула:

— Сегодня я была. Просто сидела не на своем месте.

Он кивнул:

— Хорошо. Поскольку вы подошли ко мне в конце лекции, я вам поверю. Один пропуск зачеркнем: четверть балла ваша. Но все равно у вас остается шесть пропущенных занятий и ноль баллов по результатам аттестации.

Боже мой! В этот момент из меня будто вытащили пробку — и наружу полились бессвязные извинения и оправдания:

— Меня бросил парень, а он тоже к вам ходит, и я даже видеть его не могу, не то что с ним рядом сидеть... Господи, я пропустила аттестацию! Я могу все завалить! Но ведь я никогда еще не проваливалась!

После этого монолога из глаз у меня брызнули слезы — как будто специально, чтобы добить профессора. Я прикусила губу, потому что боялась зареветь в голос, и уставилась в стол, стараясь не видеть презрительного выражения, которое, как мне казалось, должно было появиться на лице доктора Хеллера. Вдруг в поле моего зрения замаячила салфетка и я услышала вздох.

— Считайте, что вам повезло, миз Уоллес. — (Я взяла салфетку и промокнула ею влажные щеки, настороженно глядя на профессора.) — Видите ли, у меня дочь немного моложе вас. С ней недавно тоже произошла неприятность, и умненькая девочка, круглая отличница, превратилась в жалкий комок нервов, который только плачет, спит и снова плачет. Это продолжалось недели две, а потом дочка пришла в себя и сказала, что ни один мальчик больше не помешает ей учиться. Так и быть, я дам вам шанс. Один-единственный. Если вы им не воспользуетесь, тогда в конце семестра получите то, что заслужили. Мы друг друга поняли? — (Я кивнула и снова прослезилась.) — Хорошо. — Профессор неловко заерзал и протянул мне еще одну салфетку. — Ради бога, не надо! Своей дочке я сказал: «Парни не стоят того, чтобы так убиваться». Уж я-то знаю, сам был одним из них. — Профессор нацарапал что-то на клочке бумаги и протянул его мне. — Вот электронный адрес моего ассистента Лэндона Максфилда. Вы наверняка никогда не были на дополнительных семинарах, которые он проводит. Вам стоит сходить. Без индивидуальных занятий, конечно, тоже не обойтись. Три года назад Лэндон был моим лучшим студентом и с тех пор помогает мне. Я объясню ему, какой проект вы должны будете подготовить под его руководством, чтобы исправить свою оценку.

Я поблагодарила профессора, в очередной раз всхлипнув. Ему, наверное, было до смерти неловко.

— Пожалуйста, пожалуйста. — Он вытащил план размещения студентов в аудитории. — Покажите, где вы, начиная с сегодняшнего дня, будете сидеть, чтобы я мог за каждое посещение начислять вам четверть балла.

Я показала. Профессор вписал мое имя в квадратик. «Ну что ж, — подумала я, — еще не все потеряно. Осталось только связаться с этим Лэндоном и выполнить задание. Но это, похоже, будет нелегко».

❖ ❖ ❖

В кафетерий «Старбакс», который находился в здании студенческого центра, выстроилась невероятно длинная очередь. За пределами кампуса, через дорогу, была еще одна кафешка, но шел дождь, и мне не хотелось мокнуть. Да к тому же в той кафешке я, скорее всего, встретила бы Кеннеди: мы с ним почти каждый день ходили туда на большой перемене, потому что он принципиально игнорировал сетевые гиганты вроде «Старбакса» (даже если там продавали действительно хороший кофе), предпочитая уютные маленькие заведения.

— Я точно опоздаю на занятие, если и дальше буду здесь торчать! — раздраженно проворчала Эрин, высовываясь из очереди, чтобы посмотреть, сколько студентов осталось перед нами. — Девять человек! Девять! И еще пятеро ждут свой кофе. Да кто они все такие?

Парень, стоявший впереди, сердито оглянулся. Эрин ответила ему не более дружелюбной гримасой, а я поджала губы, чтобы не прыснуть со смеху:

— Может, такие же кофеиновые маньяки, как мы с тобой?

— Уф! — фыркнула она и вдруг схватила меня за руку. — Чуть не забыла: слыхала, что случилось с Баком в субботу вечером?

У меня ёкнуло в груди. Ночь, о которой я так хотела забыть, не переставала напоминать о себе. Я мотнула головой.

— На Бака напали на парковке за общагой. Двое парней пытались отнять у него кошелек. Скорее всего, это были бродяги. У них, паразитов, ничего не вышло, но избили они его здорово. Черт-те что творится у нас в кампусе, в самом центре города! Но знаешь, — Эрин придвинулась ко мне ближе, — по-моему, теперь, с расквашенной физиономией, Бак смотрится даже еще сексуальнее.

Мне было противно молча стоять и с притворным интересом слушать это вранье, вместо того чтобы выложить, как все было на самом деле.

— Ну ладно. Пойду выпью баночку энергетика, чтобы не вырубиться на политологии. Опаздывать нельзя, будет тест. Увидимся вечером.

Сказав это, Эрин приобняла меня и убежала.

Я продолжала двигаться к кассе, в тысячный раз прокручивая в памяти события субботнего вечера. Мне все никак не удавалось отделаться от унизительного ощущения собственной беспомощности. Да, парни сильнее нас — это я всегда знала. Кеннеди часто брал меня в охапку, а один раз даже перекинул через плечо и так побежал вверх по лестнице, а я висела вниз головой у него за спиной и смеялась. Он легко открывал банки, которые я открыть не могла, и двигал мебель, которую мне было не сдвинуть. Я ощущала его превосходство в силе, когда он обнимал меня и мои руки ложились на его твердые бицепсы.

Две недели назад он нанес мне удар в самое сердце. Ни разу до этого я не чувствовала такой боли, такой пустоты. И все-таки Кеннеди никогда не использовал против меня свою физическую мощь. Этим пакостным ощущением я обязана Баку — парню, которого все считали сексуальным, так что у него никогда не было проблем с девчонками. Парню, который раньше и виду не показывал, будто может хотя бы пальцем меня тронуть: я для него была только девушкой Кеннеди. Может, во всем виноват алкоголь? Вряд ли. Спиртное помогает избавиться от внешних ограничений, но не вызывает тяги к насилию, если она несвойственна человеку от природы.

— Следующий!

Опомнившись, я стала оглядывать прилавок, перед тем как заказать то, что обычно брала, и тут вдруг снова увидела перед собой лицо молодого человека из той самой субботней ночи. Утром на экономике я не захотела сесть рядом с ним. И вот опять стою с разинутым ртом, ничего не говоря. Опять накатили прежние эмоции. Щеки загорелись, когда я подумала, в каком положении этот парень застал меня, прежде чем вмешаться, и какой дурой я, наверное, была в его глазах. Но в тот вечер он сказал, что я ни в чем не виновата, и обратился ко мне по имени. Тому, от которого я уже шестнадцать дней пыталась избавиться.

Какую-то долю секунды я надеялась, что молодой человек меня не узнает. Напрасно. Я посмотрела в его проницательные глаза и поняла, что он все прекрасно помнит. В мельчайших подробностях. Я опять вспыхнула.

— Будете что-нибудь заказывать?

Этот вопрос вывел меня из задумчивости. Голос парня был спокойным, но я чувствовала нетерпение выстроившейся за спиной очереди.

— Гранд-американо, пожалуйста.

Я пробормотала это так невнятно, что даже удивилась, когда молодой человек, не переспрашивая, пометил чашку и передал ее своей напарнице. Тут я обратила внимание, что вокруг костяшек его левой руки в два или три слоя намотан бинт. Я подала карту, и парень пробил мой кофе.

— Как дела? Все в порядке?

На первый взгляд это был совершенно дежурный вопрос, но нам двоим виделся в нем скрытый смысл.

Молодой человек провел моей карточкой по щели кассового терминала.

— Да, все нормально. — На костяшках у него была просто ссадина, ничего страшного. Когда он возвращал мне карточку с чеком, его пальцы слегка коснулись моих, и я отдернула руку. — Спасибо.

Он посмотрел на меня широко раскрытыми глазами, но ничего больше не сказал.

— Мне двойной карамельный макиато с обезжиренным молоком, без сливок! — нетерпеливо выкрикнула какая-то девушка из-за моего плеча.

Она не дотронулась до меня, но подошла почти вплотную, и от этого мне стало неуютно. Когда парень перевел на нее взгляд, на его лице отразилось едва заметное раздражение. Он резко назвал ей сумму, помечая стакан, а потом, перед тем как я отошла, еще раз быстро взглянул в мою сторону. Не знаю, смотрел ли он на меня потом. Я ждала свою порцию в другом конце бара, а получив ее, торопливо вышла, вместо того чтобы, как обычно, налить в кофе молока и высыпать три пакетика сахара.

По экономике нам читали обзорные лекции, и ходило на них человек двести. По идее это было не так уж трудно — шесть оставшихся недель осеннего семестра не встречаться глазами всего лишь с двумя людьми из этой толпы.

ГЛАВА 3

Придя в общежитие после занятий, я сразу же дисциплинированно отписала ассистенту доктора Хеллера, а потом взялась за домашнее задание по истории искусства — эссе про одного из скульпторов-классицистов и его влияние на развитие классицизма в целом. Я мысленно поблагодарила свою нервную систему за то, что по всем предметам, кроме экономики, мне удалось не отстать.

Поскольку Эрин была на работе, я пользовалась возможностью наконец-то спокойно позаниматься. В остальное время она почти постоянно меня отвлекала. Помню, как-то раз я пыталась готовиться к контрольной по алгебре, а моя подруга, сидя в этой же комнатушке, болтала по сотовому: «Эти туфли были нужны мне для работы, папочка! Ты же сам хотел, чтобы я со школьной скамьи знала цену труду. И ты всегда говоришь, что внешний вид может способствовать успеху. Вот я и следую твоим мудрым советам».

Тут Эрин взглянула на меня. Я закатила глаза. Она работала официанткой в модном ресторане в центре города, и это часто служило ей оправданием, если она выходила за пределы суммы, предназначавшейся для пополнения ее гардероба. Туфли за триста долларов были нужны ей для работы, которая приносила девять баксов в час! Эрин подмигнула мне в ответ, и я подавила взрыв смеха. Ее отец всегда сдавался, когда она называла его папочкой.

Быстрого ответа от Лэндона Максфилда я не ждала. Как старшекурсник и наставник многочисленных студентов доктора Хеллера, он наверняка был страшно занят. Да и чего ради ему бросаться помогать отстающей второкурснице, которая пропустила две недели занятий с промежуточной аттестацией и ни разу не была на его семинаре? Я собиралась объяснить ему, что буду усердно заниматься и постараюсь не отнять у него слишком много времени.

Через пятнадцать минут после того, как я отправила письмо, пришел ответ. Лэндон Максфилд писал сухо — в тон мне (я долго не могла решить, обратиться ли мне к нему по имени или по фамилии, и в итоге выбрала более официальный вариант).

Здравствуйте, миз Уоллес!

Доктор Хеллер сообщил мне о том, что Вам необходимо закрыть пропуски по макроэкономике и выполнить задание, за которое Вы получите промежуточную аттестацию. Поскольку профессор разрешил Вам отработать долг, Вы не обязаны объяснять мне причину своего отставания. Я ассистент преподавателя, и помогать отстающим — моя работа.

Мы могли бы встретиться в кампусе, желательно в библиотеке, и обсудить Ваш проект. Задание серьезное и потребует от Вас большой самостоятельной работы. Доктор Хеллер объяснил мне, в какой степени я должен Вам помогать. Прежде всего он хочет увидеть, что́ Вы способны сделать сами. Но общие установки я Вам, конечно же, дам.

Мои семинары проходят с 13:00 до 14:00 по понедельникам, средам и четвергам. Однако эти занятия посвящены не пройденному материалу, а тому, который изучается на лекциях в данный момент. Вам же, я думаю, нужна помощь в освоении тех тем, что Вы пропустили за последние две недели. Сообщите мне, когда Вы могли бы приходить на индивидуальные занятия, и мы договоримся о встрече.

ЛМ

Я стиснула зубы. Письмо было безукоризненно вежливое, но от него попахивало снисходительным высокомерием. А что означала подпись — ЛМ? Это был знак дружелюбия, небрежность или ирония над моей попыткой произвести впечатление серьезной, зрелой студентки? В своем послании я намекнула на личные обстоятельства, помешавшие мне ходить на лекции. Надеялась, что Максфилд не станет расспрашивать о деталях. Но он не просто дал понять, что не хочет знать этих деталей, а еще и продемонстрировал свое презрение ко мне как к девушке, которая не умеет разделять учебу и личную жизнь.

Перечитав письмо, я только сильнее разозлилась. Так, значит, он считает, что я тупая и не в состоянии сама освоить пропущенный материал?

Мистер Максфилд!
Я не смогу посещать Ваши семинары, потому что по понедельникам и средам с 13:00 до 14:30 у меня лекции по истории искусств, а в четверг после обеда я преподаю в школе. Я живу в кампусе и свободна по понедельникам и средам в конце рабочего дня, а также почти каждый вечер и по выходным (если не занимаюсь с учениками). Я начала разбирать материал по ВВП, инфляции и индексу потребительских цен. Выполняю задания в конце девятой главы. Если мы с Вами встретимся и Вы объясните мне, в чем должен заключаться мой проект, со всем остальным я вполне справлюсь сама.

Жаклин

Я нажала «отправить» и секунд двадцать чувствовала себя на коне. Но на самом деле я едва заглянула в девятую главу. А комментарии к диаграммам спроса и предложения казались мне тарабарщиной, куда для прикола напихали значков «$» и других непонятных загогулек. Что касается ВВП, то я просто знала, как расшифровывается это сокращение. Приблизительно.

Боже мой, что я наделала! Я высокомерно отклонила помощь человека, которому поручил меня профессор, хотя был вовсе не обязан давать мне второй шанс. Но дал.

Услышав характерный сигнал, я нервно сглотнула и открыла папку «Входящие»: Лэндон Максфилд прислал ответ.

Жаклин!
Если Вы предпочитаете осваивать материал самостоятельно, то это, конечно, Ваше право. Тогда я подготовлю то, что нужно для Вашего проекта, и давайте встретимся, к примеру, в среду после 14:00. Вас это устроит?

ЛМ

P. S. А что Вы преподаете?

Судя по всему, он на меня не рассердился. Ответ был вежливый, даже милый. А я, когда писала свое предыдущее письмо, так разнервничалась, что потеряла способность трезво мыслить.

Лэндон!
Я даю уроки игры на контрабасе ученикам средних и старших классов, которые занимаются в школьном оркестре. Только что вспомнила: я обещала двум своим ребятам в среду днем отвезти их инструменты на конкурс. (У меня грузовичок, в котором я, кроме собственного контрабаса, постоянно перевожу чужие инструменты, диваны, матрасы...)
Может быть, мы могли бы встретиться как-нибудь вечером? Или в субботу?

ЖУ

Я играю на контрабасе с десяти лет. В четвертом классе, через две недели после начала учебного года, один из двух контрабасистов нашего оркестра гонял в футбол и сломал себе ключицу. Тогда миссис Пибоди, руководительница оркестра, попросила, чтобы контрабас попытался освоить кто-нибудь из многочисленных скрипачей. «Есть желающие?» — пропищала она. Поскольку других охотников не было, я подняла руку.
Даже инструмент-половинка оказался для меня слишком большим. Чтобы играть на нем, я вставала на ска-

меечку, чем ужасно веселила весь оркестр. Вообще в школе надо мной не переставали смеяться до самого выпуска.

А мама спрашивала меня: «Солнышко, разве играть на контрабасе не странновато для девочки?» В свое время она мечтала, чтобы я стала пианисткой, и обиделась, когда я предпочла скрипку, ну а этот мой новый выбор нравился ей еще меньше. «Может быть», — отвечала я, в упор глядя на маму, а та закатывала глаза. Она так и не смирилась с моим контрабасом, который я очень полюбила за то, что он задает направление оркестровому исполнению любой вещи.

Соперники по региональным конкурсам всегда смотрели на меня свысока. Им казалось, что если я девочка, то, значит, не могу играть так же хорошо, как они. А потом оказывалось, что я играю лучше.

К пятнадцати годам я доросла до своих нынешних пяти с половиной футов[1] и перешла на контрабас размером в три четверти. Обходилась без всяких скамеечек, хотя и с трудом.

В течение года я давала уроки школьникам. Все мои ученики были мальчики и при первой встрече смотрели на меня негодующе — до тех пор, пока я не начинала играть.

Жаклин!

Контрабас? Это интересно.

К сожалению, до конца недели у меня все вечера заняты, в выходные я тоже редко бываю свободен. Но как-нибудь мы с Вами обязательно встретимся, а чтобы Вы не тратили времени даром, я Вам через несколько часов вышлю необходимую информацию о проекте, и мы сможем все обсудить по электронной почте. Согласны?

ЛМ

---

[1] Около 168 см (один фут равняется 30,48 см).

P. S. Буду иметь Ваш грузовик в виду на случай, если куплю что-нибудь громоздкое или соберусь переезжать.

Спасибо, Лэндон, это было бы здорово. (Я о пересылке информации по проекту, а не о Вашем намерении бессовестно эксплуатировать меня и мой грузовичок. Вы, я смотрю, ничем не лучше моих друзей, которые экономят немалые деньги на аренде транспорта и плате водителю, а в благодарность покупают мне пиво.)

ЖУ

Жаклин!
Я пришлю Вам материал по вашему проекту, как только доберусь до дому, и мы все обсудим.
Кстати, бартер, или меновая торговля, — это не что иное, как первобытная экономика в действии. (А Вам уже можно пить пиво?)

ЛМ

Лэндон!
Я совсем даже не против того, чтобы в своих интересах использовать пережитки первобытной экономики. Пусть лучше друзья платят мне пивом, чем не платят вообще. Что касается моего возраста, то, мне кажется, Ваша ассистентская должность не обязывает Вас вникать в такие подробности.

ЖУ

Жаклин!
Пардон, я просто боялся, что Вы окажетесь несовершеннолетней и захотите упрятать меня за решетку, если я предложу Вам алкоголь. Но верю, что Вы этого не сделаете. И Вы правы, бедные безлошадные студенты вроде меня должны уважать старые проверенные способы решения транспортных проблем.

ЛМ

Увидев, как легко Лэндон признается в том, что у него нет машины, я улыбнулась. Улыбка сошла с моего лица при мысли о Кеннеди, который так чванился своим авто. Незадолго до окончания школы его родители отдали «мустанга», на котором он проездил два года, шестнадцатилетнему брату взамен недавно разбитого джипа. Ну а Кеннеди в качестве подарка по случаю предстоящего выпуска они купили новенький «БМВ» — черный, блестящий, с дорогущими кожаными сиденьями, стереосистемой, которую было слышно за квартал, и кучей других модных наворотов.

«Черт! — подумала я. — Пора бы перестать всех и вся сопоставлять с Кеннеди». Тут до меня дошло, что мне по-прежнему ужасно его не хватает. За три года мы друг к другу очень привыкли, но он ушел и отвык, а я вот все никак. Я до сих пор связывала с ним свое настоящее и будущее и только теперь начинала мириться с мыслью о том, что он уже в прошлом. Я решилась посмотреть правде в глаза, хоть это было и больно.

❖ ❖ ❖

Как только мы поступили в университет, Кеннеди записался в мужской студенческий клуб, где состоял его отец. Я не разделяла стремления своего парня непременно влиться в какую-нибудь группу и сама не спешила вступать ни в одно из аналогичных женских обществ. Кеннеди это не слишком-то беспокоило: главное, чтобы я не мешала ему развивать навыки общения, так необходимые для будущего политика. Как-то раз он даже сказал:

— Прикольно, что ты у меня ЧНД!

— А что такое ЧНД?

— Чертовски независимая девушка! — рассмеялся он.

До сих пор мне не приходило в голову, что тогда, почти три недели назад, он не только ушел от меня сам, но и увел за собой чуть ли не всех, кто составлял мой тщательно подобранный круг общения. Без Кеннеди меня перестали приглашать на вечеринки. Конечно, Чез и Эрин иногда брали меня с собой, но лишь постольку, поскольку я входила в список вещей, которые приветствуются на любых тусовках: алкоголь и девочки — это никогда не лишнее. Ужас. Из «чрезвычайно независимой девушки» я превратилась в предмет праздничной обстановки.

Встречи с бывшими друзьями получались в лучшем случае неловкими. Целую неделю ребята из мужского клуба каждое утро продавали кофе, сок и выпечку прямо под дверью главного библиотечного корпуса: собирали деньги на проведение тренинга по развитию лидерских способностей. А девицы из общества «Дельта-дельта-дельта»[1] разбили на газоне палатки, возле которых дымились портативные грили. Это должно было привлечь всеобщее внимание к проблемам бездомных людей. (Я тогда спросила у Эрин: «Интересно, все бомжи вынуждены возиться с грилями „Коулман“ и другим дорогостоящим туристским инвентарем?» — а она фыркнула: «Я им говорила, что это нелепо, но все как об стенку».)

Короче, куда бы я ни направилась из своей общаги, мне обязательно встречались люди, с которыми у нас еще совсем недавно были прекрасные отношения. Но теперь от меня прятали глаза, хотя кое-кто махал рукой или улыбался, прежде чем сделать вид, будто не может оторваться от какого-то очень важного разговора. Еще меньше было тех, кто бросал мне: «Привет, Джеки!» Я не стала говорить этим ребятам, что меня больше так не зовут.

Первое время Эрин твердила, будто мне просто кажется, что от меня все шарахаются. Но через две недели

---

[1] «Дельта-дельта-дельта» — женское студенческое общество, основанное в 1888 г. в Бостонском университете.

она была вынуждена признать: «Когда пара распадается, людям приходится делать выбор, с кем из бывших партнеров они будут проявлять солидарность. Такова человеческая природа. Ну а вообще... Как это трусливо!» Видимо, не зря Эрин ходила на лекции по психологии. Но подруга взяла в ней верх над беспристрастным психологом, и мне это было очень приятно.

Я не удивилась, что, выбирая между мной и Кеннеди, почти все предпочли его. Ведь, в конце концов, для них он был свой. Общительный, обаятельный парень, настоящий будущий лидер. А я была его девушкой — тихой, милой, но немного странной. После разрыва наших с ним отношений для всех, кроме Эрин, я стала просто студенткой, не состоящей ни в каком союзе.

Во вторник мы столкнулись с нашей «правящей четой», Кэти и Ди-Джеем: она возглавляла общество, куда вступила Эрин, а он был вице-президентом клуба Кеннеди.

— Привет, Эрин, классно выглядишь! — сказала Кэти так, будто меня рядом не было.

А Ди-Джей дотронулся до подбородка и, скользнув по мне взглядом, улыбнулся моей подруге. Как и его пассия, он предпочел меня не заметить.

— Спасибо, — ответила Эрин, а потом, беря меня под руку, пробурчала: — Вот жопы надутые!

Больше года назад, когда я только приехала в общагу, я ужасно боялась, что меня поселят с ненормальной активисткой какого-нибудь студенческого движения. В первый момент мне показалось, что именно это и произошло. Эрин обосновалась в комнате первой и сразу же заняла кровать у окна. Над изголовьем она повесила четыре огромные позолоченные буквы своего имени и блестящие золотисто-голубые помпоны, с которыми прыгала в группе поддержки школьной футбольной команды. Вокруг были расклеены коллективные фотографии со спортивных мероприятий и портреты здоровенных футболистов.

Я остановилась в изумлении: благодаря обилию блесток и фольги половина комнатушки превратилась в нечто светоотражающее. Эрин вывела меня из оцепенения, подскочив к двери с криком:

— Привет! Я Эрин! А ты, наверное, Жаклин?

«Ясен хрен!» — чуть было не ответила я, но сдержалась.

— Раз тебя не было, я решила выбрать себе кровать. Ты же не против? Я уже почти распаковалась и могу помочь тебе.

Тут она схватила мою самую тяжелую сумку и швырнула ее на постель.

— Возле двери я повесила доску, чтобы мы могли оставлять друг другу записочки. Вообще-то, так посоветовала моя мама, но, по-моему, идея неплохая?

Я, моргая, уставилась на это существо с нечесаной медно-рыжей шевелюрой и в форменной университетской футболке почти того же цвета.

— Угу, — пробормотала я, глядя, как новоиспеченная подруга расстегивает сумку и вытаскивает оттуда мои пожитки.

Видимо, произошла какая-то ошибка. Перед тем как поселиться в общежитии, я заполнила длинную анкету, где описала соседку своей мечты. Эрин, как мне показалось, не обладала ни одним из перечисленных мною качеств. Мне хотелось жить с собственным подобием: книжным червем в юбке, тихоней, которая будет вовремя ложиться спать, а не таскаться по тусовкам. Я надеялась, что парни не станут ходить к нам табунами и наша комнатенка не провоняет пивом.

— Обычно меня называют Джеки, — сказала я.

— Джеки — здорово! Но, согласись, Жаклин тоже очень красиво, — по-моему, это звучит утонченно. Тебе хорошо, есть из чего выбрать. А я просто Эрин, без вариантов. И то ладно: по крайней мере, нормальное имя, да? Ну что, Джеки, куда мы повесим этот постер?.. Кстати, кто это? — спросила она, схватив фотографию одной из моих любимых певиц, которая, как и я, играет на контрабасе.

— Эсперанса Сполдинг.

— Никогда не слышала. Но она симпатичная.

Эрин взяла горсть кнопок и, запрыгнув ко мне на кровать, приложила постер к стене:

— Может, сюда?

Все это было долгих пятнадцать месяцев тому назад.

ГЛАВА 4

В среду утром я прибежала на экономику за минуту до звонка, меньше всего ожидая, что в дверях столкнусь с Кеннеди. Он стоял у входа в аудиторию и, прислонившись к стене, обменивался номерами с какой-то девчонкой из общества «Дзета». Она сфотографировалась на его мобильный и, хихикнув, вернула аппарат владельцу. Он проделал с телефоном своей поклонницы то же самое и осклабился, глядя на нее сверху вниз. Мне он больше так улыбаться не будет.

Я поняла, что стою столбом, лишь когда один из однокурсников толкнул меня и я уронила свой тяжеленный рюкзак. Парень пробормотал извинение, по тону больше похожее на «Брысь с дороги!».

Надеясь, что Кеннеди и девица меня не заметили, я наклонилась за рюкзаком. Но в этот момент за его лямку уже взялась чья-то чужая рука. Я выпрямилась и увидела перед собой ясные серо-голубые глаза.

— Рыцарство у нас еще никто не отменял! — Это был тот самый спокойный низкий голос, который я уже слышала и в субботу ночью, и в понедельник днем в «Старбаксе».

— А?

Он водрузил рюкзак обратно на мое плечо.

— Ну и засранец! — Юноша указал на того, кто меня толкнул, но готова поклясться, что глазами он в этот момент сверлил моего бывшего, который, смеясь, заходил в аудиторию вместе с девушкой. Она была в оранжевых спортивных штанах с надписью «Дзета» на заднице. — Все в порядке?

Он уже в третий раз задавал мне такой вопрос, и опять его слова звучали не просто как обычная вежливость.

— Да, спасибо.

Ничего не поделаешь: снова пришлось соврать. Я развернулась, вошла в аудиторию, села на свое новое место и первые сорок пять минут старалась не отвлекаться от доктора Хеллера, доски и конспекта. Послушно перерисовывая графики краткосрочного равновесия и совокупного спроса, я поняла, что для меня все это полная абракадабра и рано или поздно придется молить Лэндона Максфилда о помощи. А моя гордость поможет мне только увязнуть еще глубже.

За несколько минут до конца занятия я полезла в рюкзак, чтобы под этим предлогом втихаря взглянуть на парня в заднем ряду. Он рассеянно тыкал в блокнот черным карандашом и смотрел на меня, свесив локоть со спинки стула и небрежно поставив ногу на перекладину под партой. Когда наши глаза встретились, неясное выражение его лица сменилось осторожной, но нескрываемой улыбкой. Я сунулась в рюкзак, потом снова посмотрела на парня, а он все не отводил взгляда. Отвернувшись, я почувствовала, что лицо мое потеплело от прилива крови.

На протяжении трех прошедших лет молодые люди проявляли ко мне интерес, но никто, кроме Кеннеди, меня не волновал, не считая пары мимолетных тайных увлечений: однажды мне понравился преподаватель по контрабасу (он был студентом колледжа, как я сейчас), а в другой раз — напарник, с которым мы вместе делали лабораторную по химии.

Перестав вслушиваться в слова профессора, я принялась размышлять над тем, чего больше в моем чувстве к сероглазому молодому человеку: затянувшейся неловкости, благодарности за то, что тот спас меня от Бака, или простого влечения? Наверное, всего было поровну.

Лекция закончилась. Я стала запихивать вещи в рюкзак, стараясь больше не смотреть на того парня и специально подольше не вставая, чтобы Кеннеди и его поклонница успели выйти. Когда я наконец-то поднялась, мой вечно сонный сосед вдруг спросил:

— Слушай, он вроде бы говорил про какие-то дополнительные задания? Я, похоже, как раз в этот момент вырубился и теперь не могу разобрать, что понаписал. — (Я заглянула в его блокнот: каракули действительно были нечитаемые.) — Кстати, я Бенджи.

— Мм... Сейчас посмотрю. — Я принялась листать свою тетрадь, ища в ней нужное место. — Вот. — Глядя, как мой сосед переписывает задание, я добавила: — Меня зовут Жаклин.

Бенджи был из тех парней, которых половое созревание не украсило. Весь лоб у него вызвездило прыщами. Переросшие волосы кудрявились: опытный стилист смог бы их укротить, но он, похоже, предпочитал стричься за восемь долларов в парикмахерской, где круглые сутки включен канал И-эс-пи-эн[1]. Судя по не слишком стройному туловищу, завсегдатаем нашего навороченного спортивного зала Бенджи не был. На растянутой футболке красовалась какая-то надпись с претензией на остроумие — я предпочла не вникать. Выручала его только обворожительная улыбка, от которой появлялись милые лучики в уголках выразительных светло-карих глаз.

— Спасибо, Жаклин. Я спасен. Мне до зарезу нужно сделать дополнительные задания, чтобы получить лишний балл. Увидимся в пятницу. — Бенджи захлопнул тетрадь и, простодушно улыбаясь, добавил: — Если, конечно, я случайно не просплю всю пару.

---

[1] *И-эс-пи-эн* — кабельный спортивный телеканал.

Я улыбнулась в ответ и направилась к проходу:

— Всегда пожалуйста.

Неужели мне удастся завязать какие-то знакомства за пределами круга Кеннеди? После нашего расставания, когда почти все люди, которых я считала и своими друзьями тоже, перебежали на сторону моего бывшего, до меня дошло, как сильно я от него зависела. Эта мысль меня слегка потрясла. Почему она раньше никогда не приходила мне в голову? Наверное, потому, что я считала, будто мы с Кеннеди вместе навек. Глупо и наивно было так думать — теперь это казалось очевидным.

В аудитории почти никого не осталось. Парень из последнего ряда уже вышел. Меня вдруг кольнуло разочарование, конечно же беспричинное. Ну пялился он на меня во время лекции, дальше что? Может, ему просто скучно было или он вообще на занятиях смотрит куда угодно, только не на доску.

Выйдя из аудитории, я заметила его в битком набитом коридоре. Мой субботний спаситель разговаривал с однокурсницей. Выглядел он несколько небрежно: одна рука в переднем кармане джинсов, темно-синяя рубашка расстегнута, под ней простая серая майка. Было заметно, что живот у него плоский, но мышцы рук не угадывались под длинными рукавами. В любом случае сомневаться в физической форме этого парня мне не приходилось, раз он так легко уложил Бака на землю. За ухом у молодого человека торчал черный карандаш, почти полностью скрытый под темной всклокоченной шевелюрой (виднелся только розовый ластик на конце).

— Групповые дополнительные занятия, говоришь? — спросила девушка, снова и снова накручивая на палец светлую прядь. — Часовые?

Он поправил на плече рюкзак и откинул со лба волосы, которые лезли в глаза.

— Да. С часу до двух.

Он посмотрел на нее. Она наклонила голову и несколько раз мягко переступила с ноги на ногу, как будто собиралась танцевать с ним. Или для него.

— Может, загляну. А что ты делаешь потом?

— Работаю.

Девушка с раздражением выдохнула:

— Вечно ты работаешь, Лукас!

Если девочка старше шести лет разговаривает капризным тоном, надув губки, меня это раздражает почти так же, как когда ногтем скребут по классной доске. Но все равно спасибо: теперь я хотя бы узнала, как его зовут.

Тут он посмотрел в мою сторону, будто почувствовал, что я стою и подслушиваю. Я развернулась и дала деру, но, пожалуй, слишком поздно: мне не удалось скрыть, насколько меня заинтересовал этот разговор. Пробравшись сквозь толпу, я улизнула через боковой выход.

Теперь мне точно было нечего делать на дополнительных семинарах по экономике, раз туда ходил Лукас. Не знаю, что он хотел сказать (или он ничего не собирался говорить?), когда пялился на меня на лекции, но взгляд его был слишком пристальным, и от этого мне стало не по себе. К тому же я была все еще в трауре после разрыва с Кеннеди и пока не находила в себе сил для новых отношений. Да может, Лукас и не имел в виду ничего такого? Злая сама на себя, я раздосадованно закатила глаза: мол, едва ко мне проявили малейший интерес, я тут же выдумываю бог знает что.

Глядя со стороны, можно было предположить, что для этого парня обычное дело, если девицы вроде той блондинки вешаются ему на шею. Мой бывший тоже к этому привык. Как президент сначала класса, а потом курса, Кеннеди всегда был своего рода местной знаменитостью и ловил от этого кайф. Последние два школьных года я старалась не обращать внимания на девчонок, которые бросали на нас завистливые взгляды в надежде, что скоро он меня бросит. Мне это и в голову не приходило. Когда мы уезжали в колледж из родного города, я была абсолютно уверена в постоянстве бойфренда. Оказалось, зря: интересно, как долго еще я буду чувствовать себя набитой дурой?

❖ ❖ ❖

Привет, Лэндон!

Материал, который я пропустила, оказался для меня совсем не таким легким, как я пыталась изобразить. А выбраться на твои семинары, боюсь, все-таки не получится. Так что для нас обоих было бы лучше, если бы мой парень бросил меня пораньше, когда я еще могла переписаться на какой-нибудь другой предмет. (Не хочу обидеть. Ты ведь, наверное, экономист, и тебе нравятся все эти схемы и диаграммы.)

Я начала читать в Интернете статьи, которые могут пригодиться для проекта. Спасибо, что расшифровал заметки доктора Хеллера перед тем, как отправить мне их. Без «перевода» я бы побежала искать небоскреб/мост/водонапорную башню, чтобы крикнуть оттуда: «Прощай, жестокий мир!»

ЖУ

Привет, Жаклин!

Пожалуйста, никаких прыжков с высотных сооружений. Представь, как это отразится на моей ассистентской репутации. Если на все остальное тебе наплевать, подумай хотя бы обо мне. ☺

Я составляю для своих семинаров вопросники. Посылаю те, что касаются материала трех последних недель. Используй их как план по изучению темы или можешь заполнить и прислать мне. Тогда мы посмотрим, где у тебя сложности.

Вообще-то, я инженер, но экономика для нас обязательный предмет. Мне кажется, она никому не повредит. Ведь с ее помощью можно понять, как деньги, коммерция и политика взаимодействуют друг с другом, поддерживая тотальный хаос нашей экономической системы.

ЛМ

P. S. Как конкурс? А твой парень, кстати, наверняка идиот.

Я скачала вопросные листы, размышляя над заключительной фразой письма. Интересно, он знает Кеннеди или нет? Скорее всего, нет, ведь у них разные специальности, а университет огромный. В любом случае Лэндон встал на мою сторону — сторону девушки, которая так психанула из-за разрыва с парнем, что две недели не ходила на занятия.

Мы переписывались всего три дня, но этот молодой человек уже казался мне милым и остроумным, и я с нетерпением ждала, когда его имя снова появится на первой строке входящих. Мне нравилось, как мы с ним беззлобно подтруниваем друг над другом. Внезапно мне стало интересно, как он выглядит. Господи боже мой! Ведь только вчера я решила игнорировать пристальные взгляды парня из последнего ряда, чтобы дать себе возможность оклематься после предательства Кеннеди. И вот я уже думаю об ассистенте, который может оказаться похожим на актера Чейса Кроуфорда... Или на Бенджи. Не важно: эти мысли все равно лучше выбросить из головы. Мне и правда нужно время, чтобы прийти в себя, даже если Лэндон прав и Кеннеди действительно идиот.

Открыв первый вопросник и учебник по экономике, я облегченно вздохнула.

Лэндон!

Теперь я уже не так боюсь провалиться: твои вопросные листы очень мне помогли. Я заполнила первые два. Может, посмотришь, когда появится свободная минутка? Еще раз спасибо за то, что тратишь на меня время. Я постараюсь побыстрее все наверстать. Не привыкла быть ниже плинтуса.

У меня занимаются два парня из конкурирующих школ, они вечно соперничают друг с другом на конкурсах. Каждый из них спросил меня (с глазу на глаз, слава богу), кто мой любимый ученик, и я обоим ответила: «Конечно ты!» (Это было очень неправильно, да?) Они держались как два индюка, когда доставали контрабасы из моей машины, а я молилась, чтобы кто-нибудь из них не вздумал похвастаться своим статусом «фаворита». Ну что тут скажешь — мальчишки!

Здорово, что ты инженер. Теперь понятно, почему ты такой умный.

ЖУ

Жаклин!

Вопросные листы выглядят очень даже неплохо. Правда, я отметил там кое-какие небольшие ошибки, из-за которых на экзамене можно попасть в ловушку. Обрати на них внимание.

А твои ребята, похоже, по уши в тебя втрескались. И неудивительно. Если бы мне было четырнадцать, я бы тоже до потери пульса влюбился в студентку колледжа, которая играет на контрабасе.

Я умный, этого у меня не отнять! Я всезнающий ассистент преподавателя по экономике. И если тебе, конечно, интересно, моя любимая ученица — ты. ☺

ЛМ

❖ ❖ ❖

В субботу вечером Эрин, несмотря на все мои протесты, опять принялась угрожать, что силком вытащит меня из общаги. На этот раз мы втроем должны были нагрянуть в клуб по фальшивым удостоверениям.

— Забыла, как закончилась для меня прошлая вечеринка? — спросила я.

Эрин сунула мне в руки облегающее черное платье. Разумеется, она не могла ничего помнить. Я ведь ей не сказала. Знала она только то, что я рано слиняла.

— Жаклин, детка, это трудно, не спорю. Но Кеннеди может слишком много о себе возомнить. Ты не должна из-за него превращаться в монашку, не должна бояться встречаться с незнакомыми людьми. Боже мой, это же здорово — снова выйти на охоту! Вокруг все новое, неизведанное, полно заманчивых возможностей — только руку протяни. Если бы я не втюрилась в Чеза так сильно, я бы тебе даже позавидовала.

В описании Эрин поход в клуб представал экспедицией на экзотический континент. Я совсем не разделяла ее восторга. Мысль о новом парне вгоняла меня в депрессию.

— Эрин, мне кажется, я еще не готова.

— Ты и на прошлой неделе так говорила, но все же было нормально! — Тут она, нахмурившись, призадумалась, и я в сотый раз чуть было не рассказала ей про Бака. — Хоть ты и ушла так рано.

Платье, которое я категорически отвергла, отправилось обратно в шкаф. А я прикусила язык, опять упуская возможность все выложить. Не знаю почему, но признание будто застревало у меня в горле. Наверное, я боялась, что подруга придет в ярость. А еще я боялась (хотя это и казалось мне менее вероятным), что она не поверит. Ни та ни другая реакция меня бы ни порадовала. Хотелось просто все забыть.

Я с раздражением подумала о Лукасе: его присутствие на лекциях по экономике никак не позволяло мне избавиться от тяжелых воспоминаний. Для меня он был неразрывно связан с той ужасной ночью. В пятницу он, кажется, совсем на меня не смотрел. Несколько раз я оборачивалась: вместо того чтобы конспектировать лекцию, он что-то рисовал черным карандашом. Лицо у него было сосредоточенное. Как только занятие закончилось, Лукас засунул карандаш за ухо и, ни разу не оглянувшись, первым вышел из аудитории.

Эрин прервала мои раздумья:

— Вот это будет тебе в самый раз. — Она достала из шкафа облегающий сиреневый топ с глубоким вырезом и, сдернув его с вешалки, кинула мне. — Надень с обтягивающими джинсами и с теми грубыми ботинками, в которых ты похожа на подружку гангстера. Получится круто — во всяком случае, подойдет к твоему нынешнему стилю «со мной шутки плохи». Ты, конечно, должна одеваться так, чтобы привлекать парней, но наряжать тебя как принцессу, по-моему, бесполезно. Ты ведь все равно начнешь бросать сердитые взгляды и раздраженно закатывать свои голубые глазищи, так что все пацаны струсят и убегут.

Я вздохнула, а Эрин, смеясь, сама влезла в забракованное мною черное платье. Она знала меня слишком хорошо.

❖ ❖ ❖

Я потеряла счет бокалам, которые подсовывала мне подруга. Эрин говорила, что если она за рулем, то я должна пить за двоих.

— Эти красавчики не для меня, как и спиртное, а вот тебе я времени зря терять не позволю. Допивай свою «Маргариту», кончай хмуриться и погляди на того чувака. Авось сообразит, что от него не убудет, если он пригласит тебя потанцевать.

— Я не хмурюсь! — нахмурилась я и, послушно опрокинув в себя содержимое бокала, скривила физиономию.

Низкое качество текилы было плохо замаскировано обилием остальных, еще более дешевых коктейльных ингредиентов. Но чего ждать от заведения, где не берут плату за вход, а напитки стоят пять долларов?

Было сравнительно рано. Сотни студентов и городских еще не успели наводнить маленький клуб, где мы решили обосноваться. Эрин, Мэгги и я заняли угол почти пустого танцпола. Выпив свои коктейли и расчесав волосы на пробор, я начала двигаться под музыку. Я посмеивалась, глядя на бодрые скачки Эрин и балетные позы Мэгги. Напряжение стало понемногу отпускать. Первый парень, который к нам подошел, пригласил Эрин, но она покачала головой, судя по движениям губ сославшись на своего бойфренда, и указала молодому человеку на меня. В этот момент мне подумалось: «Вот она я — одинокая девушка. У меня нет больше парня, нет Кеннеди. Он никогда уже не скажет мне: „Ты моя, Джеки“».

— Потанцуем? — прокричал молодой человек, переминаясь так, будто готовился тут же дать деру, если я откажусь.

Но я согласилась, пересилив беспричинную, почти физическую боль. Впервые за три года я была ничьей девушкой.

Мы вышли на открытый пятачок в нескольких футах от моих подруг. У Мэгги тоже имелся дружок. Нетрудно было догадаться, что каждого парня, который к ним подойдет, они собирались перенаправлять ко мне. Этот вечер девчонки решили посвятить устройству моей личной жизни.

За слелующие два часа я перетанцевала с таким количеством кавалеров, что всех было и не упомнить. Я терпеливо возвращала на место руки, слишком низко сползавшие с моей талии, и отказывалась от напитков, кроме тех, что предлагала мне Эрин. Мы с девчонками подошли к барной стойке и оперлись на высокие стулья; жизнь вокруг нас била ключом. Мэгги, выписывая пируэты, направилась в туалет, а когда вернулась, я спросила, не пора ли нам домой. Эрин смерила меня взглядом, который обычно берегла для невоспитанных завсегдатаев стейк-хаусов. Я виновато улыбнулась и принялась за свой коктейль.

Вдруг Эрин и Мэгги одновременно вытаращили глаза и кивнули на что-то у меня за плечом. Значит, ко мне подошел очередной парень и они его одобряют. Пальцы дотронулись до моей руки. Я сделала глубокий вдох, медленно выдохнула и только потом обернулась. Позади меня стоял Лукас. Его взгляд долю секунды задержался на моем декольте, но он, нисколько не смутившись, приподнял брови и с легкой улыбкой поглядел мне в глаза. Каблуки моих ботинок были достаточно высокими для того, чтобы у меня болели ноги, но я все равно не могла смотреть Лукасу прямо в лицо, не задирая голову.

Он не стал кричать, как делали все, а наклонился к моему уху и спросил:

— Потанцуешь со мной?

Я почувствовала его теплое дыхание и вдохнула выдержанный мужской аромат лосьона после бритья. Лукас выпрямился и опять посмотрел мне в глаза, ожидая ответа. Тут я почувствовала энергичные толчки в спину. Это означало, что Эрин голосует за: мол, иди же, танцуй с ним!

Я кивнула, и Лукас за руку повел меня на танцпол сквозь толпу, которая перед ним легко расступалась. Мы вышли на истертый дубовый паркет. Лукас повернулся ко мне и, не выпуская моих пальцев, притянул меня к себе. Поймав ритм медленного танца, мы стали плавно раскачиваться под музыку. Он взял мою вторую руку и завел ее мне за спину, ласково беря меня в плен. Моя грудь слегка касалась его груди, и я изо всех сил старалась не дышать слишком глубоко.

Другим парням я в тот вечер едва позволяла до себя дотрагиваться и поэтому наотрез отказывалась от приглашений на медленные танцы. После коктейлей (они были слабоалкогольные, зато выпила я их немало) у меня кружилась голова. Партнер вел, а я закрыла глаза, убеждая себя в том, что моя внезапная податливость объясняется только действием алкоголя и ничем больше.

Через минуту Лукас выпустил мои пальцы: теперь обе его руки были у меня на спине, а мои легли на его бицепсы — крепкие, как я и предполагала. Поднявшись выше, я нащупала такие же сильные плечи. Наконец мои пальцы сцепились у Лукаса на шее, и я открыла глаза.

Он будто прозревал меня насквозь. В этом молчаливом взгляде не чувствовалось ни малейшей неуверенности. Мой пульс участился.

Собравшись с силами, я потянулась вверх, а Лукас, заметив это, предупредительно наклонился.

— Какая у тебя специальность? — выдохнула я.

Краем глаза я увидела, как он вздернул уголок рта.

— Тебе правда хочется об этом говорить?

Как будто бы для того, чтобы лучше расслышать мой ответ, Лукас еще крепче прижал меня к себе. Мы соприкасались друг с другом от груди до бедер. Я не могла даже вспомнить, когда я в последний раз ощущала такое явное, настолько необоримое притяжение к мужчине. Я сглотнула:

— А о чем нам еще говорить?

Он усмехнулся, и я грудью почувствовала, как встрепенулась в этот момент его грудь.

— Можно и ни о чем.

Руки Лукаса крепче сжали мою талию. Большими пальцами он упирался мне в ребра. Я моргнула, сперва не уловив смысла его слов, а потом поняв сразу все.

— Не знаю, о чем ты... — соврала я.

Он наклонился еще ближе и, щекотнув мою щеку своей, гладковыбритой, пробормотал:

— Знаешь...

Я снова почувствовала его аромат — чистый и тонкий, столь непохожий на запах модных одеколонов, которыми пользовался Кеннеди (они всегда перебивали любые мои духи). Мне захотелось дотронуться кончиками пальцев до лица Лукаса, провести ими по свежевыбритой щеке. Вчера он тоже был привлекателен, но немного неряшлив. Ну а сегодня прикосновение его кожи будет мягким, если он вдруг захочет крепко меня поцеловать. Я бы тогда ничего уже не чувствовала — только его губы и, может быть, еще тоненькое серебряное колечко.

От сбивчивых мыслей у меня перехватило дыхание. Лукас только дотронулся ртом до краешка моего уха, но и от этого я чуть не потеряла сознание.

— Давай просто потанцуем.

Отстранившись ровно настолько, чтобы посмотреть мне в глаза, Лукас снова прижал меня к себе, и мои ноги послушно пошли туда, куда он меня вел.

ГЛАВА 5

— Офигеть! Что это был за потрясный парень? — Эрин демонстрировала маневренность седана «вольво», предоставленного ей ее «папочкой», старательно объезжая подвыпивших людей, которые шатались по парковке. — Если бы не моя убийственная трезвость, я бы подумала, что он порождение моего изголодавшегося по сексу подсознания.

— Пфф! — проворчала я с закрытыми глазами, не поднимая с подголовника тяжелую башку, которая и без того шла кругом. — Только не говори мне про сексуальный голод.

Эрин взяла мою руку и сжала ее:

— Ой, прости, Джей. Я забыла.

С тех пор как мы с Кеннеди расстались, прошло три недели, и об этом все знали. Но я никому не собиралась говорить, что близости между нами не было уже недели четыре или даже пять. Тогда, месяц назад, я почему-то никак не хотела понимать, что мой парень потерял ко мне интерес. Все искала ему оправдания: он, дескать, занят делами студенческого клуба. Меня не смущало, что сама я как-то выкраиваю по меньшей мере два часа каждый день для игры на контрабасе (когда в ансамбле идут репетиции — даже больше), и это не сказывается на наших отношениях. Да, он действительно получал по всем предметам одни «А», но я, помимо учебы, еще и уроки давала.

Через минуту Мэгги пропела с заднего сиденья:

— Ты же не ответила на вопрос, Жаклин! — Она говорила немногим членораздельнее меня и имя мое произнесла по слогам, как два отдельных слова. — Кто тот красавец и, главное, почему ты с его помощью не утолила свой сексуальный голод? Черт возьми, да ради ночи с таким парнем я бы с удовольствием выпинала из постели своего Уилла!

— Потому что ты потаскушка, — произнесла Эрин, выразительно взглянув в зеркало заднего вида.

— Это точно... — засмеялась Мэгги.

Обе подруги молча уставились на меня в ожидании ответа. Я принялась перебирать в голове все, что знала про Лукаса. О том, что он меня спас, я никому не говорила. О том, что сделал из Бака отбивную, тоже. В среду все занятие на меня пялился, а в пятницу даже не взглянул: и об этом я решила промолчать. Еще Лукас работает в «Старбаксе» и постоянно спрашивает, все ли у меня в порядке. Правда, сегодня не спросил.

Сегодня вообще был какой-то особенный день. По молчаливому соглашению мы протанцевали без остановки несколько танцев — самых разных, медленных и быстрых. Все это время Лукас меня не отпускал, вызывая во мне желание, которого я не испытывала очень давно, четыре или пять недель. При этом его руки не сползали с моей талии, и даже пальцы не касались моего тела под тканью топика, но и через материю его прикосновения обжигали.

А потом Лукас вдруг исчез. Наклонившись и почти касаясь губами уха, он поблагодарил меня за танцы, отвел к моему столику и тут же затерялся в толпе. Больше я его не видела. Мне оставалось только предполагать, что он вышел из клуба.

— Его зовут Лукас. Он ходит вместе со мной на экономику. И постоянно что-то рисует.

Мэгги захихикала, шлепнув ладошками по кожаному сиденью:

— Рисует? И что же, интересно? Небось голых девочек? У большинства пацанов только на это и хватает таланта. И они даже не целиком девчонок изображают, а частично — одни только титьки.

Мы все посмеялись.

— Не знаю, что он там рисует. Просто в пятницу он все занятие не переставая черкал в блокноте. Видимо, лекцию совсем не слушал.

— О нет, Эрин! — Мэгги подалась вперед, насколько позволял пристегнутый ремень. — Неужели этот божественный мужчина плохой студент! Мы же знаем, что это значит для Жаклин!

Я нахмурилась:

— И что же это значит?

Эрин улыбнулась и покачала головой:

— Да ладно, Джей! Разве тебе когда-нибудь нравились плохие парни или хотя бы те, у которых... хм... проблемы по академической части? Короче, — Эрин выдохнула, — тебе ведь нравятся одни умники!

Я разинула рот:

— Да ну тебя! Ты хочешь сказать, что я сноб?

— Нет! Мы этого не говорили и не имели в виду! Мы только хотели сказать, что сегодня вечером ты не выглядела так, будто тебе наплевать на этого Лукаса, и вы очень долго вместе танцевали... Просто, получается, он не в твоем обычном вкусе, это не совсем твой тип парней.

— Откуда вам знать, какой у меня вкус, если я три года встречалась только с одним «типом» — с Кеннеди!

— Не кипятись. Ты же меня поняла: я хотела сказать, что раньше ты не западала на тупых.

— А кто на них западает?

Меня возмутило, что Лукаса назвали тупым. Может, экономика просто была ему неинтересна. А вообще ничто в нем не указывало на недостаток ума.

— Ну здрасте! — подала голос Мэгги. — Ты моего Уилла видела?

Мы все прыснули со смеху. Парень Мэгги был симпатяга и, лежа на спине, смог бы, наверное, приподнять небольшую «хонду», но успехами в учебе не блистал.

— А Чез умнее меня, но это небольшая заслуга.

У Эрин была средняя оценка «В», и я много раз пыталась убедить подругу в том, что ей грех жаловаться на интеллект. Но она почему-то упорно считала себя глупой. Я ткнула ее в плечо, как делала всегда, если у нее начинался приступ безосновательного самоуничижения, но она ответила:

— Не надо! Я просто смотрю правде в глаза.

— Ничего подобного!

— Тогда почему же я еле свожу концы с концами и одеваюсь в самых паршивых магазинах? — Тут Мэгги хихикнула, а Эрин вернулась к прерванному разговору: — Вы видели парня, с которым мы были на выпускном? — Она нам всем показывала снимок, где Адонис в смокинге обнимал ее за талию, затянутую в шелк. — Мама дорогая, что это было за тело! Мне прямо хотелось облизывать его пресс! И представьте себе, этот парень учился в классе коррекции. При этом, уверяю вас, он был талантлив во многих вещах, не связанных с умственным трудом.

Мэгги задыхалась от смеха, а я наверняка была вся красная: откровения Эрин иногда смущали меня. Обе мои подруги приехали в колледж без парней, но сексуальный опыт у них к тому времени уже был. Я спала с Кеннеди, своим единственным партнером, с зимних каникул последнего школьного года. На нашу сексуальную жизнь я никогда не жаловалась, хотя некоторые рассказы Эрин и статьи в журналах наводили меня на мысль о том, что есть что-то, чего я не знаю.

— Ну и о чем это говорит?

Эрин осклабилась:

— Это говорит о том, что в твоей жизни наконец-то наступает эра плохих парней! Давно пора!

— У-у-ух! — произнесла Мэгги.

— Хм... Не думаю.

— Нечего тут думать, точно тебе говорю! Соблазни этого Лукаса, получи от него все, чего так долго была лишена. С плохими мальчиками мало у кого бывают серьезные отношения, но такие парни прекрасно подходят девчонкам, которых недавно бросили. Может, Лукас создан для того, чтобы быть «временным вариантом», и в твоей нынешней ситуации он для тебя как раз самое то. Он сможет научить тебя разным интересным вещам...

Мэгги одобрила эту идею.

— Везет тебе! — низко, на выдохе, произнесла она.

Я почувствовала дрожь, вспомнив, как руки Лукаса держали меня за талию, а губы касались моего уха. При мысли о том, как он смотрел на меня в среду, я учащенно задышала. Возможно, дело было в выпитых коктейлях и наутро все покажется мне в другом свете, но пока я начинала верить, что бредовая идея Эрин не такая уж и бредовая. Вот черт!

❖ ❖ ❖

В понедельник перед экономикой я была вся на нервах. Никак не могла решить, применять ли мне разработанный Эрин план по соблазнению ничего не подозревающего однокурсника или бросить все это, пока не поздно. Лукас вошел в аудиторию передо мной, и я заметила, как он бросил взгляд на мое прежнее место рядом с Кеннеди, который, слава богу, уже явился. На то, чтобы принять решение, у меня оставалось секунд тридцать.

В субботу мы, к счастью, быстро доехали до общаги, но после этого Эрин и Мэгги не сразу успокоились. Подначивая друг друга и распаляясь все больше и больше, девчонки твердили, как им завидно из-за того, что я вот-вот сделаю. Или из-за того, *кого* я вот-вот сделаю. Поскольку в клубе Эрин ничего, кроме низкокалорийных газированных напитков, не пила, наутро она бодро вскочила с постели и, фонтанируя идеями, принялась разрабатывать план операции «Фаза плохих парней».

Чтобы отделаться от подруги, я преувеличивала свое похмелье, но от Эрин, если ей что-то взбрело в голову, так просто не отделаешься. В твердом намерении передать мне весь свой опыт по части соблазнения парней (не важно, хочу я этого или нет) она сунула мне в руки бутылку апельсинового сока, и я, ворча, приняла сидячее положение. Мне хотелось спрятать голову под одеяло и заткнуть уши, но было уже поздно.

Эрин плюхнулась возле меня и начала свою лекцию:

— Главное — это не бояться. Они чуют страх и из-за этого сбиваются со следа.

Я нахмурилась:

— Сбиваются со следа? Это же... — Мне хотелось просто сказать: «А-а-а-у!» — потому что более подходящего слова мой сонный мозг выдать не смог.

— Это правда! Послушай, мужчины как собаки. Женщины знают это с древнейших времен. Парни не любят, когда на них охотятся. Они сами охотники. Поэтому, если ты хочешь одного из них сцапать, ты должна сделать так, чтобы он за тобой гонялся.

Я покосилась на нее. Вместо «а-а-а-у!» мне стали приходить в голову слова «примитивно», «пошло», «вульгарно», но поезд ушел. Рассуждения Эрин не должны были меня удивить: она и раньше говорила подобные вещи. Только я думала, что это просто болтовня, а оказалось, это часть мировоззрения моей лучшей подруги.

Пока Эрин разглагольствовала, я успела вылакать полбутылки сока. Наконец я спросила:

— Неужели ты серьезно?

Эрин изогнула бровь:

— С этим не шутят!

❖ ❖ ❖

Час пробил: пора было начинать операцию. Я сделала глубокий вдох. До звонка оставалось три минуты. Эрин говорила, что мне понадобится всего одна — максимум две.

— Две — это, пожалуй, многовато. Лучше ограничиться одной, — объясняла моя наставница, — а то он может подумать, что ты к нему неровно дышишь.

Я присела рядом с Лукасом на краешек стула, чтобы было заметно, что я не собираюсь здесь застревать. Он тут же поднял на меня взгляд, а брови его исчезли под волосами, небрежно падавшими на лоб. Ни у кого еще я не видела таких светлых глаз: они были почти прозрачными.

Лукас явно не ожидал, что я к нему подсяду: если верить Эрин и Мэгги, это хорошо.

— Привет! — сказала я с легкой улыбкой, пытаясь изобразить нечто среднее между интересом и безразличием. Как сказали мне подруги, это ключевая деталь нашего плана.

— Привет!

Он открыл учебник и спрятал под ним свой блокнот. Но я успела заметить детальное изображение всеми почитаемого старого дуба, который рос посреди кампуса, и окружавшей его кованой решетки. Я сглотнула «заинтересованно и безразлично»:

— Знаешь, а я, оказывается, забыла, как тебя зовут. Видимо, позавчера немного не рассчитала с коктейлями.

Он облизал губы и несколько секунд смотрел на меня, прежде чем ответить. Я моргнула, — может, он специально так делает, чтобы мне стало еще труднее изображать равнодушие?

— Меня зовут Лукас. Но по-моему, я тебе этого не говорил.

Тут в аудиторию шумно вошел доктор Хеллер. Его портфель прихлопнуло дверью, и мы услышали отчетливое «Черт возьми!»: в аудитории была прекрасная акустика. Все прыснули, и мы с Лукасом улыбнулись друг другу.

— Мм... Ты, кажется, один раз назвал меня Джеки, — сказала я, а он слегка наклонил голову. — Вообще-то, я Жаклин. Теперь.

Он сделал едва заметное движение бровями:

— Хорошо.

Я прокашлялась, не сдвинувшись с места, чем опять удивила Лукаса, судя по выражению его лица.

— Рада была познакомиться, — сказала я, в очередной раз улыбнувшись, перед тем как броситься на свое место.

Не отвлекаться от лекции и подавлять желание оглянуться было для меня настоящим мучением. Мне казалось, я чувствую, как глаза Лукаса сверлят мой затылок. Ощущение было такое, будто у меня что-то зудит, а почесаться нельзя. Чтобы терпеть такое целых пятьдесят минут и ни разу не обернуться, от меня потребовались прямо-таки титанические усилия. Бенджи, сам того не зная, помогал мне в этой борьбе, развлекая меня своими замечаниями в адрес доктора Хеллера. Каждый раз, когда тот говорил «э-э-э...», мой сосед ставил палочку у себя на полях тетради, а еще он заметил, что на профессоре один носок темно-синий, а другой коричневый.

Как только лекция кончилась, я закинула рюкзак на плечо и, ни на кого не глядя, чуть ли не галопом понеслась к выходу: не стала проверять, как поведет себя Лукас (заговорит со мной или проигнорирует меня?), не стала ждать, пока не выйдет Кеннеди (в течение этого часа я впервые в жизни почти не обращала внимания на своего бывшего). Выскочив на улицу через боковую дверь, я глубоко вдохнула в себя бодрящий осенний воздух. Далее в моем плане значилось: испанский, ланч, «Старбакс».

ЭРИН. Как операция ФПП?

Я. Спросила, как его зовут. Вернулась на место. Больше не смотрела.

ЭРИН. Молодец! Встретимся через занятие. Перед кофе обсудим стратегию. ☺

❖ ❖ ❖

Мы с Эрин заняли очередь в «Старбаксе». Лукаса видно не было.

— Черт! — Эрин вытянула шею, выглядывая его за прилавком. — Он ведь был здесь в прошлый понедельник, так?

Я пожала плечами:

— Да, но, может, у него подвижный график.

Тут Эрин легонько подтолкнула меня локтем:

— А вот и нет. Это ведь он, верно?

Лукас вошел в служебную дверь с большим мешком кофе. Его появление обескуражило меня. Мне показалось, будто мои внутренности скрутило в тугой узел, а когда эта судорога прошла, все запустилось по новой: сердце стало часто биться, легкие — что есть силы качать воздух, а мозг начал как ненормальный генерировать волны.

— Ух ты, Джей, да у него татуировки! — одобрительно пробормотала Эрин. — Он и без того сексуальный, а так вообще отпад!

Пока Лукас открывал пакет, я посмотрела ему на руки: действительно, какой-то узор, состоявший из символов и букв, был нанесен на оба запястья и поднимался до локтя, исчезая под закатанными рукавами серого

трикотажного джемпера. Во время всех наших предыду-
щих встреч руки Лукаса были закрыты. Даже в субботу
вечером на нем была белая футболка, а поверх — выцвет-
шая черная рубашка с длинным рукавом.

Мне никогда не нравились татуированные парни.
Я не понимала, как можно втыкать себе под кожу иголки
с чернилами и зачем наносить на тело какие-то рисунки
и надписи, от которых потом не избавишься. Интересно, у Лукаса тату только до локтя или и выше, на плечах? А может, еще и на спине? Или на груди?

Тут очередь продвинулась вперед, и Эрин дернула
меня за руку:

— Ты сейчас весь наш план сорвешь! Забыла про
безразличие? Хотя я тебя, конечно, понимаю, — вздохнула она. — Может, лучше слиняем, пока он не... —
Я посмотрела на нее. Она замолчала и, хитро улыбнувшись, повернулась ко мне. — Продолжай глядеть на
меня, — сказала Эрин и засмеялась, как будто мы разговаривали о чем-то очень забавном. — Он на тебя пя-
лится, да еще как. Прямо раздевает взглядом. Чувствуешь? — спросила она с торжеством.

«Чувствую ли я, как Лукас на меня смотрит? Теперь
да, спасибо», — подумала я, и лицо у меня загорелось.

— Боже мой, ты краснеешь! — прошептала Эрин,
вытаращив свои темные глаза.

— Еще бы! — процедила я сквозь стиснутые зубы.
Зачем было говорить мне, что он... он...

— Раздевает тебя взглядом? — Она снова засмеялась,
и мне, как никогда, захотелось дать ей пинка. — Ну ладно-ладно, Джей, не волнуйся. Парень готов. Уж не знаю,
что ты там с ним сделала, но он скоро будет бегать за тобой как собачонка. Можешь мне поверить. — Она взглянула в сторону Лукаса. — Ну а сейчас он занялся новой
партией кофе, так что теперь ты можешь на него пялиться.

Мы подошли к прилавку еще ближе. Перед нами оставалось только два человека. Я стала смотреть, как Лукас меняет фильтр, отмеряет кофе и задает на аппарате нужные параметры. Зеленый фартук был завязан на спине как попало — скорее на узел, чем на бант. С тесемок я перевела взгляд на ноги в поношенных, низко сидящих джинсах. К кошельку, засунутому в задний карман, была приделана цепочка, которая исчезала под фартуком. Видимо, другой ее конец крепился спереди, к петле для ремня.

Лукас подошел ко второй кассе и запустил ее, нажав несколько кнопок. Мне не терпелось узнать, проигнорирует ли он меня, как я его на занятии. Если да, то так мне и надо, раз я играю в эту дурацкую игру. Стоявший передо мной парень принялся обстоятельно излагать свой заказ девушке за первой кассой. В этот момент взгляд Лукаса встретился с моим.

— Следующий! — Стальной цвет его джемпера гармонировал с серыми глазами, в которых сейчас не было заметно голубизны. — Жаклин, — он произнес это с улыбкой, и я испугалась, что он читает мои мысли и знает все хитроумные планы, которые навязала мне Эрин, — снова американо или сегодня что-нибудь другое?

Значит, он запомнил, какой напиток я заказала на прошлой неделе!

Я кивнула. Он еле заметно усмехнулся, увидев, как я онемела, потом пробил нужную сумму и пометил чашку маркером, но вместо того, чтобы передать ее напарнику, сам сделал мне кофе, пока Эрин обслуживал другой сотрудник. Лукас надел на стакан крышку и предохраняющий чехол. На лице у него была едва различимая улыбка, смысла которой я не могла понять.

— Удачного дня! — Он посмотрел поверх моего плеча. — Следующий!

Эрин стояла у прилавка, где выдают готовые заказы. Я подошла к ней со смешанным чувством смущения и досады.

— Он сам сделал тебе американо? — спросила она, забирая кофе, и мы отошли к стойке с салфетками, ложечками, сливками и прочим.

— Да. — Я сняла с чашки крышечку, чтобы положить сахар и налить молоко, а Эрин посыпала корицы на свой латте. — Но он попрощался со мной так, будто я обычный покупатель, и стал обслуживать следующего.

Мы наблюдали, как Лукас работает. Он даже ни разу не взглянул в мою сторону.

— Готова поклясться: парень так запал на тебя, что у него в глазах было темно, когда он на тебя смотрел.

Под эти рассуждения мы вышли из кафетерия и, повернув за угол, слились с толпой, наводнившей студенческий центр.

— Привет, детка! — Чез вывел нас обеих из раздумий, выдернув Эрин из общего потока.

Она радостно взвизгнула, и я было рассмеялась, но вдруг увидела, кто стоит рядом с Чезом. Я почувствовала, что у меня кровь прилила к ушам и все лицо горит. Эрин и Чез поцеловались и принялись выяснять, кто во сколько вернется вечером с работы. В это время Бак уставился на меня, криво улыбаясь. Я задохнулась, постаралась не поддаться панике и подавить приступ тошноты. Хотелось развернуться и убежать, но меня как будто парализовало. «Здесь он меня не тронет, здесь он ничего мне не сделает», — успокаивала я себя.

— Привет, Джеки! — Он прошелся по моему телу своим буравящим взглядом, и у меня по коже поползли мурашки. — Классно смотришься, как всегда. — Он делал вид, что флиртует со мной, но мне в его словах послышалась скрытая угроза (уж не знаю, была ли она на самом деле).

Его синяки побледнели, но еще не исчезли. Одно желтоватое пятно обрамляло левый глаз, а другое, похожее на грязь, красовалось возле носа. О том, что Лукас был к этому причастен, знали только мы трое. Я молча в упор посмотрела на Бака, продолжая сжимать в руке стакан с кофе. А ведь когда-то этот парень казался мне симпатичным и обаятельным: этот его внешний лоск, который у нас в Америке в большой чести, ввел меня в заблуждение, как и многих других.

Я подняла подбородок, подавляя страх и вызванные им физические ощущения:

— Меня зовут Жаклин.

Бак удивленно приподнял бровь:

— Да?

Наконец Эрин схватила меня за локоть:

— Пойдем, красотка! У тебя ведь через пять минут история искусств!

Я развернулась и, слегка запнувшись, пошла за подругой. Бак заливисто рассмеялся мне вслед и издевательски крикнул:

— До встречи, Жаклин!

Услышав свое имя, произнесенное этим ртом, я содрогнулась. Ко мне вернулась способность двигаться, и я вслед за Эрин влилась в студенческое море, стараясь как можно скорее в нем исчезнуть.

ЭРИН.	Еще не выкинула стакан из-под кофе?
Я.	А что?
ЭРИН.	Сними чехол.
Я.	Ого!
ЭРИН.	Там номер его телефона?
Я.	Откуда ты знаешь???
ЭРИН.	Я Эрин, я знаю все. ☺ Сама подумай, зачем ему было черкать на чашке, если собирался делать кофе сам?

Если бы во время занятия Эрин не прислала мне эсэмэску, бумажный стакан с написанным на нем номером очутился бы в урне.

Итак, Лукас, оказывается, оставил мне свой номер. А я-то подумала, что он просто машинально пометил, какой кофе я заказала, — так ведь делают все кассиры до того, как передать чашку напарнику. Я ввела этот номер в память своего мобильного и задумалась, что же делать дальше. Позвонить? Отправить эсэмэску?

Я прокручивала в мозгу все, что знала про Лукаса. В ту злосчастную ночь он возник из ниоткуда и помешал Баку меня изнасиловать, а потом посчитал себя обязанным проследить, чтобы я благополучно добралась до своей общаги. Он с самого начала откуда-то знал мое имя, точнее прозвище, хотя раньше мы вроде бы не встречались.

На экономике Лукас сидел в последнем ряду: рисовал или пялился на меня, вместо того чтобы слушать преподавателя. В субботу вечером мы танцевали, и от его уверенного прикосновения меня повело. После этого он, ни слова не говоря, испарился. Сегодня Эрин решила, что он раздевает меня глазами — посреди кафетерия, у себя на работе. Он самоуверенный и нагловатый, как петух. У него татуировки, и он слишком чувственный, чтобы разговаривать со мной. В общем, он действительно выглядит и ведет себя как плохой парень. Неужели Эрин и Мэгги правы?

Как бы то ни было, теперь его номер у меня в телефоне. Такое ощущение, что ему известно о нашей операции ФПП и он готов хоть сейчас исполнить ту роль, которую отвели для него мои подружки.

Но я его не знаю. Не знаю, что он обо мне думает. И думает ли он обо мне вообще. Девушка, которая разговаривала с ним на прошлой неделе после лекции, явно в него втюхалась. В клубе девчонки пожирали его глазами, когда проходил мимо, некоторые оборачивались и смотрели ему вслед. Он с ними со всеми мог бы перетанцевать, а многие из них, наверное, даже согласились бы поехать к нему. Тогда почему же он тратит время на меня?

Привет, Лэндон!

В прикрепленном файле — план моей работы. Как появится возможность, просмотри его, пожалуйста, и скажи: может, я понимаю проблему слишком широко или, наоборот, чересчур узко? Не могу решить, сколько экономик, кроме американской, брать для примера. Еще у меня вопрос про джей-кривую: если не ошибаюсь, она получается уже после девальвации, но разве экономика, как метеорология, не должна предсказывать будущее? Кому нужна эта кривая, когда все уже случилось? Метеоролог, который не умеет предсказывать погоду, точно никому не нужен; его, скорее всего, уволят...

Вопросные листы тоже прикрепляю. Извини, что посылаю тебе столько всего сразу, да еще и в понедельник. Надо было раньше, но не получилось: мы с подругами в субботу были в клубе.

ЖУ

Привет, Жаклин!

Ничего страшного. День недели для меня значения не имеет: я в любой день почти постоянно учусь или работаю. Надеюсь, на вашей вечеринке было весело.

В первом письме я написал тебе, что не хочу знать обстоятельств твоего разрыва с парнем: получилось грубо, я не хотел. Надо полагать, это было свинство с его стороны — заставить тебя на две недели забросить занятия. Теперь я вижу, что, вообще-то, ты, наверное, нечасто прогуливаешь.

Посылаю тебе статью из «Уолл стрит джорнал». Там про джей-кривую написано лучше, чем в учебнике. Ты абсолютно права: если экономика не предсказывает будущее, это не экономика, а история. И она не поможет тебе решить, в какой валюте хранить сбережения, как плохой метеоролог не подскажет, брать ли зонтик, выходя из дому. (Кстати, экономику с метеорологией ты удачно сравнила.)

ЛМ

Я смотрела на это письмо, пытаясь сопоставить Лэндона и Лукаса. В итоге решила, что сравнивать их бесполезно: они казались разными, как день и ночь. Правда, с ними обоими я была знакома не слишком хорошо. Про Лукаса я знала только то, что у него пронзительный взгляд и что он из кого угодно может сделать котлету. На истории искусств я подумала: «Если бы Лукас сегодня вышел из кафетерия со мной вместе, то как бы повел себя Бак? Небось не посмел бы тогда на меня пялиться и говорить, что я „классно смотрюсь"». Я вспомнила, как он изучал меня своими холодными глазами, и у меня подвело живот.

Потом я, стыдясь своего легкомыслия, стала гадать, как выглядит Лэндон и изменится ли мое мнение о нем, если я его увижу. Он написал мне такое приятное письмо, что я улыбалась, глядя на экран ноутбука. Он сказал, что мой бывший — идиот. Кажется, ему, Лэндону, теперь любопытно, почему мы с Кеннеди расстались. Ему интересна я. Но, может быть, я просто слишком много фантазирую.

Лэндон!

Мы с моим парнем были вместе почти три года. Мне даже в голову не приходило, что он захочет меня бросить. Я поехала за ним в колледж, вместо того чтобы поступить в Школу исполнительского искусства. С руководителем нашего оркестра чуть удар не случился, когда он об этом узнал. Он уговаривал меня сдать экзамены в Оберлинскую или Джульярдскую консерваторию, но я не стала. Теперь, конечно, мне некого во всем этом винить, кроме себя самой. Я пожертвовала собственным будущим ради школьной любви и теперь чувствую себя не на своем месте. Не знаю, почему так вышло: потому ли, что я слишком сильно доверяла ему, или потому, что слишком мало доверяла себе. В любом случае я набитая дура. Такова моя душещипательная история.

Спасибо за статью.

ЖУ

Жаклин!

Ты не дура. Ты, может быть, слишком доверчива, но то, что случилось, бросает тень не на тебя и твои умственные способности, а на человека, который не оправдал твоего доверия. Что касается того, на своем ли ты месте, то, возможно, ты попала сюда по воле Провидения, если оно, конечно, существует (мне, как ученому, не полагается в это верить). Как бы то ни было, ты теперь принадлежишь сама себе и, раз уж ты здесь, тебе стоит извлечь из твоего теперешнего положения максимум пользы. Это ведь все, что ты можешь сделать, верно? На этой ноте я с тобой прощаюсь и иду готовиться к контрольной по статистической механике. Кто знает, вдруг я смогу научно доказать, что твой бывший тебя недостоин и что ты находишься именно там, где и должна быть.

ЛМ

❖ ❖ ❖

Войдя в комнату, Эрин застала меня полусонной. Я была завалена цветными карточками с испанскими глаголами, бо́льшую часть которых успела перелопатить до того, как подруга прыгнула на край моей кровати.

— Ну что? Ты ему позвонила или написала? Сделала, как мы с Мэгги тебя учили? А что он тебе ответил?

— Я не звонила и не писала, — вздохнула я.

Эрин повалилась на кровать, театрально раскинув руки, а я принялась вытаскивать из-под ее спины карточки, пока она их все не помяла.

— Значит, струхнула!

— Может, и так, — пробормотала я, уставившись на бумажный квадратик, который держала в руке: yo habré, tú habrás, él habrá, nosotros habremos...[1]

— Хм... А знаешь, так даже лучше. Пусть он на тебя охотится. — Тут я приподняла бровь, а Эрин засмеялась. — С такими парнями, как Чез, намного проще. Черт, да ему достаточно было просто сказать: «Беги за мной!» — и он бы побежал.

Представив себе эту картину — вполне, кстати, правдоподобную, — мы обе засмеялись. Я подумала о Кеннеди: к какому типу парней принадлежит он? Поначалу он за мной охотился, но ему не пришлось очень-то напрягаться, чтобы меня поймать. Он сбил меня с ног, и я понеслась вместе с ним в потоке его надежд и планов, частью которых была сама. До недавнего времени.

— Ну что опять?! Джей, я знаю, о чем ты сейчас думаешь! Перестань, выбрось это дерьмо из головы. Пойду приготовлю какао, а ты занимайся своими... — она села и взяла в руки карточку, которую я не успела вовремя прибрать, — испанскими глаголами.

---

[1] Я буду иметь, ты будешь иметь, он будет иметь, мы будем иметь... *(исп.)*

Эрин налила в чашки воды из-под крана и сунула их в микроволновку. Я уставилась в свои карточки, но перед глазами у меня все плыло. Черт бы побрал Кеннеди! Черт! Черт! Черт! Надо бы, чтобы он увидел меня с Лукасом. Пусть знает: у меня может быть другой парень — совсем на него непохожий, но ничуть не хуже. А если присмотреться, то даже лучше.

Итак, операция «Фаза плохих парней» началась. Но я не буду ни звонить, ни писать Лукасу. Если моя подруга права и он действительно охотник, то он еще недостаточно за мной побегал.

Когда Эрин подала мне чашку, я глубоко вздохнула и улыбнулась: заботливая соседка насыпала на мое блюдечко целую горку маршмеллоу[1] из нашего тайничка, куда мы обе частенько наведывались, даже если и не собирались пить какао.

— Хорошо, я не буду ему писать. Что дальше?

Эрин торжествующе улыбнулась и тихонько взвизгнула:

— Он должен заценить, какая ты хорошая девочка... — Она вытаращила глаза, осененная внезапной догадкой. — Жаклин, а может быть, он заметил тебя на лекции еще до вашего разрыва с Кеннеди? А теперь ты ведь пересела, да? Значит, о том, что вы расстались, догадаться нетрудно. Это здорово! — Тут я снова пришла в замешательство, а моя наставница расхохоталась. — Он уже на тебя охотится. Ну а тебе остается от него убегать. Только не слишком быстро.

Я слизнула какао с верхней губы.

— Эрин, да с тобой опасно иметь дело.

Она лукаво улыбнулась:

— Я знаю.

---

[1] *Маршмеллоу* — мягкие конфеты наподобие пастилы или зефира.

❖ ❖ ❖

В среду я подошла к аудитории еще до того, как закончилось предыдущее занятие. Когда звонок наконец прозвенел и большинство студентов вышли, я проскользнула на свое место в твердом намерении не обращать внимания на Лукаса, когда он войдет. Чтобы у меня был повод его не заметить, я принялась просматривать карточки с глаголами, хотя к тесту по испанскому и без того была готова на все сто процентов.

Бенджи пробрался на свое место слева от меня, но я не пошевелилась: я была занята тем, что игнорировала Лукаса (хотя даже и не знала, здесь он уже или еще нет). Отвлекаться от этого занятия я не собиралась.

— Привет, Жаклин. — Это не был голос Бенджи.

Лукас сидел на месте моего соседа, облокотившись о столик и придвинувшись к самой границе моей территории. У меня перехватило дух, но я постаралась не выдать своего волнения:

— А, привет!

Он куснул нижнюю губу:

— Ты, наверное, не заметила мой номер на кофейной чашке.

Я взглянула на свой мобильный, лежащий поверх учебника:

— Заметила.

Я посмотрела на Лукаса, ожидая его реакции. Теперь я ведь почти прямым текстом сказала: «Хочу, чтобы ты за мной побегал». Он улыбнулся, и возле его светлых глаз появились едва заметные морщинки. Я попыталась не подать виду, что это меня тронуло.

— Ясно. Тогда, может, ответишь мне тем же? Оставишь свой номер?

Я изобразила недоумение:

— Зачем? Тебе нужна помощь по экономике?

Он опять прикусил губу, на этот раз посильнее, и подавил смешок:

— Да вроде нет. А почему ты так решила?

Я нахмурилась: и как мне может нравиться парень, которого так мало заботит учеба?

— Не важно, это не мое дело.

Он оперся подбородком о ладонь. Пальцы у него были серые — видимо, от карандаша, который он носил за ухом.

— Спасибо за заботу, но твой номер мне нужен совсем даже не из-за экономики.

Я взяла свой сотовый, нашла в нем номер Лукаса и отправила сообщение со словом «привет».

— Старик, ты сидишь на моем месте, — сдержанно произнес Бенджи.

Почувствовав, как телефон завибрировал у него в руке, Лукас улыбнулся: моя эсэмэска пришла, теперь у него был мой номер. Вылезая в проход, он сказал Бенджи:

— Извини.

— Все ОК.

Бенджи был одним из самых легких и спокойных людей, каких я когда-либо встречала. Можно было подумать, что он лентяй, но, заглянув в листок с его аттестационной работой, я увидела, что там стоит твердая «В». И хоть мой сосед и изображал из себя соню и прогульщика, ни одного занятия он еще, как оказалось, не пропустил.

Лукас не спеша направился к своему месту, а Бенджи уселся и, придвинувшись ко мне еще ближе, чем это сделал его предшественник, сказал:

— И что это было?

Он так выразительно пошевелил бровями, что я еле сдержала улыбку.

— О чем это ты? Не понимаю! — ответила я, хлопая ресницами на манер южных красавиц.

— Осторожней, дамочка, — протянул Бенджи. — Этот тип довольно опасный. — Он откинул со лба длинный завиток, падавший ему на глаза, и улыбнулся. — Хотя немного опасности — это иногда не лишнее, правда?

Мои губы растянулись в улыбочке.

— Правда.

Когда половина пятидесятиминутного занятия прошла, я оглянулась. Лукас в этот момент на меня не глядел, поэтому я могла спокойно смотреть на него. Он сосредоточенно рисовал: сначала наносил штрихи карандашом, а потом растушевывал их пальцем. Темные волосы падали ему на лицо. Лукас не обращал внимания ни на преподавателя, ни на сидящих вокруг — можно было подумать, что он в аудитории один. Я представила себе, как будто он сидит с ногами на кровати, держа блокнот на коленях. Интересно, что он рисует? Или кого?

Лукас поднял глаза. Он поймал и несколько секунд удерживал мой взгляд. На его лице появилась уже знакомая мне тень улыбки. Продолжая смотреть на меня, он вытянул шею и повел плечами. Потом вернулся к своему блокноту: постучал по нему кончиком карандаша и оценивающе оглядел рисунок, откинувшись на спинку стула и опустив ресницы.

Доктор Хеллер закончил чертить на доске диаграмму и продолжил лекцию. Лукас заткнул карандаш за ухо и взял ручку. Переключая внимание на профессора, он еще раз мне улыбнулся. От радостного волнения у меня кольнуло внутри.

Когда занятие закончилось, Лукаса перехватила какая-то девушка (не та, что разговаривала с ним в коридоре на прошлой неделе), и я, глядя прямо перед собой, рванулась к выходу. Мощный выброс адреналина в кровь придал мне ускорение. Бросив быстрый взгляд через плечо, я нырнула в боковую дверь и только тогда сбавила скорость. Я чувствовала себя глупо. Эрин и Мэгги настаивали на том, чтобы я побегала от Лукаса еще несколько дней. Но он, похоже, не собирался меня догонять, во всяком случае не в буквальном смысле слова.

Я написала Эрин, что сегодня не пойду в «Старбакс»: буду пить дерьмовый кофе в буфете. Она ответила: «Гениально! Я тоже туда приду: в знак сестринской солидарности и всякой такой фигни».

❖ ❖ ❖

Под конец занятия по истории искусств я засомневалась в том, что Лукас действительно хочет играть со мной в игру, которую навязала мне Эрин. Может быть, он не собака. Или я не кошка. Или я просто плохо справляюсь со своей ролью. Я вздохнула, пряча телефон в сумку: как минимум раз тридцать за занятие я проверила, не пришла ли эсэмэска.

Я всегда довольно пренебрежительно относилась к играм, которые люди ведут, чтобы добиться любви. Или секса. Мне виделся в этом своеобразный спорт. Мол, кто куда допрыгнет. И я никогда не понимала, от чего зависит успех в подобном соревновании: от умения, везения или от удачного сочетания того и другого. Люди редко говорят то, что думают и чувствуют. Все врут.

«Тебе легко так говорить с высоты твоих идеальных отношений с Кеннеди!» — упрекнула меня Эрин, когда несколько месяцев назад я сказала ей, что она смешно ведет себя с парнем: перед тем как начать тщательно спланированное наступление, она долго выясняла, чего он хочет от отношений с девушкой. Сейчас я признаю, что именно так и нужно делать. Ну а тогда я не знала, каково молодой женщине быть одной, и поэтому не имела права судить. Теперь все изменилось.

Мое беспокойство было напрасным, но я не могла от него избавиться. На лекции Лукас на меня смотрел.

Уходя с экономики, я была так уверена в себе, а теперь чувствовала себя жалкой. Почему? Потому что после занятия он не отпихнул с дороги ту рыжую девицу и не пошел за мной? Потому что за какие-то три с половиной часа ни разу мне не написал? Бред!

Разогревая суп в микроволновке, я призналась себе в том, что мои попытки управлять вниманием Лукаса провалились. Я представила, как он выходит из аудитории с той симпатичной девушкой, держа ее за руку (это еще в лучшем случае), и тут же отогнала эту мысль. «Идиотка!» — выругала я себя.

Тут звякнул лежащий на кровати ноутбук: пришло новое сообщение. У меня внутри что-то встрепенулось. Может, это какая-нибудь ерунда: письмо из нашего медицинского центра с предложением сделать прививку от гриппа или обо мне вдруг вспомнил кто-то из школьных друзей, которые поголовно «так потрясены» тем, что мы с Кеннеди расстались. Они узнали об этом, когда он в «Фейсбуке» изменил информацию о своем статусе — через двадцать минут после того, как меня бросил. Ну а я деактивировала свой аккаунт и до сих пор его не восстановила. Я содрогалась при мысли о том, что, войдя в «Фейсбук», увижу фотографию Кеннеди и узнаю о новейших событиях его личной жизни. Конечно, не обязательно поддерживать отношения с ним самим, но у нас слишком много общих знакомых. Поэтому совершенно оградить себя от напоминаний о нем никак не получалось. На следующий же день после нашего разрыва мне начали приходить снисходительные письма с изъявлениями сочувствия. Неудивительно, что меня стало тошнить от необходимости проверять почту.

Поморщившись, я открыла папку входящих... и улыбнулась.

———————

Привет, Жаклин!

Ты не сможешь выбраться на семинар в четверг (то есть завтра)? Если нет, посылаю тебе вопросный лист по завтрашнему материалу. Тема новая, не связанная с предыдущими, и твои пропуски не помешают тебе в ней разобраться. Кстати, на то, чтобы все наверстать, у тебя остается около недели.

ЛМ

P. S. Я думал, как доказать тебе, что ты попала именно туда, куда и должна была попасть. И вот что мне пришло в голову: почему ты так уверена, будто где-то в другом месте тебе было бы лучше? Уехав в другой штат, ты рассталась бы со своим парнем и, наверное, укоряла бы себя за это. Ты ведь не знала бы, что он все равно собирался с тобой порвать. Ну а так ты здесь. Парень тебя бросил, ты стала прогуливать лекции и познакомилась с лучшим из всех ассистентов преподавателей экономики в университете! Кто знает — может, я заставлю тебя полюбить этот предмет. Да, забыл спросить: какая у тебя специальность?

Привет, Лэндон!

Моя специальность — преподавание музыки. Терпеть не могу, когда говорят: «Кто умеет что-то делать, делает это, а кто ничего не умеет, учит других». Знаю, что это чушь: сама ведь даю уроки. И все-таки я больше хотела бы делать, чем учить. Я мечтала поступить в симфонический оркестр или в какой-нибудь продвинутый джаз-банд. Но вместо этого буду преподавателем.

На семинар я прийти не смогу: у меня завтра ученики. (Этим ребятам было бы куда веселее на наших занятиях, если бы я пукала гаммы, вместо того чтобы разыгрывать их на контрабасе.) Не хотелось бы тебя расстраивать, но я собираюсь сдать зачет и на этом покончить с экономикой. Тем не менее ты гениальный преподаватель, честное слово! Спасибо за вопросник. И вообще за то, что помогаешь мне: ты хороший человек.

ЖУ

Жаклин!

Если ты хочешь делать, а не учить, тогда вперед! Что же тебе мешает?

Говоришь, я хороший человек? Первый раз слышу о себе такое. Обычно люди считают меня надутым говнюком. И надо признаться, я даю основания для таких отзывов. Так что, пожалуйста, ни с кем не делись своим мнением обо мне. А то еще разрушишь мою репутацию. ☺

ЛМ

P. S. Заполни вопросник. До пятницы. Сейчас я очень сурово смотрю на тебя через экран. ЗАПОЛНИ ВОПРОСНИК! Будут какие-то проблемы — пиши.

Лэндон!

Ты спрашиваешь, что мне мешает? Я профукала возможность поступить в консерваторию. Я застряла в штате, где искусства не в большом почете. (Возможно, мне, как учителю, придется всю жизнь с этим бороться.) Осуществить мои мечты не так просто, как кажется. Надо все хорошо обдумать.

Можешь не опасаться за свою репутацию надутого говнюка. На моих устах печать молчания.

P. S. Вопросником я занимаюсь, но при этом смотрю на тебя очень сердито. Такое ощущение, что я раб, а ты надсмотрщик. Уф!

Отправляя письмо, я усмехнулась. Кажется, у меня начинается новая игра. Так, может, послать подальше Лукаса с его до неприличия загадочной улыбкой? Пусть Эрин и Мэгги друг другу рассказывают про охоту и погоню: эта белиберда не для меня. Я и без их советов могу завязать отношения с парнем — правда, по электронной почте. Когда до меня дошло, что я флиртую с кем-то по Интернету, торжествующая улыбка сползла с моего лица. Я вернулась к суровой реальности. Я ведь понятия не имею, как выглядит этот Лэндон и что он за человек.

Хотя нет. Я знала, что он за человек. Не нужно было на него смотреть, чтобы понять, какой он добрый. И умный. И прямодушный.

Конечно, Лэндон не спас меня от потенциального насильника и не сделал из него кровавую тюрю. Лэндон не держал меня за талию, от его прикосновения у меня не таяли внутренности. Наверное, у него не было ни татуировок на руках, ни прозрачных как лед серо-голубых глаз и он не умел бросать на девушек пламенные взгляды.

В десять часов вечера мне пришла эсэмэска.

ЛУКАС. Привет. ☺

Я.   Привет. ☺

ЛУКАС. Как дела?

Я.   Нормально. Занимаюсь.

ЛУКАС. Хотел поговорить с тобой после лекции, но ты испарилась.

Я.   Торопилась на другое занятие. Там препод, если опоздаешь, замолкает и таращится на тебя, пока не усядешься.

ЛУКАС. Я бы тогда нарочно шел помедленнее. ☺ Приходи в пятницу в СБ, народу будет мало, выпьешь американо за счет заведения.

Я.   Бесплатный кофе? Люблю халяву! Постараюсь прийти. Ты во сколько там будешь?

ЛУКАС. С обеда до 5.

Я.   ОК.

ЛУКАС. До пятницы, Жаклин.

ГЛАВА 7

В пятницу Лукас опоздал на экономику на четверть часа и пропустил самостоятельную, которую мы писали в начале занятия. Я было подумала, что это ужасная безответственность — пропустить самостоятельную, но потом вспомнила: сама-то я недавно прогуляла промежуточную аттестацию, так что не мне его упрекать.

Лукас проскользнул в заднюю дверь, как раз когда преподаватель поднимался по центральному проходу, собирая листки. Студенты из левой половины аудитории передали доктору Хеллеру свои работы, и он обернулся направо, туда, где сидел Лукас.

— Мне нужно поговорить с вами после занятия, — тихо сказал профессор.

Лукас наклонил голову и, доставая учебник из рюкзака, ответил, тоже негромко:

— Да, сэр.

Я больше не смотрела на него до конца занятия, а когда лекция закончилась, он сложил вещи в рюкзак и спустился по проходу к столу профессора. Пока доктор Хеллер разговаривал с другим студентом, Лукас поднял глаза и нашел меня. Его улыбка была едва заметной и, как всегда, неясной. Но взгляд его вонзался в меня, как дротик в мишень.

Наконец он переключил внимание на профессора и перестал на меня пялиться. Я выдохнула: мне и самой было невдомек, что под прицелом этих сосредоточенных глаз я затаила дыхание. Выходя из аудитории, я засомневалась, идти мне после обеда в «Старбакс» или нет.

Похоже было, что с самостоятельной я справилась прекрасно благодаря Лэндону и его вопросному листу, который он мне прислал в среду вечером. Он, видимо, знал о проверочной работе и специально составил свой вопросник так, чтобы помочь мне подготовиться. Надеюсь, он не сказал мне ничего такого, чего не должен был говорить, не пересек границу дозволенного. Но он вплотную к ней приблизился. И сделал это для меня. Я была поражена тем, что этот человек, затерянный в огромном кампусе среди тысяч студентов, поступил не совсем правильно ради того, чтобы помочь мне. Значит, по какой-то причине ему на меня не наплевать.

ЭРИН.   Мы с Чезом скоро выезжаем. Счастливо оставаться! После обеда ИДЕШЬ в СБ, да? Если пригласит на свидание, СОГЛАШАЙСЯ! Будь наготове! И помни: комната твоя на весь уик-энд. Хо-хо!

Я.   Развлекайтесь, детишки! За меня не беспокойся. Буду держать тебя в курсе.

ЭРИН.   Да уж пожалуйста. Вернусь в воскресенье днем. Или вечером — смотря в каком состоянии встану утром. Эх-эх! ПИШИ МНЕ.

Я совсем забыла, что Эрин с Чезом собирались уехать на выходные. Брат Чеза играл в какой-то группе, и в субботу они должны были выступать на фестивале под Шривпортом. Мои голубки решили ехать за компанию и забронировали себе номер в гостинице. В прошлом месяце Эрин сказала об этом нам с Мэгги во время вечерней лабораторной по астрономии, пока мы ждали своей очереди, чтобы посмотреть в телескоп на Меркурий и Венеру.

— Гостиница? — Мэгги удивленно приподняла бровь. — А дальше что? Полотенца с вашими инициалами?

Эрин обиделась:

— Это же романтично!

— Ну конечно! — рассмеялась Мэгги. — И как только тебе удалось уломать на это Чеза, нашего мистера Спортсмена?

Эрин поджала пухлые губки в аккуратный маленький бантик и провела рукой по волосам, которые даже здесь, посреди темного поля на окраине города, горели ярко-рыжим огнем:

— Я сказала ему, что в гостиницах бывают огромные джакузи, где мы сможем вытворять ужасно неприличные вещи.

Один из двух парней, стоявших позади нас, издал сдавленный хрип. Оба приятеля смотрели на Эрин с мученическим выражением на физиономиях. Мы еле удержались, чтобы не прыснуть со смеху.

— Бедный Чез! — вздохнула Мэгги. — Он обречен. Однажды он, стоя перед кучкой людей, скажет «да» и наденет тебе на палец кольцо, даже не понимая, как до этого докатился.

— Ой, вряд ли! Когда мне захочется остепениться, я выберу себе кого-нибудь вроде... — Эрин посмотрела через плечо на подслушивавших нас пацанов, — вроде вот этих.

Парни переглянулись и приосанились. Один из них, самодовольно ухмыльнувшись и покосившись на Эрин, ткнул кулаком другого.

❖ ❖ ❖

Я подумала, что до своего возвращения подруга вряд ли еще раз обо мне вспомнит. Так что теперь я осталась одна. Не без некоторых колебаний я направилась к студенческому центру, кутаясь в куртку, чтобы защититься от внезапно нагрянувшего ноябрьского холода. Надо по-

лагать, вечеринки студенческих обществ, которые должны были проходить на свежем воздухе, в эти выходные
перенесут в закрытые помещения. Только мне это было
неинтересно: все равно я ни за что не пошла бы туда, где
могла встретить Кеннеди. Или Бака.

Еще до того, как «Старбакс» появился на горизонте,
я почувствовала кофейный аромат. Войдя, я сразу же
посмотрела за прилавок. Там стояли и разговаривали
две какие-то сотрудницы, но Лукаса не было; может,
он с кем-нибудь поменялся сменами, а мне отписать
забыл?

Зато среди немногочисленных посетителей оказался
доктор Хеллер. Он читал газету за угловым столиком.
Я, конечно, ничего не имела против нашего профессора, но мне не очень-то хотелось, чтобы он наблюдал, как
я пытаюсь флиртовать с парнем, который сегодня пропустил самостоятельную и заслужил приглашение на ин-
дивидуальную беседу. Я остановилась возле витрины
с кофейными чашками и походными кружками.

Как и в понедельник, Лукас вошел через служебную
дверь. При виде него у меня онемели пальцы на руках и
ногах. Под зеленым фартуком на нем была плотно при-
легающая бледно-голубая рубашка (а не тот джемпер с
университетской эмблемой, в котором он пришел сегодня
на занятие). Длинные рукава были, как и в прошлый раз,
закатаны до локтя, так что можно было видеть татуировки.
Я подошла к прилавку, скользнув глазами от рук Лукаса
до его лица. Он меня пока не заметил.

Одна из девушек-кассирш выпрямилась и немного
раздраженно (казалось, вот-вот начнет щелкать пальцами, чтобы привлечь мое внимание) спросила:

— Я могу вам чем-нибудь помочь?

— Я обслужу ее, Ив, — сказал Лукас.

Девушка пожала плечами и вернулась к прерванному разговору с приятельницей. Обе они теперь смотре-

ли на меня еще менее приветливо, чем за секунду до этого.

— Привет, Жаклин.

— Привет.

Лукас бросил взгляд в угол, где сидел профессор Хеллер.

— Что будешь пить? — По его тону было невозможно сказать, будто он сам специально попросил меня прийти. Может, осторожничал из-за того, что рядом были другие сотрудники? — Наверное, большой американо? — Он взял стакан и приготовил мне кофе. Я протянула свою карту, но он покачал головой. — Не надо.

Девушки-кассирши переглянулись, но я сделала вид, что не заметила этого.

Поблагодарив Лукаса, я отошла в другой конец зала, подальше от доктора Хеллера, раскрыла ноутбук и принялась работать над заданием по экономике. Чтобы доказать основной тезис своего проекта, я должна была насобирать фактов из множества разных источников. Сдать работу нужно было до Дня благодарения. Оставалось меньше двух недель. Если бы не крайняя необходимость получить промежуточную аттестацию, я бы ни за что в этот срок не уложилась.

За час я успела откопать больше десятка статей о новостях мировой экономики. Кофе был выпит. Лукас ни разу не подошел. Через полчаса у меня начинались занятия в школе. Я захлопнула ноутбук и повернулась к стене, чтобы вытащить вилку из розетки.

— Миз Уоллес! — (Внезапно услышав голос доктора Хеллера, я подскочила на месте и опрокинула свой стакан (к счастью, уже пустой).) — О, простите, я вас напугал!

— Что вы, все в порядке. Я просто немного нервная... из-за кофе, — сказала я, а про себя добавила: «И из-за того, что на долю секунды приняла вас за Лукаса».

— Мистер Максфилд мне сказал, что вы почти все наверстали и вовсю работаете над проектом. Я был рад это слышать. — Тут профессор понизил голос и с видом заговорщика огляделся по сторонам. — Знаете ли, мы с моими коллегами на самом деле не хотим никого заваливать. Мы просто иногда припугиваем... то есть, я хотел сказать, мотивируем... э-э-э... не совсем серьезных студентов, чтобы они лучше занимались. Но я верю, что вы не из таких.

Я улыбнулась ему в ответ:

— Понимаю.

Он выпрямился и прокашлялся:

— Отлично, отлично. Что ж, желаю вам производительно потрудиться в эти выходные.

Он усмехнулся своей шутке, а я с трудом скрыла раздражение:

— Спасибо, доктор Хеллер.

Профессор подошел к прилавку и, пока я выдергивала шнур и укладывала ноутбук в рюкзак, разговаривал с Лукасом. Беседа была серьезной, и я забеспокоилась, увидев, что преподаватель по меньшей мере один раз кивнул в мою сторону. Может, он причисляет Лукаса к тем самым несерьезным студентам, которых нужно припугивать, чтобы заставить работать? Если так, то мне не хотелось бы выступать в качестве примера.

Выходя, я оглянулась, но Лукас даже не посмотрел в мою сторону. Девушка, вытиравшая прилавок, ухмыльнулась, глядя на меня.

Через два часа я вышла из школы и включила телефон. Пока он загружался, я старалась настроиться на то, чтобы провести выходные в одиночестве. Поход в «Старбакс» явно не удался. Лукас вел себя еще загадочнее и осторожнее, чем раньше, — хотя, казалось бы, загадочнее было уже некуда.

Еще в кафетерии, пока работала над проектом, я написала Лэндону: поблагодарила за вопросник и за то, что заставил меня вовремя его заполнить. Мне не хотелось вызывать в нем чувство вины, и я на всякий случай не стала упоминать о том, что он дал мне подсказку: вдруг он и правда такой кристально честный, каким кажется? Со среды я не получала от него писем, но, может, он объявится сегодня вечером? Может, в выходные он свободен и мы наконец-то сумеем увидеться?

Пришла эсэмэска от Эрин: подруга сообщала, что они с Чезом уже в Шривпорте, и в который раз намекала на то, как я должна воспользоваться ее отсутствием. Еще написала мама. Спрашивала о моих планах на День благодарения. Последние три года мы с Кеннеди отмечали этот праздник то с моей семьей, то с его. Якобы поэтому родители не знали, ждать меня или нет. Я ответила, что если мы с парнем расстались, то мне, надо полагать, нечего делать у него дома. После этого я ожидала, что мама извинится, — как будто плохо ее знала.

МАМА.   Зря злишься. Мы с папой собирались в Брекенридж, потому что думали, ты будешь у Муров. Уже заплатили, но, видно, придется все отменить.

Я.   Поезжайте. Отпраздную у Эрин или еще где-нибудь.

МАМА.   Ладно, если ты уверена.

Я.   Уверена.

Вот это да! Меня бросил парень, и в первые же праздники мама, вместо того чтобы повидаться и наконец-то поговорить со мной по-человечески, укатывает вдвоем с папой на горнолыжный курорт. Нечего сказать, мамочка, хороший ты нашла способ показать свою любовь и заботу. Вдруг мне не хватило острых ощущений от расставания с Кеннеди?

Я запихнула телефон в держатель для чашки и поехала в кампус, думая о том, что все выходные мне

предстоит заниматься экономикой и смотреть реалити-
шоу по телевизору.

Уже у себя в комнате я заметила, что, пока я ехала,
Лукас прислал эсэмэску.

ЛУКАС. Извини, что не попрощался.

Я.   Наверное, было неловко из-за д-ра Хеллера?

ЛУКАС. Да. Я хотел бы тебя нарисовать.

Я.   Меня?

ЛУКАС. Да.

Я.   ОК. Не ню, я надеюсь?

ЛУКАС. Ха-ха! Нет. Только если сама захочешь (шутка). Когда
      встретимся? Сегодня вечером сможешь? Или завтра?

Я.   Давай сегодня.

ЛУКАС. Супер. Буду через пару часов.

Я.   ОК.

ЛУКАС. Какой у тебя номер комнаты?

Я.   362. Я тебя встречу.

ЛУКАС. Постараюсь пройти сам. Если что, напишу тебе.

ГЛАВА 8

Лукас тихонько постучал в дверь. Я так нервничала, что, когда шла открывать, меня всю трясло.

Он хочет нарисовать меня — так он сказал. Но я не знала точно, действительно ли он хочет только этого или намекает на что-то еще. Эрин замучит меня своими поучениями, если я приведу его в свою комнату и мы с ним даже не поцелуемся. А Лукас, кстати, не производил впечатления парня, которому часто приходится довольствоваться поцелуями. Я знала, что многие девчонки рассматривают колледж как своего рода испытательный полигон и немало найдется таких, которые с радостью согласились бы поэкспериментировать с Лукасом. Но у меня до сих пор был только один парень, Кеннеди, и мы с ним встречались больше года, прежде чем дело дошло до секса. Я еще не была готова к таким отношениям с Лукасом, пусть даже он действительно идеальный «временный вариант» для тех, кого недавно бросили.

Я набрала воздуху в легкие. Лукас постучал еще раз, погромче. Я отбросила ненужные мысли и открыла дверь.

Из-под серой шапочки выбивалась темная челка. Глаза в рассеянном свете коридорной лампы казались почти прозрачными, как в ту первую ночь, когда он, расправившись с Баком, заглянул ко мне в грузовичок. Лукас стоял ссутулясь и засунув руки в карманы. Под мышкой у него был блокнот.

— Привет.

Я сделала шаг назад и открыла дверь пошире. Оливия и Рона торчали у входа в свою комнату, в другом конце холла, и изумленно таращились на нас с Лукасом. Оливия многозначительно взглянула на соседку: мол, Эрин нету и Жаклин привела к себе парня. Через пять минут весь этаж будет знать, какой красавчик пришел ко мне в гости.

Я захлопнула дверь, а Лукас бросил свой блокнот на мою кровать и остановился посреди комнатки, которая из-за его присутствия как будто уменьшилась в размерах. Не двигаясь, он осматривал владения моей соседки: позолоченные буквы ее имени над кроватью, чуть выше — греческие литеры (название общества, в котором состояла Эрин), фотографии на стене. Пользуясь тем, что он отвлекся, я принялась разглядывать его: чуть ли не до дыр заношенные ковбойские ботинки, старые джинсы, серо-сиреневая куртка с капюшоном. Когда Лукас повернул голову, чтобы изучить мою половину комнаты, я посмотрела на его профиль: свежевыбритая щека, приоткрытые губы, темные ресницы.

Скользнув по мне, взгляд Лукаса упал на ноутбук и колонки у меня на столе. Я составила плей-лист из своих любимых музыкальных композиций и негромко его включила. Это тоже был совет Эрин. Она назвала плей-лист «Операция „ФПП“», а я забыла поменять заглавие и вот теперь надеялась, что Лукас его не увидит и не спросит, что оно значит. Я бы, конечно, не сказала, но все участки моего тела, склонные к покраснению, наверняка бы загорелись и выдали меня.

— Мне нравится эта группа. Ходила на их концерт в прошлом месяце? — спросил он.

Это был один из самых популярных местных коллективов. Я пришла послушать их вместе с Кеннеди — как раз накануне нашего расставания. Весь вечер он вел себя странно, держался отчужденно. Обычно на таких концертах он вставал за мной и прижимал мои плечи к своей груди, сцепив пальцы у меня на животе и расположив свои ступни по обе стороны от моих. В этот раз Кеннеди стоял рядом, как будто мы всего лишь друзья. Потом я поняла, что он неспроста был такой сдержанный: еще до того вечера он решил меня бросить. Между нами уже выросла стена, которой я в упор не видела.

Я кивнула, прогоняя Кеннеди из своих мыслей, и спросила:

— А ты?

— Да. Но не помню, чтобы я тебя там видел. Наверное, из-за того, что было темно и я выпил бутылку-другую пива.

Лукас улыбнулся. Зубы были белые, хотя и не идеально ровные, значит в детстве его, в отличие от меня, не мучили ортодонты. Он снял шапку, кинул ее на кровать и, положив карандаш на блокнот, провел обеими руками по примятым волосам, а потом встряхнул головой, вернув шевелюре прежнюю «живинку». О боже мой! Когда Лукас стягивал куртку, белая футболка слегка задралась, и я увидела, что татуировки у него не только на руках: по левому боку ползли четыре ряда букв (слишком маленьких — не прочитать), а справа красовались какие-то узоры в кельтском стиле. И еще я поняла, что Эрин имела в виду, когда говорила про пресс, который хочется облизывать.

Куртка отправилась вслед за шапкой, а футболка опустилась на свое законное место. Взяв блокнот и карандаш, Лукас повернулся ко мне, и я увидела, что татуировки на его руках поднимаются по бицепсам и исчезают под короткими рукавами футболки.

— Куда мне сесть? — спросила я, плохо скрывая волнение.

— Может, на кровать? — Его голос немного охрип.

— Ладно.

Я уселась на краешек матраса, а куртку и шапку Лукас спихнул на пол. Сердце у меня учащенно билось в ожидании.

Лукас посмотрел на меня, чуть наклонив голову:

— Ты скованная. Если тебе не хочется, мы можем все это бросить.

«Бросить что?» — подумала я, не решаясь спросить, был ли мой портрет только предлогом. Если бы я все-таки спросила и Лукас бы ответил «да», я бы сказала, что никакой камуфляж не нужен. Я посмотрела ему в глаза:

— Мне хочется.

Собственные слова, да еще и сказанные с придыханием (так уж получилось), показались мне двусмысленными. Лукасу, по-моему, тоже. Во всяком случае, на лице у него появилась тень улыбки, уже так хорошо мне знакомая, и в очередной раз у меня внутри все растаяло. Но неопределенность ситуации продолжала действовать мне на нервы. В какой-то момент я даже подумала, что чем говорить пошловатыми намеками, лучше открыто спросить: «Ты не займешься со мной сексом без обязательств? Хочу отомстить своему бывшему».

Лукас засунул карандаш за ухо. Видно, мой ответ не убедил его в том, что нам стоит продолжать этот сеанс.

— Мм... Какая поза была бы для тебя удобнее?

Я, конечно, не высказала всего, что пришло мне в голову, когда я услышала этот вопрос. Но мое лицо, вспыхнувшее, как сухостой от спички, все сказало за меня. Лукас прикусил нижнюю губу: наверняка еле сдерживал смех. Какая поза удобнее? Как насчет того, чтобы зажать мне голову подушкой?

Лукас оглядел комнатку и сел на пол у стены. Он сидел с блокнотом на коленях точно так, как я представила его себе, когда наблюдала за ним на лекции. Только он был не у себя в спальне, а у меня.

— Ляг на живот лицом ко мне, а голову положи на руки.

Я приняла указанное положение:

— Так?

Лукас кивнул и начал меня разглядывать, как будто изучая каждую деталь и отыскивая недостатки. Он приблизился ко мне и, стоя на коленях, поправил мне волосы. Теперь они лежали на плечах.

— Отлично, — пробормотал Лукас, возвращаясь на свой пост у стены, в нескольких футах от меня.

Я смотрела, как он рисовал, переводя взгляд с моего лица на блокнот и обратно. В какой-то момент он принялся оглядывать меня всю: мне показалось, будто его пальцы касаются моих плеч и скользят по спине. От этого ощущения у меня перехватило дыхание, и я закрыла глаза.

— Засыпаешь? — Мягкий голос Лукаса прозвучал где-то совсем близко от меня.

Я открыла глаза и увидела, что он стоит на коленях рядом с моей кроватью. Сердце у меня припустило еще быстрее.

— Нет. Уже закончил? — спросила я, кивая на блокнот с карандашом, которые валялись на полу позади Лукаса.

Он слегка покачал головой:

— Нет. Я бы сделал еще один набросок, если не возражаешь.

Я кивнула, и тогда он сказал, чтобы я легла на спину. Я перевернулась, опасаясь, что через тоненький свитер будет заметно, как прыгает сердце. Подобрав блокнот с карандашом, Лукас встал. Теперь он, возвышаясь надо мной, оглядывал меня с ног до головы. Мое положение казалось мне довольно щекотливым, но не опасным. Я мало знала об этом человеке и тем не менее в одном была уверена: зла он мне не причинит.

— Ты не против, если я помогу тебе лечь так, как мне бы хотелось?

Я сглотнула:

— Да нет...

Мои руки были словно приклеены к грудной клетке, а плечи подняты чуть ли не до ушей. «Как, разве это не та поза, которая тебе нужна?» — подумала я, с трудом сдерживая истерический смешок.

Лукас осторожно взял меня за запястье и положил мою слегка согнутую руку так, будто я закинула ее за голову во время сна. Другую руку с чуть разведенными пальцами он сначала оставил лежать на животе, но, отстранившись и оглядев меня, поднял вверх и ее тоже. Мои запястья скрещивались, как если бы их связали. Я постаралась дышать спокойно, но в такой нелепой позе это было невозможно.

— Я немного поправлю тебе ногу? — вопросительно произнес Лукас и воззрился на меня в ожидании кивка. Он слегка согнул мое колено, а потом взял свой блокнот и перевернул листок. — Теперь поверни голову ко мне. Чуть-чуть. Подбородок вниз. Хорошо. И закрой глаза.

Я попыталась расслабиться: ведь хотя бы пока он черкает своим карандашиком, я могу быть спокойна, что он меня не тронет. Я лежала не двигаясь и с закрытыми глазами слушала, как бумага резковато скрежещет под грифелем и мягко шуршит под пальцем Лукаса, когда тот растушевывает контур или тень.

Вдруг мои глаза открылись: лежащий на столе ноутбук просигнализировал о том, что получено новое письмо. Я инстинктивно приподнялась на локтях: может, это Лэндон мне ответил? Но вскакивать и бежать смотреть было неудобно.

Лукас внимательно посмотрел на меня:

— Нужно проверить почту?

В этот раз Лэндон долго мне не отвечал. А раньше реагировал на мои письма молниеносно, так что я избаловалась. Сейчас Лукас сидел у меня в комнате. На моей кровати. Я снова легла, закинув руки, и покачала головой. Теперь я не стала закрывать глаза. Он не возразил.

Мы возобновили сеанс. Лукас сначала долго работал над моими руками, потом занялся лицом, то пристально рассматривая мои глаза, то опуская взгляд на рисунок. Наконец он сосредоточился на губах (опять смотрит — рисует, смотрит — рисует), и тут мне вдруг захотелось подняться, схватить его за футболку и притянуть к себе. Мои руки невольно сжались, и Лукас это заметил. Поглядев на меня своими блестящими глазами, он сказал:

— Жаклин?

— Да? — моргнула я.

— Когда мы с тобой в первый раз встретились... В общем, я хочу, чтобы ты знала: я не такой, как тот парень. — Лукас стиснул зубы.

— Я зна...

Он дотронулся пальцем до моих губ, и лицо его потеплело.

— Я бы ни за что не стал на тебя давить. И все-таки сейчас мне ужасно хочется тебя поцеловать.

Проведя пальцем сначала по моему подбородку, а потом по шее, он положил руку к себе на колено. Я уставилась на него, — похоже, он действительно ждал ответа.

— Поцелуй.

Не сводя с меня глаз, Лукас бросил карандаш и блокнот на пол и наклонился ко мне. Каждое его прикосновение отзывалось внутри меня особенным ощущением. Я почувствовала, как край его бедра задел мое бедро, а грудь скользнула по моей груди. Он провел пальцами по моим рукам от запястий до плеч и взял мое лицо в свои ладони, как будто поместив его в раму. Наконец Лукас приблизился губами к моему уху, и, когда я нервными окончаниями ушной раковины почувствовала поцелуй, дыхание у меня сбилось с ритма.

— Какая ты красивая! — пробормотал он.

Лукас прижался своими теплыми твердыми губами к моим и вкрадчивым прикосновением языка заставил меня раскрыть рот. Одной рукой он прижимал к матрасу мои по-прежнему скрещенные запястья, а другой подбирался к талии. Он целовал меня все настойчивее, и мне приходилось ему отвечать. В голове у меня все поплыло. Каждые несколько секунд я урывками глотала воздух, как будто собиралась нырять на глубину. Именно в тот момент, когда я почувствовала, что более сильного натиска уже не выдержу, Лукас дал мне возможность перевести дух, слегка прихватив мою губу и лизнув ее, перед тем как повторить все сначала. Я заерзала от приятного щекочущего ощущения на языке, зубах и нёбе.

Если бы кто-нибудь меня спросил: «С кем лучше целоваться: с этим парнем или с Кеннеди?» — я бы ответила: «Кеннеди? А кто это?»

Лукас взял меня за руки и положил их к себе на шею. Я сделала то, что мне несколько раз снилось: запустила пальцы ему в волосы, ероша его и без того всклокоченную шевелюру. Он приподнял меня, взял к себе на колени и плюхнулся на горку подушек в изголовье моей узкой кровати. Одна его нога стояла на полу, а другая, согнутая, оказалась подо мной. Мы перевернулись: поддерживая рукой мой затылок, он бережно уложил меня на спину и, целуя, стал спускаться по шее к V-образному вырезу свитера. Я запрокинула голову и часто задышала, пытаясь собраться с мыслями.

Лукас запустил руку под мягкую вязаную ткань, добрался, проведя по ребрам, до атласных чашечек и кончиками пальцев потрогал кожу над ними, как будто изучая рельеф моего тела — более резкий, чем обычно, из-за того что я была в полусогнутом положении. Потом он поднял край свитера и, губами повторив путь, который перед этим нащупал, лизнул верхнюю кромку лифчика.

Его пальцы тронули застежку (она была спереди, между чашечками), а мои крепче ухватились за его волосы. Неужели я надела бюстгальтер, который легко расстегивается, именно для этого? Телом я была только за, но разум мне подсказывал, что пора остановиться.

Я вспомнила слова Эрин: «Получи от него все то, чего ты так долго была лишена!» — и запоздало усмехнулась. Лукас поднял голову и повел бровью.

— Щекотно? — спросил он недоверчиво.

Я немного струхнула. Приходилось выбирать: или ответить, будто мне действительно щекотно (щекотка — это, бесспорно, трагическое препятствие в любовных занятиях), или продемонстрировать очень специфическое чувство юмора. «Боже мой!» — подумала я и, прикусив верхнюю губу, чтобы еще раз не рассмеяться, мотнула головой.

Лукас взглянул на мой рот и переспросил:

— Точно? Просто если ты не боишься щекотки, значит моя техника соблазнения кажется тебе... забавной.

Не в силах больше сдерживать смех, я опять прыснула, а Лукас покачал головой. Чувствуя себя страшно неловко, я села у него на коленях, вся растрепанная, и, отведя руку от его головы, прикрыла губы, как бы извиняясь за их глупое поведение.

Он улыбнулся. Я ответила ему тем же, не отнимая пальцев ото рта. Мысленно я просила Лукаса больше не заставлять меня смеяться. Боялась, что смех может в любой момент перерасти в истерику.

— Может, мне все-таки пощекотать тебя напоследок? — Видно, эта мысль не давала ему покоя.

— Ой, пожалуйста, не надо! — забеспокоилась я.

Как и большинство людей, умирая от щекотки, я выглядела не особенно привлекательно. Это я знала точно: моя тетя засняла на камеру, как в мой одиннадцатый день рождения придурковатая старшая кузина безжалостно меня щекочет, а я извиваюсь как уж и умоляю ее прекратить. Вся физиономия у меня в красных пятнах, из уголка рта сочится слюна, а протестующие звуки, которые я издаю, похожи на вопли затравленного зверя.

— Нет?

— Не надо. Пожалуйста.

Лукас вздохнул, взял мою руку (я все еще заслоняла ею губы) и прижал к своей груди, а потом быстро наклонился и поцеловал меня. Он заботливо поправил на мне свитер, но тут же опять запустил под него пальцы, трогая мой живот и чашки лифчика. Когда Лукас через ткань бюстгальтера дотронулся до соска, у меня закружилась голова. Мы снова поцеловались. Ладонью я чувствовала стук его сердца: оно билось в том же ритме, что и мое.

Больше я не смеялась.

❖ ❖ ❖

У моих чувствительных губ прекрасная память, и, едва к ним прикоснувшись, я все ощутила заново: тот концерт для рук и рта, который Лукас исполнил на моем теле, наши безбашенные поцелуи и те немногочисленные слова, что он говорил. «Какая ты красивая...» — отзывалось у меня в ушах.

Я захотела взглянуть на рисунки, и Лукас мне их показал. Они были хороши. Удивительно хороши. Я сказала ему об этом, заслужив очередную слабую улыбку.

— Что ты будешь с ними делать? — запоздало спросила я.

— Может, повторю их углем.

Я не унималась:

— А потом?

Он пожал плечами и посмотрел на меня:

— Почему бы мне не повесить их на стенку у себя в спальне?

Я приоткрыла рот, не зная, что на это сказать. На стену в спальне — ничего себе!

Лукас взглянул в блокнот и перевернул лист:

— Ну кто не захочет, просыпаясь, видеть перед собой вот это!

Я была на девяносто девять процентов уверена, что его слова действительно несли в себе тот смысл, которого мне хотелось. И все-таки я не знала, отвечать ли на них как на комплимент или нет. Поэтому промолчала. Лукас закрыл блокнот и положил его на полку книжного шкафа, который стоял у двери, а потом взял меня за подбородок и осторожно потер пальцем мою нижнюю губу.

— Вот дерьмо! — Он отнял руку от моего лица и посмотрел на нее. — Я забыл, что всегда пачкаюсь, когда рисую! Теперь у тебя, наверное, маленькие серые пятнышки... везде, — пояснил он, оглядев меня.

Представив себя с перепачканной губой и серыми следами на животе и груди, я ничего не смогла сказать, кроме «ой».

Сжав кулаки, Лукас опять приподнял мне подбородок и еще крепче притиснул меня к себе:

— Видишь, больше никаких грязных пальцев!

Он поцеловал меня, прислонившись спиной к двери. Сейчас было совершенно ясно, что его тело не хочет останавливаться на поцелуях. Я прижалась к Лукасу, но он, хрипло выдохнув, отстранился:

— Я лучше пойду. А то потом не смогу...

В этот момент я могла сказать: «Оставайся», но промолчала. У меня перед глазами вдруг возник Кеннеди: совсем недавно я слышала от него слова, очень похожие на те, что теперь говорил мне Лукас. Еще более странной была мысль о Лэндоне, чье непрочитанное письмо лежит, наверное, в моем почтовом ящике. Все это не должно было иметь для меня никакого значения, во всяком случае сейчас.

Лукас выпрямился, кашлянул, поцеловал меня в лоб и в кончик носа. Потом открыл дверь.

— Пока, — сказал он и вышел.

Держась за косяк, я смотрела, как Лукас, идя по коридору, натягивает на взъерошенную голову серую шапочку. Все девчонки, мимо которых он проходил, поднимали на него глаза. Кое-кто даже провожал его взглядом до самой лестничной клетки. А когда он исчез, они резко обернулись, чтобы узнать, откуда вышел такой привлекательный парень. Я вернулась в комнату, оставив соседок размышлять над увиденным.

Письмо, пришедшее в не самый удобный момент, оказалось не от Лэндона, а от мамы. Она описывала маршрут их с папой поездки на горнолыжный курорт в Колорадо. Поездки, в которой меня не пригласили поучаствовать, но которая была запланирована на тот самый уик-энд, праздничный уик-энд, когда я собиралась приехать домой. В первый раз за несколько месяцев.

И, несмотря на все это, я сейчас не могла по-настоящему разозлиться на маму. Причин было две. Во-первых, меня непонятно почему разочаровало то, что письмо оказалось не от Лэндона. А во-вторых, я все еще порхала на седьмом небе после поцелуев Лукаса и мне было не так уж и важно, как я проведу выходные, до которых еще целых одиннадцать дней.

❖ ❖ ❖

В воскресенье вечером я ела ложкой арахисовое масло (это был мой ужин) и смотрела «Обещать — не значит жениться», понимая, что мужчины относятся ко мне так же, как и к другим женщинам, ничуть не лучше: Лэндон до сих пор не ответил на мое письмо, от Лукаса тоже ничего не было слышно.

Я ждала, что вот-вот вернется Эрин: без этой яркой и шумной особы комната казалась пустой. Тишина навевала на меня тоску, и я трескала все подряд.

По электронке пришло новое письмо, и я задумалась, остановить ли фильм, чтобы проверить входящие. Мне не очень-то хотелось читать, как мама, собираясь оставить меня в праздник одну, борется с угрызениями совести. Она уже перепробовала много способов оправдать себя в моих глазах: взывала к логике («В этом году ты должна была ехать к Кеннеди»), давила на жалость («Мы с твоим отцом двадцать лет никуда не ездили вдвоем»), а один раз даже нехотя пригласила меня поехать с ними («Думаю, мы смогли бы купить тебе билет. Только спать будешь на диване или раскладушке, потому что свободных номеров уже, конечно, не осталось»). В первых двух случаях я ничего не ответила, а от приглашения отказалась: «Спасибо, не надо».

Может, теперь мама попробует от меня откупиться? Если она предложит мне денег на то, чтобы пройтись по магазинам (такой прием был у нее в арсенале), я, пожалуй, соглашусь: на прошлой неделе я заказала себе по Интернету ботинки, на которые немножко не хватало моего обычного содержания и заработка от уроков. Подумав, я все-таки остановила фильм и пошла проверять почту.

Джекпот! Но не от мамы. Это Лэндон.

> Жаклин!
> Очень рад, что ты легко справилась с самостоятельной. Как только твой проект будет в общих чертах готов, я с удовольствием на него взгляну. А уж потом сдашь его. Посылаю тебе новый вопросник (только что составил для завтрашнего семинара). Будут какие-то трудности — спрашивай.
>
> ЛМ

Я перечитала письмо и надулась. Здесь не было даже отдаленного намека на флирт. Как будто профессор писал. И ни слова о том, почему в этот раз мне пришлось весь уик-энд ждать ответа, хотя обычно это занимало пару часов, если не меньше. Лэндон не поддразнивал меня, не задавал вопросов, не связанных с экономикой. Можно было подумать, что вся наша двухнедельная дружеская переписка — плод моего воображения.

Лэндон!
Спасибо. Черновик проекта пришлю к субботе. Надеюсь, ты хорошо провел выходные.

ЖУ

Жаклин!
Если отправишь мне проект до субботы, я постараюсь быстро его просмотреть и вернуть тебе. Тогда еще до большой перемены сдашь работу доктору Хеллеру. Выходные прошли замечательно. Особенно пятница. А у тебя?

ЛМ

Лэндон!
У меня тоже все прошло хорошо. Правда, мне было немного одиноко (соседка на весь уик-энд уезжала из города, а теперь вот вернулась и лопается от нетерпения: хочет поскорее все рассказать). Зато я неплохо поработала. Еще раз спасибо тебе за помощь.

ЖУ

После лекции к Лукасу опять пристала какая-то девчонка. Какого черта? Неужели всем девицам, которые ходят на экономику, так уж необходимо с ним что-нибудь обсудить? К девушке подошел молодой человек и обнял ее за плечо. Кажется, я поняла, что со мной сейчас было: я ревновала. К парню, которого едва знаю и с которым мы больше слюнями обменивались, чем словами.

Когда я выходила, Лукас сдержанно мне улыбнулся, немного приподняв подбородок, и тут же снова переключился на девушку и молодого человека, с которыми разговаривал. Я не знала, какое чувство во мне сейчас сильнее: облегчение или разочарование.

За ланчем я спросила у Эрин, что она обо всем этом думает. Потягивая свой «Джамба-джус» (это и был весь ее ланч), подруга принялась анализировать возможные причины сдержанности Лукаса:

— Прячет карты, как будто чего-то боится. Похоже, он пытается противостоять притяжению, которое испытывает к тебе. Понимаешь, многие парни держатся высокомерно... но обычно уже после того, как получат все, чего хотели. — Она пристально на меня посмотрела. — Ты точно все мне рассказала, что произошло у вас в пятницу?

Я вздохнула и хлопнула себя ладонью по лбу:

— Ой, да! Я же совсем забыла одну деталь: всю ночь у нас был дикий секс.

Эрин закатила глаза, а потом ее осенила новая догадка:

— Слушай, а что, если у него есть девушка?

Я нахмурилась: действительно, я об этом не подумала.

— Не исключено.

В этот момент мне пришла в голову еще одна мысль, которую я не могла высказать: вдруг в ту ночь, когда мы встретились, я выглядела так же жалко и глупо, как себя чувствовала, и Лукас до сих пор не может этого забыть? Сама-то я слишком часто вспоминаю те жуткие минуты, а после того, как столкнулась с Баком несколько дней назад, мне стало еще страшнее. Подозреваю, что это была не последняя наша встреча. Он член того же общества, что и Кеннеди. Дружит с Чезом и Эрин и со всеми моими бывшими приятелями. Я его еще много раз увижу, и с этим ничего не поделаешь.

А Эрин продолжала свое:

— Девушка нам, конечно, очень помешает...

Ни с того ни с сего я подумала о том, есть ли девушка у Лэндона Максфилда. Он мне о ней не рассказывал — ну а с какой стати ему говорить со мной о таких вещах? Ведь странно было бы, если б в одно из своих писем он бы взял да и ввернул: «Привет! А знаешь, у меня есть девушка!» Но можно найти какой-нибудь предлог, чтобы об этом спросить. Лэндон кажется таким честным, прямым: наверняка ответит.

Мои размышления прервал голос Эрин:

— Джей?

— А? Извини.

Она изогнула брови, с шумом всасывая остатки смузи:

— О чем задумалась? Ты что-то замыслила — по лицу вижу. Ну-ка, выкладывай: я, как твоя боевая подруга, должна все знать.

Я принялась выковыривать из сэндвича помидоры и складывать их на край подноса. Рассказать Эрин о Баке

я не могла. Зато решила признаться, что запала на Лэндона:

— Помнишь, я тебе говорила про ассистента преподавателя экономики?

Она озадаченно кивнула, и я вдруг поняла, что за всю
историю человечества никому не удалось совершить
большей глупости, чем сделала я, влюбившись по электронной переписке. Это притом, что я живу в кампусе,
где полным-полно свободных парней!

— Ну вот. У нас с ним что-то вроде флирта. По крайней мере, мне иногда так кажется. Как-то раз он даже
написал, что Кеннеди идиот.

— Он знает Кеннеди? — удивилась Эрин.

— Нет, он сказал: «Твой бывший — идиот». Не думаю, что они действительно знакомы. Скорее это был
просто... комплимент мне.

Я куснула свой сэндвич с индейкой, беконом и гуа-
камоле.

— Хм... — Эрин подалась вперед, опершись локтями
о столик. — Таким сексуальным, как Лукас, он, конечно,
быть не может, это ясно. С другой стороны, он ассистент преподавателя — значит, умный. В принципе это
то, что тебе и нужно. А он хоть симпатичный?

— Э-э-э... — протянула я, дожевывая кусок сэндвича.

Эрин прищурилась:

— О боже! Ты его что, никогда не видела?

Я закрыла глаза и вздохнула:

— Не совсем.

— Как это «не совсем»?

— Ну ладно, не видела. Понятия не имею, как он
выглядит. Так тебя устроит? Зато он умный и веселый.
И очень здорово мне помог! Я ведь почти все наверста-
ла, осталось только проект сдать...

— Жаклин, как ты могла втюриться в парня, которого ни разу не видела! А вдруг он страшный! Пред-

ставь себе, что он выглядит... — Изучив кафе, Эрин выбрала неаппетитного молодого человека, в спортивных штанах и грязной футболке, который размашисто протопал мимо нашего столика. — Как вот этот.

Обидевшись за Лэндона, я сделала протестующий жест и сказала:

— «Вот этот» похож на бродягу. Лэндон не деклассированный элемент, он не может так выглядеть.

Эрин прикрыла рукой глаза и покачала головой:

— Хорошо. Лэндон — это будет наш план Б. — Она прищурила глаза и сжала губы, как делала всегда, если замышляла какую-нибудь хитроумную комбинацию. — Тебе о нем что-то известно?

Я засмеялась:

— Уж побольше, чем о Лукасе!

— Про Лукаса ты хотя бы знаешь, какой он на вид и на вкус! — Эрин многозначительно пошевелила бровями.

— Тьфу! Как ты примитивно мыслишь!

Моя «боевая подруга» шаловливо улыбнулась:

— А по-моему, я мыслю практически.

В «Старбакс» мы не пошли — это было частью плана, который придумала Эрин. Потом, когда мы давились дрянным кофе в кафетерии, она охала, что идет ради меня на огромные жертвы. Дав мне строгое указание ни одному из парней не писать, подруга быстро приобняла меня и исчезла в толпе «сестер» по женскому студенческому обществу, которые как раз хлопотали над организацией послеполуденной распродажи выпечки. Со мной эти «сестры» вели себя так, будто мы в лучшем случае едва знакомы. Еще месяц назад я была для них «чертовски независимой» девушкой Кеннеди, а теперь лишилась этого статуса. Отныне я была просто соседкой Эрин, бедной студенткой, не состоящей ни в каком обществе.

❖ ❖ ❖

Прачечные в общаге были на каждом этаже. Все девчонки с моего этажа почему-то затеяли стирку одновременно, и ни единой свободной машины не осталось. В надежде на то, что наши соседи снизу не столь одержимы стремлением к чистоте (хотя бы сегодня), я запихала скопившееся белье в мешок, выволокла его на лестничную клетку и стащила по бетонным ступенькам.

Через десять минут я уже возвращалась в свою комнату. Почувствовав вибрацию телефона, я остановилась, чтобы ответить на эсэмэску: Мэгги просила прислать ссылку, которая была ей нужна для нашего общего задания по испанскому. Очень хотелось написать Лукасу или Лэндону, но я запихнула телефон обратно в карман. Я ведь обещала Эрин, что буду держаться. Она-то знает, как у пацанов работают мозги. А вот я после трех лет, проведенных с Кеннеди, оказалась абсолютно неподготовленной к сложным маневрам на любовном фронте. Честно говоря, в этой науке я была ни в зуб ногой: что закадрить парня для кратковременной связи, что построить серьезные отношения — все это казалось мне одинаково трудноосуществимым.

Поворачивая за угол, я услышала, как позади меня открылась и захлопнулась дверь, раздались шаги: кто-то поднимался по ступенькам. В общаге жили сотни студентов; чтобы войти в здание или выйти из него, мы все пользовались лифтом и главной лестницей, но с этажа на этаж чаще всего ходили через этот тесный, вечно сырой колодец. Мне всегда было здесь жутковато, и я еле удерживалась, чтобы не припустить отсюда бегом.

Я, вздрогнув, остановилась: мой бельевой мешок где-то застрял. Подумав, что он, наверное, зацепился за перила, я обернулась и оказалась лицом к лицу с Баком. Это он держал мешок.

Я судорожно глотнула воздуху. Сердце у меня замерло, и все стало видеться как при замедленной съемке, а через несколько секунд мне, наоборот, показалось, будто в груди стучит отбойный молоток. Стоя на ступеньку ниже, Бак все равно нависал надо мной.

— Привет, Джеки! — ухмыльнулся он. Звук его голоса вызвал у меня прилив желчи, я сглотнула. — Ой, прости! Тебя ведь теперь зовут Жаклин! Так, кажется, ты сказала? Что ж, «роза пахнет розой, хоть розой назови ее, хоть нет...»[1].

Когда он наклонился еще ближе, я попятилась, оступилась, упала, но все-таки дотянулась до двери. Бак схватил меня обеими руками за плечи.

— Не трогай меня! — прохрипела я.

Он улыбнулся так, будто поймал маленького зверька и теперь гипнотизировал свою добычу, играл с ней.

— Брось, Жаклин, не ломайся! Ты всегда была со мной любезна — теперь я хочу, чтобы ты стала еще чуточку любезнее, только и всего!

В этот раз Бак говорил четко. Он был трезв, смотрел решительно и зловеще. Видно, я должна была заплатить за то, чем кончился для него тот вечер. За то, что сделал Лукас.

Я замотала головой:

— Нет! Я говорю тебе — нет, Бак. Как и в прошлый раз.

Его глаза превратились в две узкие щелки, и он прошипел ругательство, которого я не слышала, потому что кровь стучала мне в уши: «Беги! Беги! Беги!» Но меня как будто парализовало. Я отпустила мешок, и он упал.

— Знаю, ты не виновата в том, что тогда случилось. — Он пожал плечами. — Ты симпатичная девчонка, и у того парня наверняка были на тебя те же виды,

---

[1] *Шекспир У.* Ромео и Джульетта. Акт II, сц. II. Перев. Б. Пастернака.

что и у меня. А справился он со мной только потому, что я в тот вечер здорово выпил. — Теперь в его разгоряченном дыхании не чувствовалось алкогольных паров, и, если бы я вывернулась и побежала, он бы наверняка меня догнал. — Ну так как? Он тебя прямо в твоем грузовике трахнул или до комнаты проводил? Эрин ведь была в ту ночь с Чезом. И сегодня она будет у него.

От этих гадких слов меня передернуло. Я еще не получала сообщения от подруги, но было вполне возможно, что она не придет домой ночевать. И Бак запросто мог узнать о ее планах раньше меня.

Его рука поползла по мне как змея и больно сжала бедро. Но еще хуже боли было унижение: меня лапали против моей воли.

— На этой вонючей лестнице нам будет не очень удобно. Я, конечно, справлюсь, но, может, лучше пойдем в твою комнату? Тебе понравится, детка!

Бак открыто мне угрожал. Если бы я сказала «нет», он изнасиловал бы меня, не сходя с места.

— С-сюда могут в любой момент войти.

Он хохотнул:

— Верно. Зря ты сегодня не надела ту маленькую юбочку, которая была на тебе тогда. Я бы поставил тебя к стенке и отымел за две минуты. Не пришлось бы даже ничего снимать. — (Все вокруг стало расплываться. Я сделала усилие, чтобы пошевелиться, хотя бы чуть-чуть, но ничего не вышло.) — Меня уже не раз заставали у стенки с моими маленькими горячими фанатками, мне бояться нечего. А ты получишь прекрасный шанс отомстить Кеннеди за то, что он тебя кинул. Парень с ума сойдет, когда узнает эту новость: его бывшая девчонка занимается чем угодно, где угодно и с кем угодно. Ты ведь уже переспала с тем куском дерьма и хрен знает, с кем еще? Так что если хочешь прямо здесь, то давай.

— Нет, — сказала я, и его глаза вспыхнули, — пошли в комнату.

Я тяжело, прерывисто дышала. К счастью, куриные мозги Бака посчитали это признаком сексуального возбуждения. Он улыбнулся, а меня чуть не вырвало. Я еще никогда не чувствовала такой жуткой тошноты, но мое тело инстинктивно с ней боролось.

Подобрав с полу мешок, Бак схватил меня за талию и повернул к двери. Я спрашивала себя, что же мне делать дальше. Если в коридоре я начну кричать, пинаться и царапаться, я при всех себя унижу, зато тогда это животное, скорее всего, не сможет попасть ко мне в комнату. Если же он все-таки туда проникнет — это будет конец. В нашей общаге, разумеется, не слишком толстые стены, но ее обитатели привыкли к самым разнообразным звукам, доносящимся из соседних комнат. Допустим, кто-нибудь и расслышит мои крики сквозь шум собственного плеера, телевизора или приставки. Даже в этом случае на них вряд ли обратят внимание.

Мы вошли в коридор. Я оглядела тех, кто там был и от кого сейчас многое зависело. Моя дверь была шестой от лестничной клетки. В противоположном конце два пацана отрабатывали прыжки на скейтборде. Посреди холла стояла Оливия и болтала с Джо, парнем с четвертого этажа. При виде нас она разинула рот, а Джо оглянулся на Бака, приподняв подбородок, и, снова повернувшись к Оливии, издал негромкий смешок. Дело было плохо.

Кимбер (она жила через две комнаты от меня) зашла в коридор с бельем в руках. Я остановилась: сейчас или никогда. Бак сделал шаг вперед и, поняв, что я стою на месте, обернулся и вкрадчиво сказал:

— Ты чего, Джей? Идем!

— Нет, Бак, я не пущу тебя к себе. Уходи сейчас же.

На его лице отобразился шок. Кимбер, Оливия и Джо застыли на месте, приготовившись наблюдать за тем, что же будет дальше.

Бак схватил меня за локоть:

— А пару минут назад ты совсем не то говорила, детка. Пойдем-ка, поболтаем наедине.

Он хотел потянуть меня за собой, но я вырвала руку из его мясистой лапы.

— Сейчас же уходи! — повторила я, глядя ему в лицо; от страха у меня поднималась и опускалась грудь.

Физиономия Бака стала не такой решительной: на нас все-таки смотрело пять человек. Он приподнял руки, выставив наружу ладони:

— Только не начинай, ладно! Я же говорил тебе, что на лестнице будет холодно и жестко. А теперь я виноват, что ты не могла пять минут потерпеть? — Он закинул мне на плечо мешок. — Позвони, когда остынешь, красавица.

Они с Джо поздоровались, соприкоснувшись костяшками кулаков, и Бак вальяжно направился к лестнице. Только когда он исчез, я отмерла.

Все лицо у меня горело. Пока я открывала дверь, Оливия шептала за моей спиной, не слишком-то смущаясь из-за того, что я все слышу:

— Ничего себе! Они только что занимались этим на лестнице? А в пятницу у нее был другой парень! Если она и раньше путалась со всеми подряд, тогда понятно, почему Кеннеди...

Я захлопнула дверь и, прислонившись к ней, сползла на пол. Меня трясло, слезы катились градом, а от судорожного дыхания было больно в груди. Мне хотелось убежать. Вернуться домой. Наплевать на то, что меня бросили, на то, что не сбудутся мои мечты, на то, что из-за глупости и неопытности я не в состоянии справиться с собственной жизнью.

На этот раз я перехитрила Бака. Опять он не получил того, чего хотел, и теперь наверняка бесился. Он был симпатичный и пользовался популярностью: девчонки бегали за ним табуном — выбирай любую. Судя по тому, что я видела и слышала, Бак вовсю пользовался этим своим преимуществом. Я не была симпатичнее Оливии или других девчонок, которые на него вешались. Непонятно, почему его так заклинило на мне.

Может, дело в том, что он в свое время из-за чего-то бодался с Кеннеди. Из-за чего — не помню: это было давно, когда они еще только собирались вступать в свой клуб. Неужели Бак и дальше будет меня преследовать, потому что у него зуб на моего бывшего? Не исключено. Видимо, он думает, будто Кеннеди можно этим пронять.

Теперь я наконец-то решила рассказать все Эрин. Она, само собой, рассердится на меня за то, что я так долго молчала. Но как бы я ни боялась ее реакции, выбора у меня не было. Теперь уж точно.

Я.   Мне нужно с тобой поговорить.
ЭРИН.   Мне с тобой тоже! Встретимся у нас после твоей лекции.

— Это правда, что вчера вечером ты занималась сексом с Баком? — прошипела Эрин, едва за ней захлопнулась дверь нашей комнаты.

Мне показалось, будто кровь отхлынула у меня от лица.

— Кто тебе такое сказал?

— Пфф! Спроси лучше, кто мне еще об этом не говорил! Почему сегодня на астрономии ты сама мне ничего не сказала? И почему именно Бак, а не кто-нибудь другой? Он, конечно, сексуальный и все такое, я не спорю, но...

— Нет, — я с трудом сглотнула; глаза у меня были на мокром месте, — это неправда, Эрин.

Увидев, что со мной творится, она удивленно заморгала, в три шага пересекла комнату и схватила меня за руки:

— Что такое, Джей? Что случилось?

Я плюхнулась на кровать, а Эрин села рядом и уставилась на меня широко раскрытыми глазами.

— Мне... мне нужно тебе кое-что рассказать.

— Давай... Я тебя слушаю.

С чего начать? С того, что было вчера? Или две недели назад?

— Пару недель назад, когда был Хеллоуин, я рано ушла с вечеринки, помнишь? Так вот Бак пошел за мной. — Я откусила от губы маленький лоскуток кожи и, почувствовав вкус крови, еще острее вспомнила ту ночь; мое лицо вспыхнуло. — Он был пьяный. Он втолкнул меня в мой грузовик.

Я сидела неподвижно, с трудом выдавливая из себя слова, а подруга слушала открыв рот:

— Он что? — Эрин сильнее сжала мне руку.

— Он хотел меня и-изнасиловать...

— Чего он хотел?

Я закрыла глаза и слизнула кровь с губы:

— Откуда-то появился Лукас и остановил его.

— О боже мой...

Несколько секунд мы просидели молча. Потом я открыла глаза. Эрин, все еще держа меня за руку, пялилась на вытертый ковер у нас под ногами.

— Ты мне веришь?

У меня не получалось сдерживать слезы, но я чувствовала, что скоро они кончатся сами. До прошлого месяца, до разрыва с Кеннеди, я в последний раз плакала больше года назад, когда сломала бедро, катаясь на сноуборде. А еще раньше — когда умерла наша старая собака Сисси.

— Жаклин, как ты можешь? Конечно я тебе верю! Что за вопрос! — Она обиженно на меня посмотрела. — Только вот какого черта ты до сих пор об этом молчала? Потому что думала, я тебе не поверю?

У Эрин задрожала губа. Теперь моя подруга выглядела не столько негодующей, сколько огорченной.

— Чез и Бак — большие друзья, и я надеялась, что мне удастся просто... не пересекаться с ним...

— Жаклин, женщины должны обязательно рассказывать друг другу о таких вещах! И насрать, пьяный он был или нет...

— Это еще не все. — (Соседка молча уставилась на меня.) — Вчера вечером он пристал ко мне на лестнице. — Тут глаза у Эрин округлились, а я замотала головой. — Ничего не случилось: я выманила его на этаж — пообещала пустить в комнату, а там при всех сказала, чтобы он уходил. — Я закрыла лицо руками и на выдохе договорила: — Он обставил все так, будто мы уже сделали это на лестнице. Оливия его слышала...

— Да уж, я себе представляю! — Эрин снова схватила меня за руки. — Эта языкастая шлюха ни о ком не имеет права распространять слухи! Но на нее мне плевать. Скажи правду: он точно ничего тебе не сделал?

Я покачала головой:

— Только очень напугал.

Она вздохнула и, наморщив лоб, задумалась, а потом вдруг резко выпрямилась и сказала:

— Погоди. То есть этот лживый подонок на самом деле наткнулся не на каких-то там бродяг в темном переулке, а на кулаки Лукаса, да еще и не один раз?

— Да.

По глазам было видно, как Эрин обиделась.

— Ну почему ты мне не сказала?

Мои плечи еле заметно дернулись вверх-вниз.

— Не знаю. Прости.

Вместо ответа, она меня обняла:

— А Лукас? Раньше, до этой истории, ты его знала?

Я прижалась к подруге, уткнувшись головой ей в шею:

— Нет. До того вечера я его не видела. На экономику ходит столько народу, а я не особенно-то смотрела по сторонам. У меня ведь был Кеннеди. — Я горестно взмахнула руками. — Или мне казалось, что он у меня был.

Мы с Эрин обнялись еще крепче, и она сказала:

— Конечно он у тебя был.

ГЛАВА 10

— Ты бываешь на дополнительных семинарах? Я туда пару раз заглядывал, но тебя вроде бы не видел. — Голос Бенджи заставил меня оторвать взгляд от Лукаса.

— А? — Я принялась запихивать учебник по экономике в рюкзак, который валялся рядом со мной на полу. Мне было неловко, что меня опять поймали в тот момент, когда я исподтишка смотрела на предмет своей влюбленности. Бенджи усмехнулся. — Дополнительные семинары? Я бы с удовольствием на них ходила, только у меня в это время другое занятие. Но я списывалась по электронке с парнем, который их ведет. Он помогал мне наверстать то, что я напропускала из-за своего двухнедельного помутнения рассудка.

Вдруг меня осенило: если мой сосед был на этих семинарах, это значит, он видел Лэндона. Еще я благодаря кое-каким прозрачным намекам поняла, что Бенджи — голубой. Тогда, наверное, он не откажется ответить мне на вопрос о том, можно ли назвать ассистента преподавателя экономики физически привлекательным.

— Говоришь, ты был на паре занятий, да? — Бенджи кивнул, и я поняла, что надо переходить ближе к делу. — Слушай, а не может быть так, что этот ассистент — гей?

Я затаила дыхание, ожидая ответа.

— Думаешь, я проводил соцопрос, кто гей, а кто нет? — Я испуганно моргнула, решив, что обидела Бенджи, но он рассмеялся. — Да ладно, расслабься, я пошутил. Даю тебе сто процентов, что он не играет, так сказать, в моей команде. А жаль. Хотя, если б он даже был из наших, он вряд ли бегал бы со мной в одной лиге. — Бенджи похлопал себя по пузу, перед этим попытавшись его втянуть. — Ну ничего. Надо просто пару недель походить в спортзал, перестать объедаться выпечкой по выходным, вот и все.

Я закатила глаза:

— Перестань...

Он вздохнул:

— Хорошо нам, парням. Нужно сбросить пяток фунтов? Посидишь пару недель без кетчупа, и проблема решена.

— Да ну тебя, заткнись уже!

Мы закинули рюкзаки на спину и поплелись вверх по ступенькам. Я обшарила взглядом пространство между дверью и местом Лукаса: он уже ушел. Бенджи наблюдал за мной, посмеиваясь:

— Значит, вы пишете друг другу письма, а на занятиях обмениваетесь недвусмысленными взглядами. Я тебе скажу одну вещь: кроме тебя, многие девчонки и парни считают, что он лакомый кусочек. Но ты, пожалуй, единственная, чье чувство взаимно.

Я слушала Бенджи, и вдруг до меня дошло:

— Лукас... и есть этот ассистент?

Мы оба остановились на дороге: люди, толкаясь, протискивались мимо нас.

— Не знаю, как его звать, но да, черт возьми, это именно он. — Бенджи оттащил меня немного в сторону, чтобы нас не затоптали. — А ты не знала, что он ведет семинары? — Бенджи улыбнулся. — Теперь у тебя небось найдется для них время, да? То есть по идее ты для этого парня, конечно, запретный плод. Но поверь мне, если бы он не играл с тобой в гляделки, я бы не стал тебя дразнить. — Бенджи наклонился и посмотрел мне в глаза. — Жаклин, да что с тобой?

Я вспомнила письма Лэндона, взгляды Лукаса, его эсэмэски. А главное, наш пятничный «сеанс» и то, во что он перетек. После этого Лукас ничего мне не написал, не позвонил, не объяснил, что он и есть Лэндон.

— Я не знала, — пробормотала я, а про себя подумала: «Только этого мне и не хватало, чтобы почувствовать себя полнейшей идиоткой!»

— Да неужели? По твоей озадаченной физиономии этого никак не скажешь! А если серьезно, то, может быть, он думал, ты знаешь?

Я покачала головой и нахмурилась:

— Он знал, что я не знаю. А почему ты говоришь, будто я для него запретный плод?

Он положил руку мне на плечо:

— Мой сосед занимался химией с первокурсниками. Ассистенты должны ходить на лекции вместе со студентами, для которых они проводят семинары, но им не разрешается вступать с этими студентами в слишком неформальные, так сказать, отношения. Это трактуется как злоупотребление служебным положением. С аспирантами и преподавателями дело обстоит еще хуже: им вообще ни с какими студентами лучше не связываться. Хотя на деле, конечно, всякое бывает. Люди есть люди.

Я уставилась в пол:

— Я что, совсем тупая? Как я могла не догадаться!

Бенджи приподнял пальцем мой подбородок:

— Ой, да между вами, как я погляжу, уже были эти самые неформальные отношения... — Он посмотрел на мою печальную мину и вздохнул. — Послушай, ну как ты могла догадаться, если ни он, ни его alter ego тебе об этом не говорили, а на семинарах ты ни разу не была.

Я почувствовала некоторое облегчение:

— Может, ты и прав.

— Конечно я прав. Ну и что ты намерена делать дальше?

Я захлопнула изумленно разинутый рот и сказала:

— Понятия не имею. Но о том, что теперь я все знаю, точно ему не скажу.

Бенджи покачал головой, все еще обнимая меня за плечи, и мы опять влились в студенческий поток.

Когда я в начале семестра записывалась на экономику, я и понятия не имела, что на самом-то деле записываюсь на крутое реалити-шоу. Вот так свезло мне, нечего сказать!

❖ ❖ ❖

ЭРИН.	Будем ходить на занятия по самообороне. Я уже договорилась.
Я.	Что???
ЭРИН.	Их проводят копы у нас в кампусе. В эту субботу в 9, а потом, после праздника, еще два занятия.
Я.	ОК.
ЭРИН.	Повыбьем всю дурь из парней в дутых костюмах! Сможем дубасить их в свое удовольствие, и нам за это ничего не будет!
Я.	Ты маньячка.
ЭРИН.	Признаю себя виновной по всем пунктам. ☺

❖ ❖ ❖

В пятницу я ни разу не посмотрела в сторону Лэндона/Лукаса. Даже на секундочку не обернулась. После нашего свидания — преступного с точки зрения университетских правил — прошла неделя. Может быть, то, что я запретный плод, как раз и привлекло его ко мне? Ладно, устрою я ему запрет...

Когда мы складывали вещи в рюкзаки, Бенджи увидел что-то у меня за спиной — и его брови исчезли под темными завитками, падавшими на лоб.

— Привет, Джеки.

Кеннеди не заговаривал со мной целый месяц. Последняя наша беседа закончилась тем, что в ответ на его пустые банальные слова я запустила ему в башку тот самый учебник, который сейчас держала в руках. Я сделала глубокий вдох через нос, чтобы успокоиться, и обернулась:

— Здравствуй, Кеннеди.

Я ждала: он явно подошел не просто так, хоть я и понятия не имела, чего ему нужно.

— Едешь домой на День благодарения? Мы могли бы скооперироваться, чтобы не так скучно было четыре часа трястись.

— Ты хочешь, чтобы мы поехали домой... вместе?

Кеннеди пожал плечами и, наклонив голову набок, улыбнулся: на его щеках появились едва заметные ямочки. Еще он откинул волосы со лба, прекрасно зная, что это у него эффектно получается. Но теперь подобные приемчики только бесили меня.

Бенджи, кашлянув, дотронулся до моего локтя:

— До понедельника, Жаклин.

Я улыбнулась:

— Удачных выходных, Бенджамин.

Он подмигнул мне, потом как бы случайно наскочил на Кеннеди и, не извиняясь, направился к выходу. Мой бывший нахмурился:

— А этот чего лезет не в свое дело?

Я взяла рюкзак и посмотрела на Кеннеди. Во мне боролись противоположные желания: дать ему по морде и кинуться к нему на шею, чтобы проснуться от всего этого кошмара. Вдруг мне просто приснилось, будто он меня бросил?

— Зачем ты ко мне подошел, Кеннеди?

— Я бы хотел поддерживать с тобой дружеские отношения. Для меня это важно.

Ласковость его взгляда была осязаема почти как прикосновение. Я знала этого парня так хорошо и так долго... Слезы навернулись на глаза. Я не была готова к подобному разговору: Кеннеди сказал слишком много и сделал это слишком рано.

— Вряд ли у нас когда-нибудь получится дружить. И на следующей неделе я не поеду домой с тобой вместе. Извини. — Я обошла его и начала подниматься по ступенькам к двери.

— Джеки...

— Меня зовут Жаклин, — сказала я, не останавливаясь и не оборачиваясь.

❖ ❖ ❖

Лэндон!
Посылаю тебе свой проект чуть раньше, чем обещала. Понимаю, что в пятницу вечером тебе, наверное, не до этого, но просто завтра с утра я буду занята. Ты просмотри его, пожалуйста, когда сможешь.
Еще раз спасибо, что согласился мне помочь.

ЖУ

Жаклин!
Я тут бьюсь над кодом из сотен строк, который плохо работает: закралась ошибка, а я ее никак не могу найти. Ты меня спасла от этого головняка (пусть хотя бы на время). С удовольствием отвлекусь, чтобы посмотреть твой проект. Пришлю его обратно в воскресенье к вечеру, а может, и раньше.

ЛМ

Мой взгляд задержался на букве «Л», которой было подписано это послание. Теперь я знала, кто за ней прячется, — Лукас. Лэндон вел со мной довольно туманный флирт, а Лукас действовал открыто. Может, это какая-то игра и я не первая, с кем он в нее играет? Может, ему не впервой переступать границу, разделяющую преподавателей и студентов? В ту жуткую ночь, когда мы с ним встретились, он уже знал, кто я. Он назвал меня Джеки — видимо, слышал, что так называл меня Кеннеди. Значит, когда я в первый раз написала Лэндону и попросила помочь с экономикой, он тем более должен был сразу меня вычислить. Но тщательно это скрыл.

На университетском сайте я прочла, что ограничения, налагаемые на общение между студентами и преподавателями, имеют целью оградить первых от сексуальных домогательств со стороны последних, а также исключить для учащихся всякую возможность получения оценки неподобающим путем. Но Лэндон просто помогал мне освоить материал, и я его действительно осваивала. Я честно зарабатывала свой зачет по экономике. Лэндон это знал, и я знала. Он ни к чему меня не принуждал, но «неформальные отношения», как выразился Бенджи, считались нарушением правил, даже если влечение было взаимным.

Значит, я могла создать Лэндону Максфилду серьезные проблемы. Когда он пришел ко мне в комнату, я думала, что он просто студент, мой сокурсник, и он не стал выводить меня из этого заблуждения. Он поцеловал меня, прикоснулся ко мне, а я ему это позволила. Мне этого хотелось.

Я захлопнула ноутбук и уставилась на телефон, вспоминая то, что происходило здесь, в моей комнате, неделю назад. С тех пор он не прислал мне ни одной эсэмэски. Я хотела знать почему.

Я.   Я сделала что-то не так?

Несколько минут я ждала ответа, просматривая фотографии у себя в телефоне. На многих снимках был Кеннеди. Не знаю, почему я их до сих пор не удалила: только ли по слабости, или мне хотелось сохранить доказательство того, что мы действительно были очень похожи на влюбленных. Мы выглядели такими, даже когда наши отношения уже близились к концу.

ЛУКАС. Нет. Был занят. А что?

Я. У тебя, наверное, не было времени переделать рисунки?

ЛУКАС. Один переделал. Хочу тебе показать.

Я. А я хочу посмотреть. Он висит у тебя на стене?

ЛУКАС. Да. Извини, я не дома, давай спишемся потом.

Я. ОК.

Итак, если верить письму, Лэндон в поте лица трудится над сложнейшим заданием по системному проектированию, а если верить эсэмэске, он тусит на какой-то вечеринке. Если бы он не написал, что хочет показать мне рисунок, я была бы уверена: он меня отшил. Я перечитала сообщение, потом письмо, но ни то ни другое не помогло мне хотя бы чуточку лучше понять, что же за птица этот Лэндон/Лукас.

❖ ❖ ❖

В час ночи Эрин ворвалась в комнату, прижимая к уху телефон:

— Мне плевать, что ты там знаешь! Теперь я вижу, как ты уважаешь мое мнение!

К счастью, я все равно не спала: смотрела видеоролики с приемами самообороны. Несмотря на воинственный пыл Эрин и то, что мне действительно не мешало научиться себя защищать, я совершенно не горела желанием встать в субботу с утра пораньше, чтобы бить и пинать какого-то незнакомого парня в дутом костюме. Конечно, если бы, когда Бак меня сцапал, я могла расправиться с ним одним махом или даже просто высвободиться из его лап, я бы с радостью это сделала. Но я сомневалась, что благодаря тренировкам у меня откроются такие способности.

Захлопнув за собой дверь, моя разъяренная соседка сбросила с ног изящные туфельки и повалилась на кровать.

— Как хочешь, но я не могу быть с парнем, который выгораживает долбаного насильника! — (Я закрыла видео и спихнула с коленок ноутбук: только не это!) — Да, Чез, я действительно так считаю! — Расстегиваясь, она немилосердно дернула свою белую кофточку: чуть пуговицы не отлетели. — Отлично! Думай что хочешь, а с меня хватит!

Эрин ткнула отбой и, зарычав на телефон, швырнула его на кровать, после чего наконец повернулась ко мне и, срывая с себя блузку, выдохнула:

— Похоже, с Чезом у меня все кончено.

Я сидела, разинув рот, и молча наблюдала за подругой: стащив через ноги черную юбку и промахнувшись ею мимо корзины с бельем, она сняла с себя браслеты и сережки и кинула их на стол, заваленный украшениями, картами Таро, жвачками и романами в мягких обложках.

— Эрин, ты что, порвала с Чезом? Из-за меня?

Она натянула футболку, доходившую ей до середины бедра и явно принадлежавшую Чезу, а потом, нахмурившись, тут же ее сняла, скомкала и отшвырнула.

— Нет, я порвала с Чезом, потому что он козел хренов!

— Но...

— Жаклин, — Эрин подняла руку, как полицейский, останавливающий машину, — перестань. Я порвала с Чезом, потому что он показал мне, как мало я для него значу: «Дружба для пацана важнее телок!» Ну и пошел в задницу! Сдался он мне со своими друзьями-тупицами, один из которых вообще ходячая угроза для любой женщины! Я, кстати, и не собиралась возиться с Чезом до старости. Не для того девчонки приезжают в колледж, чтобы зациклиться на первом же попавшемся парне.

Эрин подскочила к нашему крошечному встроенному шкафчику и принялась рыться в его верхнем ящике в поисках футболки, которая не была бы в свое время снята с Чеза. Я услышала сдавленный всхлип: моя подруга плакала. К черту Чеза! К черту Бака! К черту Лукаса/Лэндона, кем бы он там ни был!

❖ ❖ ❖

Занятия по самообороне для женщин проводились в университетском центре досуга. Мы нашли нужный кабинет, я бросила в коридорную урну чашку из-под кофе, а невыспавшаяся Эрин зевнула. Мне тоже ночью было не до сна: подруга до утра ворочалась и всхлипывала, а часа в четыре залезла в мою постель и прижалась ко мне; я убрала ей волосы с лица, и только тогда мы обе почти моментально уснули.

— Эй, гляди, это не... — произнесла Эрин, как чревовещатель, почти не шевеля губами.

Посреди комнаты, рядом с двумя мужчинами постарше, стоял Лукас. На нем были черные спортивные штаны и черная футболка.

— Да! — прошипела я. Мы сели и принялись рассматривать брошюры, которые нам роздали: на обложке одной из них была нарисована женщина, мастерски отражающая нападение бандита. — Эрин, мне кажется, я так не смогу.

— Сможешь, — отрезала она так быстро, будто заранее была готова пресекать мое нытье.

— Доброе утро, дамы! — сказал невысокий мужчина, лишая меня возможности продолжить спор с подругой. — Я Ральф Уоттс, помощник начальника полицейского отделения кампуса. Вот этот хлюпик слева от меня — сержант Дон, а этого страшненького зовут Лукас, он сотрудник отдела дорожного движения. — Все усмехнулись: Дон был такой же хлюпик, как Лукас — страшненький. — Мы рады, что вы пожертвовали субботним утром, чтобы расширить свои знания о личной безопасности.

Эрин пихнула меня коленом и, скривив рот, пробормотала:

— Сотрудник отдела дорожного движения? Боже мой, кем он только не работает!

— Да уж! — ответила я, украдкой бросая на нее взгляд: это она еще не знала, что Лукас плюс ко всему прочему ассистент преподавателя экономики!

— Он, наверное, такой сексуальный в форме, с наручниками на поясе... — прошептала Эрин.

Я вздохнула. Оглядев полукруг складных стульев, я заметила, что нас всего человек десять-пятнадцать, публика смешанная: студентки, преподавательницы, сотрудницы административно-хозяйственных служб. Самой старшей была седая чернокожая женщина примерно одного возраста с моей бабушкой. Я подумала: раз она считает, что сможет научиться давать отпор всяким отморозкам, я тем более смогу. Даже если Лукас так и будет стоять посреди комнаты, то пялясь на меня, то пряча глаза.

Первые полтора часа нам рассказывали об основных принципах самообороны. Ральф объяснил, что девяносто процентов успешной защиты — это снижение риска нападения:

— Если бы мир был идеален, мы все могли бы спокойно ходить по городу и заниматься своими делами, не опасаясь насилия. К сожалению, от этого идеала наша действительность пока далека...

Меня бросило в жар. Я вспомнила, как Лукас выговаривал мне за то, что я расхаживаю по темной парковке за общагой, уткнувшись в телефон и не глядя по сторонам. Я принялась обводить «90 %» в кружок: черкала синей ручкой до тех пор, пока соседние буквы не стали трудночитаемы. Тут вдруг я вспомнила последние слова, которые он сказал мне в ту ночь: «Ты не виновата».

Нам всем предложили записать свои соображения о том, как можно себя обезопасить: не забывать запирать дверь, гулять или делать зарядку не одной, а с подругой, носить обувь, которая, если что, не помешает убежать... Всем понравился совет, который дала Эрин: «Держаться подальше от всяких засранцев».

— Для нападения нужны три вещи: нападающий, жертва и удобный случай. Не предоставляйте нападающему удобного случая, и вы будете гораздо менее уязвимы. — Ральф хлопнул в ладоши. — Чудненько! Теперь давайте сделаем небольшой перерыв, а потом приступим к изучению приемов, которые вы, леди, обязательно отработаете на Доне и Лукасе.

ГЛАВА 11

— Многие из вас, наверное, думают, что без оружия вам не справиться с агрессивно настроенным мужчиной, — говорил Ральф, стоя напротив нас, за матами, на которых лицом друг к другу расположились Дон и Лукас. Мы все приготовились наблюдать за тем, что они нам продемонстрируют. Лукас делал вид, будто меня нет. — На самом деле вы уже вооружены, и сейчас мы покажем вам, как наилучшим образом использовать то оружие, которым снабдила нас природа. Здоровенный бандюга Дон будет нападающим, а Лукас, раз у него прическа почти как у девочки, исполнит роль предполагаемой жертвы. — (Студентки, стоявшие возле Лукаса, захихикали. Он растянул губы в улыбке, маскирующей раздражение, и убрал волосы со лба.) — Руки, стопы, колени, локти — все это ваше оружие. Голова тоже пригодится, причем я имею в виду не только содержимое черепной коробки (хотя оно, конечно, важно), но и лоб и затылок: они способны высекать искры из глаз нападающего при соприкосновении с чувствительными частями его тела.

На примере Дона Ральф принялся перечислять эти самые части тела. Сначала он указал на пах (в этот момент Эрин прошипела: «Да уж!»), потом перешел к точкам, не столь широко известным своей уязвимостью, — например, на стопах и предплечьях.

Дон и Лукас исполнили перед нами несколько хореографических этюдов в замедленном темпе, чтобы мы могли все хорошо рассмотреть. Ральф выкрикивал названия приемов. Меня это шоу не воодушевило, даже наоборот: где уж мне повторить то, что делает Лукас! Он, наверное, долго тренировал свое мускулистое тело, чтобы научиться выполнять все эти удары, а также блокировать и гасить выпады противника. Поэтому ему ничего не стоило выбить дерьмо из Бака, в то время как я еле смогла высунуться из-под этой свиньи настолько, чтобы позвать на помощь.

— Цель этих приемов не в том, чтобы измордовать противника до полусмерти, — тут Эрин разочарованно заворчала, и Ральф ей улыбнулся, — а в том, чтобы выиграть время и дать деру.

Мы разбились на пары и принялись тренировать друг на друге захват за руку и освобождение от него. Все трое инструкторов ходили по комнате и нам помогали. Я облегченно вздохнула, когда возле нас с Эрин остановился Дон. Он стал наблюдать, как мы по очереди наносим друг другу шлепки, как будто в замедленной съемке.

— Нужно все время смотреть на противника, — напомнил он мне, а потом повернулся к Эрин. — Нападайте энергичнее, она может блокировать вашу атаку.

Оказалось, я это действительно могу: как ни странно, мне удалось отразить первое вероломное нападение подруги, — правда, я так удивилась собственной ловкости, что застыла на месте, а Эрин воспользовалась моим замешательством и треснула меня почти по-настоящему. Дон кивнул:

— Молодцы!

Мы с моей спарринг-партнершей глупо улыбнулись друг другу и поменялись ролями. Она спросила у Дона:

— А когда мы будем отрабатывать пинки в чувствительное место?

Он покачал головой и вздохнул:

— Я вас уверяю, в чувствительное место мы получаем на каждом занятии. А вообще удары ногами будут в следующий раз. И я постараюсь устроить так, чтобы вы, — он направил на нее указательный палец, — отрабатывали их на Лукасе.

Эрин изобразила наивность:

— А разве вы не носите дутые костюмы, как у человечков с рекламы мишленовских шин?

— Носим... Но ощущения все равно бывают так себе.

Эрин хихикнула, а Дон, глядя на нее, приподнял брови. Пока они вели этот игривый диалог, я оглядела комнату: Лукас был занят какими-то двумя хохотушками.

— Вот так? — спросила одна и подняла на него моргающие глазки, делая вид, будто не знает, что рука у нее расположена неправильно.

— Нет, — он поправил ей запястье и локоть, — так.

В комнате было шумно из-за возни и смеха, а из окон доносились какие-то звуки с улицы, поэтому голос Лукаса я слышала очень плохо. Но я кожей почувствовала его слова, как будто он мягко провел рукой по моей спине. У меня все никак не умещалось в голове, что этот лохматый татуированный парень с сексуальной походкой и голосом, приятно вибрирующим на низких нотах, и есть тот самый Лэндон, ассистент-старшекурсник, который говорил мне, точнее писал, что Кеннеди — идиот, а мои четырнадцатилетние ученики по уши в меня втрескались. Тот самый Лэндон, без которого я ни за что не смогла бы сдать зачет по экономике.

Две ипостаси этого человека, две его половины были очень не похожи друг на друга. Если сложить их в одно целое, получалось невероятно привлекательное существо. И в то же время лживое. Странно, что профессор и полицейский называли его разными именами. А когда я получала от него письмо, перед указанием адреса значилось: «Л. Максфилд» — понимай как хочешь.

Он поймал мой взгляд и в первый раз за целое утро не отвернулся. Мы смотрели друг на друга, пока Эрин меня не растормошила:

— Очнись, Джей! И хотя бы изобрази, что пытаешься меня ударить. — Как только я переключилась на нее, она встала к Лукасу спиной, лицом ко мне. — Ты что, забыла, что должна быть труднодоступной? — прошептала Эрин, вытаращив глаза, и с расстановкой добавила: — Пусть за тобой побегает.

— Я больше в эти догонялки не играю.

Она оглянулась:

— Как хочешь, подруга. Только ему об этом знать не обязательно.

Я пожала плечами.

Мы тренировали оборонительные позы и простые удары руками. Поначалу я чувствовала себя довольно глупо, но вскоре мы с Эрин, как и все, принялись, упоенно взвизгивая, пихать друг друга в подбородок и (правда, очень медленно) тыкать кулаком в нос.

— Последнее, что мы сегодня изучим, — это защита в положении лежа. Дон и Лукас продемонстрируют нам первый прием, а потом каждая пара возьмет себе мат и попробует этот прием повторить. Мы будем на вас смотреть и, если что, поможем.

Лукас лег лицом вниз, а Дон, стоя на коленях, надавил на него всей тяжестью. От этой картины мне стало трудно дышать, сердце заколотилось. Мне не хотелось еще раз оказаться в подобной позе. Я не могла повторить это на глазах у чужих людей. Я не могла повторить это на глазах у Лукаса.

Эрин разжала мой кулак и взяла меня за руку:

— Джей, перестань, все в порядке. Давай ты сначала будешь нападающей. У тебя получится.

Я помотала головой и сглотнула:

— Не хочу. Похоже на...

— Потому-то ты и должна освоить этот прием. — Прежде чем я успела что-нибудь ответить, она сжала мои пальцы. — Ну, раз не хочешь сама, помоги мне. А там посмотрим по твоему самочувствию.

Я кивнула:

— Ладно.

Я помогла Эрин, а потом все-таки сумела лечь на мат и, сделав нужные движения, легко сбросила с себя «нападающую». Моя противница была довольно крепенькой (как и все девушки, которые в школе прыгали с помпончиками по футбольному полю), но до Бака ей было далеко, и я боялась, что мои трепыхания будут ему как слону дробина.

На Лукаса я старалась не смотреть — ни во время этого последнего упражнения, ни когда мы с Эрин выходили из зала.

❖ ❖ ❖

— Ты точно не хочешь пойти? А то уберегла бы меня от соблазна опробовать то, чему мы сегодня научились, на Чезе — если он не побоится сунуться на эту вечеринку.

Я оторвалась от романа, который решила почитать, потому что Лэндон еще не вернул мне мой проект по экономике (забавно: для меня они с Лукасом по-прежнему были двумя разными людьми), а задания по всем остальным предметам я уже сделала. Соседка никогда не понимала, зачем я трачу свободное время на чтение, особенно когда в кампусе проводятся всякие увеселительные мероприятия.

— Нет, Эрин, поверь, я действительно не хочу тусоваться с «сестричками» из твоего общества. Не говоря уж о том, что и они не горят желанием меня видеть.

Подруга уперла руки в бока и нахмурилась:

— Может, ты и права. Но через пару недель ты обязательно пойдешь со мной на гулянку «братишек», договорились? По их правилам бухла и телок много не бывает, так что этим сукам придется молчать в тряпочку, когда я тебя приведу.

— Вот спасибо, что отвела мне такую прекрасную, почетную роль!

Она засмеялась и, надевая туфли на платформе, сказала:

— Роль как роль, мне ли не знать! А на всех этих придурков мы наплюем. — Вдруг улыбка сошла с ее лица. — Если серьезно, Джей, на той вечеринке мне не помешает буфер между мной и Чезом. Не думаю, что этот козел будет ко мне приставать. Но кое-кто из девчонок наверняка ждет не дождется, когда я уберусь с дороги. Они его облепят, как блохи дворового пса, и я не хочу на это смотреть.

— Фу! Сравнение мерзкое, но точное. Прекрасно тебя понимаю. А ты не можешь просто туда не пойти? Скажешь, что у тебя азиатский грипп или малярия. Я подтвержу.

Эрин вскинула голову, взяла сумочку и решительным подиумным шагом направилась к двери:

— Вот еще! Невелика беда. Тем более что рано или поздно все равно придется это перетерпеть. И я уже за нас обеих ответила, что мы придем. У меня еще две недели в запасе: успею морально настроиться. — Эрин распахнула дверь. — Для поднятия духа мы с тобой пройдемся по магазинам. Приоденусь так, что этот чертов засранец руку себе отгрызет, когда меня увидит.

Как только за Эрин захлопнулась дверь, на мой телефон пришла эсэмэска.

ЛУКАС. Все еще хочешь посмотреть на рисунок?

Я.   Да.

ЛУКАС. Может, сегодня вечером?

Я.   ОК.

ЛУКАС. Через 10 минут буду у твоей общаги. Оденься тепло и собери волосы.

Я.   Ты не привезешь рисунок ко мне?

ЛУКАС. Я привезу тебя к нему. Или ты против?

Я.   Нет. Спущусь, только мне нужно 15 минут.

ЛУКАС. Не спеши. Подожду.

Я забегала по комнате как сумасшедшая: выдернула трусы и лифчик из еще не разобранной стопки чистого белья, стащила с себя фланелевую пижаму. Он сказал, чтобы я тепло оделась... Может, спортивные штаны? Нет. Джинсы. И черные угги. И мягкий свитер ярко-синего цвета, который Эрин называет «вырви глаз». Я почистила зубы, потом расчесала волосы и собрала их на затылке, хотя и не понимала, зачем это было нужно.

Схватив с вешалки черное пальтишко, я выскочила за дверь и вышла из здания через главный подъезд. Спуститься по боковой лестнице было бы быстрее и удобнее, но после случая с Баком я ею не пользовалась.

Лукас стоял у края тротуара, прислонившись к мотоциклу и скрестив руки. На нем были уже знакомые мне ботинки и джинсы, а еще темно-коричневая кожаная куртка, оттенявшая волосы так, что они казались черными. Он поднял глаза и спокойно меня оглядел, не обращая внимания на шум субботнего вечера, на людей, входивших в общагу и выходивших из нее. Мне стало тепло от взгляда Лукаса и захотелось, чтобы он дотронулся до меня, как неделю назад в моей комнате.

Я сглотнула стоявший в горле комок. «Вообще-то, этот парень меня обманывает», — напомнила я себе, безуспешно пытаясь подавить ощущение, будто что-то тяжелое, горячее, лавинообразное накрывает меня с головой. Только беспокойство из-за предстоящей езды на мотоцикле (раньше я ни разу на нем не каталась и не горела желанием восполнять этот пробел) немного охлаждало мой пыл. Когда я подошла к Лукасу, он протянул мне шлем. Задумчиво его изучая, я проговорила:

— Так вот с чем были связаны твои указания по поводу прически...

— Когда приедем, можешь распустить хвост. Но вряд ли тебе понравится прятать волосы под шлем, когда они не собраны. А если оставишь их трепыхаться на ветру, они перепутаются.

Я озадаченно покачала головой, не зная, что делать с ремешками: расстегнуть совсем или только ослабить.

— Никогда раньше не ездила на байке?

Краем глаза я увидела, как из общаги вышло несколько парней, а за ними Оливия и Рона. Девчонки остановились и принялись разглядывать нас с Лукасом. Я сделала вид, что не замечаю их.

— Мм... Нет.

— Тогда давай помогу.

Я повесила на плечо сумку, а он взял шлем и водрузил его мне на голову, застегнув ремешки под подбородком. Мне показалось, что теперь я похожа на китайского болванчика.

Лукас тоже надел шлем, мы уселись, и я обняла его сзади, отметив про себя, какой у него твердый живот. Убирая подножку, он сказал: «Держись крепко», но это предупреждение, пожалуй, было излишним. Как только заревел мотор, я вцепилась в Лукаса мертвой хваткой и всю дорогу ехала, уткнувшись в его спину и зажмурив глаза. Я представляла себе, будто катаюсь на русских горках, в вагончике, надежно стоящем на рельсах, а не мчусь по улицам на хлипкой железяке весом пятьсот фунтов. О том, что какой-нибудь пьяный придурок на внедорожнике может выехать на красный и расплющить нас в лепешку, я старалась не думать.

Через десять минут мы были на месте. Лукас жил в квартире над гаражом. Пока он парковал свой мотоцикл на бетонированном пятачке возле лестницы, я пыталась согреть руки: они замерзли на холодном ноябрьском ветру и онемели из-за того, что во время езды я слишком сильно их сжимала. Лукас обернулся и, по очереди беря мои руки в свои, стал их растирать:

— Забыл тебе напомнить, чтобы ты надела перчатки.

Я высвободила руку и указала на дом в каких-нибудь пятидесяти футах от нас:

— Там живут твои родители?

— Нет, я снимаю у этих людей квартиру.

Мы поднялись по деревянным ступенькам, и Лукас отворил дверь в просторную студию: слева была открытая кухонька, в правом углу за перегородкой, видимо, спальня, а между ними — ванная. На диване лежал огромный кот, рыжий, полосатый. Он сначала апатично на меня посмотрел, а потом спрыгнул на пол и важно прошагал к порогу.

— Это Фрэнсис, — сказал Лукас, приоткрывая дверь.

Кот лениво вышел на лестничную площадку и принялся облизывать лапу.

— Фрэнсис? — засмеялась я, проходя на середину комнаты. — По-моему, он скорее какой-нибудь Макс... Или Кинг.

— Поверь, он и так чувствует себя королем. Поэтому крутое имя ему без надобности, — сказал Лукас, запирая дверь.

Уголок его рта приподнялся в фирменной полуулыбке.

Он скинул куртку и подошел ко мне. Я, глядя на него, начала расстегивать пальто.

— Имя — это важно, — сказала я.

— Да, — кивнул он, следя за моими пальцами.

Я с трудом протискивала огромные пуговицы в петли, продвигаясь сверху вниз так медленно, будто больше на мне ничего не было. Когда я наконец расстегнулась, Лукас взял пальто за лацканы и стянул его с моих плеч, проведя пальцами по синему свитеру:

— Мягкий...

— Кашемировый, — сказала я, волнуясь больше, чем мне хотелось бы.

Я собиралась продолжить разговор об именах, чтобы заставить Лукаса объяснить, почему он вводит меня в заблуждение. Но не смогла: слова застряли в горле.

Сняв с меня пальто, Лукас бросил его поверх своей куртки и сказал:

— Знаешь, я ведь привез тебя сюда, преследуя тайную цель.

— Да? — заморгала я.

Он скорчил смешную рожу и взял меня за руку. Потом, вздохнув, объяснил:

— Я хочу тебе кое-что показать. Надеюсь, ты не испугаешься. Дело в том, что сегодня утром... последнее упражнение, защита в положении лежа... — Он пристально на меня посмотрел. Снова почувствовав стыд, я покраснела и попыталась отвести взгляд от его глаз, но у меня не получилось. — В общем, ты просто выполняла движения, не веря, что в случае опасности они помогут. Я хотел бы показать тебе, что этот прием действительно эффективен.

— Как это — показать?

Он сжал мне руку:

— Я научу тебя применять его. Здесь. Нас никто не увидит.

Утром мне стало так тяжело не только потому, что пришлось снова принять ту унизительную позу, но и потому, что я была вынуждена сделать это на глазах у Лукаса. Но он, конечно, не мог знать таких нюансов.

— Поверь мне, Жаклин. Это работает. Можно я тебе покажу?

Я кивнула. Он вывел меня на свободный участок пола и поставил на колени рядом с собой:

— Ложись на живот. — (Я послушалась. Сердце учащенно стучало.) — Большинство мужчин никогда не занимались боевыми искусствами и не умеют правильно координировать свои движения. Но даже для тех, кто занимался, твои действия будут неожиданными. Помни то, что сказал Ральф: твоя задача — вырваться и убежать.

Я кивнула. Моя щека была прижата к ковру, сердце колотилось о ребра.

— Помнишь, что нужно делать?

Я закрыла глаза и покачала головой.

— Ничего. Там, на занятии, было заметно, что ты очень испугалась. Твоя подруга правильно поступила, не стала на тебя давить. Я тоже не буду, просто помогу тебе почувствовать себя увереннее.

Я глубоко вздохнула:

— Хорошо.

— Надо выработать у себя рефлекс, чтобы ты сразу же, как окажешься в этой позе, выполняла нужные движения. И тогда ты, не теряя времени, высвободишься и рванешь во весь опор, как машина, у которой полный бак бензина.

Я вздрогнула, когда Лукас, сам того не зная, произнес ненавистное мне имя.

— Что случилось?

— Бак. Так его зовут.

Лукас вдохнул и выдохнул через нос, видимо, чтобы сохранить спокойствие.

— Я запомню, — сказал он и, секунду помолчав, продолжил: — Первое движение может показаться бессмысленным, потому что оно не помогает тебе подняться. Зато оно заставляет подняться нападающего. Выбери, на какой бок тебе переворачиваться, и вытяни руку (если на правый, то правую, если на левый, то левую): представь, что ты стоишь и пытаешься дотянуться до потолка. — (Я сделала, как велел Лукас.) — Так. Сейчас отталкивайся другой рукой: он потеряет и без того шаткое равновесие. Обопрись ладонью о пол, локоть вверх. Толкайся и переворачивайся, сбрасывай нападающего с себя. — (Я все это проделала: номер несложный, когда сверху на тебе никто не сидит.) — Теперь давай попробуем вместе, ладно? Я нажму тебе на плечи и придавлю своей тяжестью. Если что-то будет не так, только скажи, и я тут же отпущу. Идет?

— Идет, — согласилась я, подавляя панический страх.

Он опустился возле меня на колени и мягко положил мне руки на плечи. Я чуть не заплакала — так это было непохоже на то, что делал Бак. Лукас накрыл меня собой, и я ухом почувствовала его дыхание.

— Вытягивай руку, — (я вытянула), — отталкивайся посильней и переворачивайся. — Я сделала это, и он с меня скатился. — Отлично. Давай попробуем еще раз.

Мы попробовали еще раз, потом еще и еще. Лукас давил на меня все сильнее, и мне становилось все труднее. Тем не менее у меня получалось его сбросить, пока я инстинктивно не попыталась встать, толкнувшись вверх бедрами.

Он резко выдохнул:

— Не делай так, Жаклин? Это движение естественно в подобной ситуации, но оно не сработает. Спихнуть с себя мужчину ты можешь, только перевернувшись на бок. Я слишком сильный, чтобы ты могла сместить меня простым отталкиванием. Так что не поддавайся этому инстинкту.

Последняя наша попытка была уже совсем похожа на правду: Лукас повалил меня на пол и я выстрелила одной рукой вперед, но высвободить другую, чтобы ею оттолкнуться, никак не могла. Тогда я поменяла руки, и все получилось: «нападавший» скатился с меня на бок.

— Черт! — рассмеялся он, устраиваясь на полу лицом ко мне. — Да мы с тобой прямо поменялись ролями! — Я улыбнулась в ответ на этот своеобразный комплимент, а Лукас бросил взгляд на мои губы. — Здесь ты вскаки-ваешь и бежишь во весь дух, — добавил он хрипловатым голосом.

— Но ведь он помчится за мной!

Мы лежали на боку, в двух футах друг от друга. Ни он, ни я, казалось, не собирались менять позу.

— Может, — кивнул Лукас. — Но большинству из этих парней нужна легкая добыча. Далеко не каждый бросится тебя догонять, если ты вырвешься и с воплями от него побежишь.

— Ясно.

Лукас взял меня за руку:

— Думаю, теперь пора показать тебе твой портрет.

— Чтобы не получилось, будто ты заманил меня сюда обманом?

Его глаза вспыхнули, а у меня занялось дыхание.

— Я собирался показать тебе рисунки, но важнее для меня было то, что мы делали сейчас. Теперь ты видишь, что этот прием действительно может тебе помочь?

— Да.

Лукас приблизился ко мне и, опершись на локоть, запустил пальцы мне в волосы. Он провел рукой по мо-ему лицу и задержал ладонь на щеке:

— Когда я вез тебя сюда, у меня была еще одна тай-ная цель...

Он медленно наклонился и дотронулся губами до мо-их губ. Огонек, который тлел во мне с той пятницы, те-перь вовсю разгорелся. Приоткрытым ртом я почувст-вовала настойчивое влажное прикосновение. Слегка наклонив голову набок, Лукас прихватывал меня то за верхнюю, то за нижнюю губу, а когда задел языком чув-ствительный участок десны над зубами, приятная судо-рога заставила меня быстро глотнуть воздуху. Тогда ожи-ли его руки.

ГЛАВА 12

Уютно пристроив голову у Лукаса на плече, я почувствовала, как он скользнул обеими руками к моим бедрам. Мы прижались друг к другу, не переставая целоваться, и перед глазами у меня все расплылось — с такой настойчивой нежностью дотрагивался до меня его теплый язык. Наши ноги скрестились, как ножницы. Издав неясный стон, Лукас одной рукой сжал мне бедро, а другую запустил под свитер, согревая пальцами мой позвоночник.

Я нащупала пуговицы его фланелевой рубашки и тихонько начала их расстегивать, чувствуя контраст между мягкостью фланели и волокнистой фактурой утепленной нательной футболки. Стянув рубашку, я просунула руку под футболку и дотронулась до твердого живота. У Лукаса перехватило дух. Я посмотрела на него, чуть отстранившись и опершись на локоть:

— Покажи мне свои татуировки.

— Хочешь посмотреть?

Его глаза блеснули и поймали мой взгляд. Я кивнула, и тогда он сел, вынув руку из-под моего свитера. Заметив, что рубашка валяется рядом на полу, Лукас вопросительно-насмешливо повел бровью. Мое лицо потеплело, а он усмехнулся и отшвырнул рубашку в сторону.

Заведя руки за шею, Лукас ухватился за ворот и стянул белую футболку через голову — так делают все мальчишки, ведь им нечего бояться, что размажется тушь или румяна оставят на ткани следы. Футболка, вывернутая наизнанку, шлепнулась поверх рубашки, а Лукас снова лег на пол, позволяя мне себя осмотреть.

У него была красивая, гладкая кожа, на торсе вырисовывались мускулы. Справа четыре строчки каких-то письмен, а слева — причудливый восьмиугольник (их я мельком видела неделю назад у себя в комнате). На сердце вытатуирована роза с бордовыми лепестками и слегка изогнутым темно-зеленым стеблем. Узоры на руках тонкие и черные, как кованое железо.

Я провела пальцем по каждому рисунку, но строчки, бегущие по левому боку, прочесть не смогла, потому что Лукас не повернулся. Наверное, это были стихи. О любви. И я почувствовала ревность к той девушке, к которой Лукас, видимо, испытывал столь сильное чувство, что не побоялся навсегда оставить эти слова на своем теле. Роза, как мне показалось, тоже предназначалась той девушке, но высказать свое предположение вслух я постеснялась.

Когда мои пальцы спустились ниже пупка, туда, где начинались волосы, Лукас сел:

— По-моему, теперь твоя очередь!

— У меня нет татуировок, — смутилась я.

— Так я и думал! — Он встал и подал мне руку. — Ну что, идем смотреть рисунок?

Он вел меня в спальню. Я хотела сказать что-нибудь неожиданное, например: «Как мне называть тебя в постели? Лукас или Лэндон?» — но не решилась. Я взялась за его протянутую ладонь, он легко поднял меня на ноги и, не отпуская моей руки, направился за перегородку. Я за ним.

Тусклый свет из открытой части квартиры освещал мебель спаленки и рисунки (штук двадцать-тридцать), прикрепленные над кроватью. Лукас зажег лампу, и я увидела, что вся стена пробковая. Интересно, он сам приделал эту панель или, когда въезжал, она уже здесь была — как будто специально задуманная для него?

Две другие стенки были покрашены в кофейный цвет. Темная мебель: двуспальная кровать-платформа, солидный стол, массивный комод — казалась не совсем типичной для жилища студента.

Я протиснулась в узкое пространство между кроватью и стеной с рисунками и принялась искать себя. Мой взгляд задерживался на знакомых городских пейзажах, незнакомых лицах детей и стариков. Было здесь и несколько портретов спящего Фрэнсиса.

— Они замечательные! — сказала я.

Как раз в тот момент, когда я нашла на стене свое изображение, Лукас встал рядом. Он выбрал тот набросок, где я лежу на спине с открытыми глазами, и повесил его снизу, у правого края стены. Такое местоположение могло бы означать, что художник невысоко ценит свое творение, но портрет висел прямо напротив подушки, а я прекрасно помнила слова Лукаса: «Кто не захочет, просыпаясь, видеть вот это перед собой!»

Продолжая разглядывать рисунок, я села на кровать. Лукас тоже сел. Вдруг я вспомнила, что он до пояса раздет и что несколько минут назад он сказал мне: «Теперь твоя очередь». Я обернулась: он внимательно смотрел на меня.

Я была уверена, что в подобный момент в мои мысли и ощущения обязательно вклинятся воспоминания о Кеннеди — о наших поцелуях, о годах, которые мы провели вместе, — и это все испортит. Но, как ни странно, сейчас я не чувствовала, что мне его не хватает. Даже при желании я не смогла бы выдавить из себя ни капельки грусти. Почему — трудно было понять. Может, я привыкла к боли потери (тогда дело плохо), а может, эти несколько недель я просто горевала слишком много и слишком сильно, так что теперь все уже позади. Он позади.

Воспоминание о Кеннеди лопнуло как мыльный пузырь, когда Лукас наклонился и, щекоча мне кожу своим

дыханием, лизнул краешек моего уха. Он взял в рот моч-
ку с продетым в нее маленьким бриллиантовым гвозди-
ком, глаза у меня закрылись, и я тихо пробормотала что-
то сладостно-невнятное. Тычась носом мне в шею и ласково придерживая мою склонившуюся набок голову,
Лукас продолжал меня целовать. На секунду он опустился на пол, чтобы снять с меня угги, а потом опять сел на
кровать и стянул свои. Снова прижавшись губами к моему лицу, он подтянул меня к середине кровати и уложил на спину, а потом вдруг отстранился. Почувствовав
это, я открыла глаза. Лукас смотрел на меня:

— Как только ты этого захочешь, я остановлюсь. Хорошо? — (Я кивнула.) — Хочешь, чтобы я остановился
уже сейчас? — (Я помотала головой, не отрывая ее от
подушки.) — Слава богу!

Он опять прижался ко мне губами, а я изо всех сил
стиснула пальцами его твердые руки. Потянув в себя
воздух, я губами и языком ответила Лукасу на его поцелуй. Он застонал, отклоняясь настолько, чтобы слегка
меня приподнять и высвободить из ярко-синего каше-
мирового свитера. Легко проведя подушечками пальцев
по моей груди, Лукас стал ее целовать.

Вдруг я беспокойно шевельнулась, и он остановился, взирая на меня не совсем сфокусированным взглядом. Я толкнула его в плечо и села, а он лег на спину.
Даже через ткань двоих джинсов все прекрасно чувствовалось. Лукас взял меня за талию и потянул к себе.
Мы снова поцеловались. Через несколько минут он
расстегнул мне крючки на спине и, проведя ладонями
по моим плечам, опустил бретельки. Лифчик совсем
слетел, когда Лукас подтолкнул меня вверх и прихватил
ртом сосок.

— Ой... — выдохнула я и обмякла у него в руках.

Мы снова перевернулись. Пальцы и губы Лукаса
выводили на мне круги и замысловатые линии. Вдруг

он расстегнул пуговицу моих джинсов и дотронулся до молнии. Я почувствовала, будто все вокруг рушится.

— Погоди, — сказала я, отнимая рот от его рта.

— Хватит? — Лукас часто дышал, глядя на меня. Я кивнула. — Перестать совсем или просто... не надо дальше?

— Не надо дальше, — прошептала я.

— Ладно.

Он взял меня в охапку и поцеловал. Одна его рука была у меня в волосах, а другой он гладил мою спину. Два наших сердца выбивали один ритм, и, по-моему, этот дуэт назывался «Желание».

Назад в общагу я ехала с открытыми глазами. Выглядывая из-за плеча Лукаса, я смотрела на улицы, пролетавшие мимо. Это было захватывающе, но не страшно. Я доверяла ему. И не только теперь, а с той самой первой ночи, когда я согласилась, чтобы он отвез меня в общежитие.

Кеннеди вот так бы ни за что не остановился. Разумеется, он не применял силы — этого и в помине не было, — но если я просила: «Не надо!» — он переворачивался на спину и закрывал лицо рукой, успокаивая себя. «Господи, Джеки, ты меня доконаешь!» — говорил он. После этого все прекращалось: не было ни поцелуев, ни прикосновений. И я всегда чувствовала себя виноватой.

Когда мы действительно стали вместе спать, я подумала, что теперь, наверное, угрызения совести оставят меня в покое, ведь я тормозила его очень редко. Но если такое все-таки случалось, то мне приходилось терзаться даже сильнее. Кеннеди резко останавливался, как будто я сделала ему больно. На компромиссы он не шел: все или ничего. Сделав несколько глубоких вдохов, он

включал игру или начинал щелкать каналы. Или мы
шли чего-нибудь поесть. И я казалась себе самой нехо-
рошей девушкой в мире.

Ну а Лукас еще целый час меня целовал. Проскользнув рукой ниже молнии моих джинсов, он спросил: «Так
можно?» — и, когда я разрешила, снова надолго залепил
мне рот своими губами. Ощущение от прикосновения
его пальцев к плотной джинсовой ткани оказалось гораздо сильнее, чем я ожидала: меня это потрясло и немного смутило. Взглянув на лицо Лукаса, я почувствовала, какое удовольствие доставляет ему тот отклик, который он получает от моего тела. Ничего, кроме приятия
его прикосновений, он сейчас от меня не хотел. Его
взгляд, казалось, просил: «Оставь мне что-то, чего я буду ждать».

Теперь он прощался со мной у входа в мое общежитие. Было поздно, но спать не хотелось: холодный воздух
разогнал сонливость. Пока мы ехали, мои руки грелись
у Лукаса под курткой. Отложив в сторону свои перчатки
и два наших шлема, он обнял меня под пальто, поверх
свитера:

— Понравился набросок?

Я кивнула:

— Да. Спасибо, что показал рисунки... и прием.

Лукас прислонился лбом к моему и закрыл глаза:

— Угу... — Он поцеловал меня в нос, а потом в губы. Мне стало почти больно. Почти. Я выдохнула, не
отнимая губ. — Тебе лучше зайти в здание, пока не... —
Он поцеловал меня еще крепче.

— Пока что? — спросила я, положив руки на его
твердую грудь.

Он вдохнул и выдохнул через нос, сжал губы и стиснул руки у меня на талии:

— Ничего. Иди.

Я поцеловала его в щеку. Он отстранился.

— Спокойной ночи, Лукас.

Он стоял, опершись о свой «харлей» и глядя на меня:

— Спокойной ночи, Жаклин.

Я поднялась по ступенькам, взялась за ручку входной двери и только тогда заметила, что на крыльце стоит Кеннеди: сощурясь, он поглядывал то на меня, то на Лукаса. Когда я подошла, он посмотрел мне в лицо:

— Джеки... я решил заскочить к тебе, думал, мы поговорим. Но Эрин сказала, тебя нет и она не знает, придешь ли ты вообще.

Выходя из комнаты, я оставила записку. Нетрудно себе представить, с каким наслаждением подруга бросила в физиономию моему бывшему известие о том, что я не ночую дома. Кеннеди оглянулся, но я не стала оборачиваться, хоть мне и хотелось узнать, уехал Лукас или еще нет.

— Мог бы сначала прислать эсэмэску. Или позвонить.

Он пожал плечами. Одна его рука была в переднем кармане джинсов, а другой он убрал со лба волосы.

— Мне просто нужно было зайти в общагу...

Я наклонила голову набок:

— Ты просто зашел в общагу и подумал, не заглянуть ли ко мне мимоходом, а я тут как тут?

Вообще-то, до недавнего времени я и сама собиралась просидеть все выходные в своей комнате, но это не имело отношения к делу.

— Конечно, я не думал, что ты непременно должна быть у себя, — отнекивался он, — и все-таки надеялся тебя застать. — Он снова метнул взгляд на обочину дороги. — Этот парень... Он ждет тебя или как?

Тут я наконец обернулась: Лукас по-прежнему стоял, прислонившись к мотоциклу и скрестив руки. Даже в свете прожекторов, установленных возле общаги, нельзя было рассмотреть черты его лица, но поза говорила сама за себя. Я подняла руку и помахала, чтобы он знал: мне ничто не угрожает.

— Нет. Он просто меня подвез.

Бросив в сторону Лукаса презрительную усмешку, Кеннеди обратил свои пронизывающие зеленые глаза на меня:

— По-моему, он не понимает, что значит «просто подвезти».

— Мне все равно, как по-твоему. Чего тебе надо, Кеннеди?

Какой-то парень, заходя в здание, крикнул: «Кен Мур!»

Кеннеди поздоровался с ним, дернув в его сторону подбородком, а потом ответил:

— Я же сказал: хочу с тобой поговорить.

Я обхватила себя руками за плечи: меня начинал пробирать холодок, которого я не ощущала, прижимаясь к Лукасу.

— О чем? Ты разве не все сказал, что было нужно? Хочешь опустить меня еще сильней? А мне, знаешь ли, эта перспектива совсем не улыбается.

Он вздохнул: мол, опять эту истеричку ни с того ни с сего взорвало, вот и терпи... За три года наших отношений мне много раз приходилось смотреть на эту мученическую физиономию. Так Кеннеди показывал мне, что я проявляю недостаточно «гибкости» (его любимое словечко). Я уж почти забыла все это, а теперь вот пришлось вспомнить.

— Ты могла бы проявить немного гибкости, — сказал он, будто читая мои мысли.

— Правда? А мне кажется, у меня куча причин, чтобы быть негибкой. Или упрямой. Или упертой как баран.

— Достаточно, я понял, Джеки.

Я подбоченилась:

— Меня зовут Жаклин.

Он подошел ближе, сверкнув глазами. На какую-то долю секунды мне показалось, что он злится. Но тут же я поняла, что это не злость. А вожделение.

— Жаклин, я понимаю, я обидел тебя. Я сам заслуживаю всего того, что испытала ты. И как бы ты меня ни ругала, ты имеешь на это право.

Кеннеди потянулся рукой к моему лицу. Я отскочила. В мыслях у меня все спуталось. Он опустил руку и сказал:

— Мне тебя не хватает.

ГЛАВА 13

Очнувшись от своего оцепенения, я провела карточкой по щели в замке и вошла в холл. Кеннеди проскочил за мной. Я обернулась сказать, что не хочу с ним разговаривать, и вдруг увидела Лукаса: он подхватил дверь, прежде чем она успела закрыться, и, подойдя ко мне, смерил взглядом моего бывшего. Тот его заметил, и в воздухе между ними заискрило.

— Все в порядке, Жаклин? — спросил он, не сводя глаз с Кеннеди.

— Лукас... — Я хотела объяснить ему (теперь уже словесно), что этот парень не представляет для меня физической угрозы, но тут Кеннеди пренебрежительно хмыкнул.

— Погоди-ка, — сказал он, с прищуром глядя на Лукаса. — Ты ведь, кажется, из технического персонала? Кондиционер у нас чинил, да? — Он взглянул на меня, а потом снова на него. — А вдруг твоему начальству не понравится, что ты нюхаешься со студентками?

Судя по выражению лица Лукаса, ему хотелось убить Кеннеди, но он не сдвинулся с места и, проигнорировав этот выпад, перевел взгляд на меня, ожидая ответа на свой вопрос.

— Все в порядке, честно. — Я задержала дыхание, надеясь, что Лукас мне поверит.

Люди в дверях уже подталкивали друг друга локтями и шептались.

— Значит, ты и с ним тоже путаешься, да? — вдруг выпалил Кеннеди.

— Как это — тоже? — спросила я, хотя заранее знала, что он ответит.

— Кроме Бака.

У меня потемнело в глазах.

— Что?

Кеннеди схватил меня выше локтя, как будто собираясь увести, но тут пальцы Лукаса молниеносно поймали моего бывшего за запястье и легко стряхнули его руку с моей.

— Какого хрена?! — зарычал Кеннеди, вырываясь, и, отстранив меня, попер на Лукаса.

Все зрители этого спектакля застыли как вкопанные и разинули рот. Парни явно собирались подраться, и, поскольку бойцовские качества Лукаса были мне хорошо известны, я знала: он одержит победу и будет за это отчислен.

Я протиснулась между ними и положила руку Кеннеди на бицепс: от напряжения он был твердым как камень.

— Кеннеди, уходи.

— Я не оставлю тебя с этим...

— Кеннеди, уходи!

— Джеки, он из обслуживающего персонала...

— Он студент, Кеннеди. — Я решила не заострять внимание на том, что Лукас ходит вместе с нами на экономику: вдруг мой бывший узнает в нем ассистента преподавателя и доложит, что видел нас вдвоем?

Мур наклонил голову и, слегка наморщив лоб, обеспокоенно заглянул мне в глаза:

— Поговорим на следующей неделе. Дома.

Было ясно, что этими словами он дает Лукасу понять: я и он, Кеннеди, на несколько дней уезжаем в наш родной город, где он будет выстраивать отношения со мной так, как посчитает нужным, и никто ему не помешает.

Я хотела ответить: «Мне не о чем с тобой разговаривать — ни сейчас, ни на следующей неделе», но челюсти у меня были так плотно стиснуты, что я не смогла раскрыть рот. Я еще не знала точно, чем буду заниматься в праздники, но в одном не сомневалась: быть вдвоем с Кеннеди мне не хотелось. Он проявил благоразумие и больше не стал до меня дотрагиваться. Они с Лукасом обменялись уничтожающими взглядами, и только когда мой бывший наконец-то ушел, я выдохнула.

Зрители были явно разочарованы. Несколько человек задержались в надежде на продолжение: может, мы с Лукасом напоследок поругаемся? Он все еще был как сгусток адреналина. Его тело напряглось посильнее, чем струны на моем контрабасе. Когда я положила руку ему на плечо, мне показалось, что там, под кожей и слоем фланели, настоящий гранит.

— Все хорошо, правда, — сказала я, тяжело дыша, — насколько это возможно после такой сцены. — Тут я искоса посмотрела на Лукаса. — И сколько же у тебя профессий? Ты варишь кофе, обучаешь приемам самозащиты, чинишь кондиционеры, работаешь в полиции. Кстати, однажды весной не ты ли выписал мне штраф, когда я на какие-нибудь две минутки подъехала отдать книжку в библиотеку и припарковалась вторым рядом?

Мой шутливый тон заставил его немного смягчиться. За это я была удостоена призрачной полуулыбки.

— Как же мое конституционное право не давать показаний против себя? Вообще, мне много штрафов приходится выписывать. Ремонтом техники я просто изредка подрабатываю. Ну а занятия по самообороне — это так, на общественных началах.

О том, что он еще и ассистент преподавателя экономики, мы оба промолчали.

— По-моему, мы кое-что забыли, — сказала я, пристально глядя на Лукаса. Его лицо окаменело: абсолютно никакой реакции на свои слова я не увидела. — Как насчет телохранителя Жаклин Уоллес? — (Слабая улыбка вернулась.) — Возьмешься и за эту волонтерскую работу? — спросила я, кокетливо приподняв бровки. — Как же ты тогда будешь находить время на учебу? И на отдых?

Он протянул руки, прижал меня к себе и тихо сказал:

— Есть вещи, для которых я всегда найду время, Жаклин.

Лукас наклонился и поцеловал чувствительный пятачок возле моего уха. От этого я задышала чаще и мельче. Потом он развернулся и побежал к своему мотоциклу, а я осталась в дверях. Как только он вынырнул из света прожекторов, я потеряла его из виду и, как в тумане, побрела к себе в комнату.

Привет, Жаклин!

Твоя работа мне понравилась. Настоящее самостоятельное исследование. Думаю, доктор Хеллер будет доволен. Я отметил несколько нестыковочек и одно место, где ты, мне кажется, потеряла цитату. В остальном все вполне убедительно и обоснованно.

Прикрепляю вопросник по теме завтрашнего семинара. Свои пробелы ты ликвидировала и, по-моему, хорошо владеешь новым материалом. И все-таки оставшиеся две недели я буду по-прежнему высылать тебе вопросные листы, если, конечно, не возражаешь.

На День благодарения, наверное, едешь к своим? Я поеду домой в среду утром. Там нет Интернета, и все праздники до меня будет не достучаться.

ЛМ

Лэндон!

Похоже, я смогу сдать проект пораньше: какое это будет облегчение! Спасибо тебе за помощь. И пожалуйста, продолжай высылать мне вопросники.

Мои родители уезжают кататься на лыжах, но я, наверное, все равно лучше поеду домой и потусуюсь со старыми друзьями, чем торчать здесь, в кампусе. Мама заберет с собой Коко, свою вредную собачонку, так что я смогу насладиться тишиной и покоем.

А ты полетишь домой на самолете? Ты ведь говорил, что у тебя нет машины.

ЖУ

Жаклин!
Твои родители едут кататься, а тебя не берут? И ты в День благодарения будешь одна? Да уж...
Я поеду на машине, сяду на хвост к кому-нибудь из друзей. Мой дом недалеко, хотя иногда мне кажется, что до него как до другой планеты.

ЛМ

Лэндон!
Мои родители думали, что я поеду к своему бывшему. Последние пару лет мы, чтобы не разрываться между двумя семейными столами, праздновали по очереди то у него, то у меня. Этот год должен был быть его. Подруга с семьей едет к бабушке с дедушкой, у них домик недалеко от Боулдера. А обременять кого-то еще мне не хочется. Лучше побуду одна. Странный выбор, да?

ЖУ

Жаклин!
Для меня это нисколько не странно. Может, это потому, что я сам немного странноватый? Уж не знаю.
Мне будет не хватать твоих писем.

ЛМ

А мне твоих. Желаю хорошо отдохнуть.

ЖУ

В понедельник на лекции мне постоянно вспоминался субботний вечер — стоило только обернуться на Лукаса. Судя по тому, как он исподлобья поглядывал на меня, с ним было то же самое. В какой-то момент я заметила, что он сверлит глазами затылок Мура, и с тех пор больше не оглядывалась. Когда занятие закончилось, Кеннеди улыбнулся мне. Я вытянула губы в ровную ниточку и, повернувшись к нему спиной, принялась складывать вещи. Скорее бы завершился этот курс, этот семестр: у меня было много причин торопить время.

— Ты не обидишься, если я скажу? Твой бывший — роскошный парень, но, по-моему, он похож на самодовольную жопу в шляпе. — Бенджи запихнул тетрадь в рюкзак, который был так набит различными бумажками, что казалось, будто он вот-вот лопнет.

Я застегнула сумку:

— Ты прав, он такой и есть.

Мы подождали, пока Кеннеди не пройдет мимо. Я изо всех сил старалась не встретиться с ним взглядом. Надо сказать, меня серьезно обеспокоило его намерение поговорить со мной дома. Вряд ли он собирался сообщить мне нечто приятное.

Народ поднимался по ступенькам в веселом предвкушении долгих выходных. Мы с Бенджи тоже двинулись к двери. Он рассказал мне, что летит домой, в Джорджию, где ему предстоит разговор с отцом — единственным членом семьи, который еще не знает о его, Бенджи, ориентации.

— Мама поняла, что я гей, когда мне было тринадцать лет.

— Твой папа, наверное, расстроится? — обеспокоенно спросила я.

Бенджи улыбнулся:

— Думаю, он догадывается. Он просто не уверен, означает ли это, что в один прекрасный день я заявлюсь домой в платье, или что-нибудь в этом роде. — Мой сосед в платье — это была бы та еще картинка, поэтому я не смогла сдержать смех. Бенджи тоже рассмеялся, добавив: — Весело, да? Вот и я о том же.

Когда мы вышли в коридор, я думала, Лукаса уже и след простыл, но вдруг заметила, что он стоит, прислонившись к стене недалеко от бокового выхода, через который я обычно убегала на улицу. Лукас смотрел на меня, пока я к нему приближалась, но его внимание явно не было сосредоточено на мне одной. «Наверное, высматривает доктора Хеллера», — подумала я.

— Ты ему еще не сказала, что все знаешь? — спросил Бенджи, заговорщицки скривив рот. Я покачала головой. — Не мучай его слишком сильно. Мне кажется, он довольно ранимый.

Я усмехнулась:

— Да уж. Здоровый мускулистый парень, мастерски делает из людей отбивные и напропалую врет девушкам. Просто сама чувствительность.

Бенджи сжал мне руку чуть выше локтя и улыбнулся:

— Тут одно из двух: или он жопа в шляпе похлеще некоторых, или у него есть веские причины, чтобы обманывать тебя.

Я вздохнула:

— Хотела бы я уметь читать чужие мысли.

— Думаю, тебе бы сразу расхотелось их читать, как только бы ты увидела, что творится у людей в голове.

— Вряд ли я когда-нибудь это увижу.

Бенджи развел руками в знак согласия и свернул в длинный коридор, ведущий к южному выходу. Обернувшись, он крикнул мне вслед:

— Удачных выходных, Жаклин!

— Тебе тоже!

Я поравнялась с Лукасом, и он пошел за мной. Открывая дверь, он наклонился ко мне и пробормотал:

— Увидимся сегодня вечером?

Я побоялась, что превращаюсь для него в сексуальную приманку. Если так, то понятно, почему он не говорит мне, кто он такой. Интересно, это единственная причина или есть и другие?

— Завтра у меня тест по астрономии. Сегодня мы с девчонками собираемся у меня, чтобы готовиться.

Я подняла на него глаза: он шел со мной рядом, засунув руки в передние карманы джинсов, и непрерывно рыскал взглядом в толпе людей, как будто был настороже.

— А завтра вечером?

Мы подходили к зданию. Он посмотрел на меня, и мне показалось, что он прекрасно знает, куда я иду, хотя я ему об этом не говорила.

— Завтра у меня репетиция. В воскресенье по утрам я обычно бываю в концертном зале, но вчерашний день пропустила.

О том, что играю на контрабасе, я писала Лэндону. А Лукасу — нет.

— Проспала? — (Я кивнула.) — Я тоже поздно встал.

Мы подошли к входу и остановились у двери.

— Нужно будет упаковать инструмент, повезу его с собой, — сказала я, пристально посмотрев Лукасу в глаза — серо-голубые, как пасмурное ноябрьское небо. А он все блуждал взглядом по лицам проходящих мимо людей. — В праздники у меня будет сколько угодно времени, чтобы позаниматься.

— Когда ты уезжаешь из города? — спросил он, откинув волосы со лба.

Все мои упоминания об игре на контрабасе он оставлял без ответа.

— В среду утром. А ты?

— И я. — Он нервно переступил с ноги на ногу и прикусил нижнюю губу, а потом как-то резко успокоился, застыл на месте и неподвижно посмотрел на меня. — Напиши мне, если вернешься пораньше. Или если у тебя поменяются планы. Ну а после праздника я за тобой заеду. — Он дернул плечом, на котором висел рюкзак, и добавил: — Пока, Жаклин, — а потом повернулся и слился с толпой.

Еще долго я видела его темную макушку, возвышавшуюся над большинством других студенческих голов.

❖ ❖ ❖

— Погоди! Ты хочешь сказать, что ботаник Лэндон и красавец Лукас, ради которого мы затеяли операцию «ФПП», — это один и тот же парень?! — От удивления Мэгги вытаращила светло-карие глаза.

— Никак не пойму, почему ты сразу не потребовала от него объяснений! — сказала Эрин с таким выражением лица, какое порой бывает у участниц ток-шоу.

Казалось, она вот-вот взорвется и начнет взахлеб расписывать, что бы она сделала с бедным парнем, будь она на моем месте. После разрыва с Чезом она стала гораздо менее терпима к противоположному полу и жаждала крови всех молодых людей, которые, как ей казалось, обижали девушек. А ведь еще совсем недавно она планировала операцию «Фаза плохих парней», рассказывала мне об охоте и погоне, призывала смело распахиваться навстречу новым «заманчивым возможностям».

Я вздохнула, пожалев, что рассказала подружкам о своем открытии. Мы сидели втроем поверх одеяла, разостланного на полу нашей с Эрин комнаты, пили кофе и трескали печенье. Учебники и тетрадки по астрономии валялись в стороне: за последние полчаса мы в них ни разу не заглянули. Проблема Лукаса/Лэндона занимала нас куда больше, чем всякие там планеты-гиганты и астронавигация.

— Вообще-то, мы планировали, что он будет для тебя сексуальной приманкой, а не ты для него, — строго сказала Эрин.

— Вот именно! — поддакнула Мэгги. — Почему бы тебе не написать ему, что поздно вечером ты освободишься и сможешь с ним встретиться?

Я закатила глаза:

— Потому что в половине десятого утра у меня экзамен, к которому мы сейчас должны готовиться. И потом, мне кажется, что на некоторое время нам лучше бы расстаться...

Эрин испепелила меня взглядом:

— О боже мой! Да у тебя к нему чувства — этого еще не хватало!

Я повалилась на спину и закрыла лицо руками:

— Уф!

— Кстати, насчет сексуальных приманок: я что-то такое слышала про тебя и Бака. Вот уж точно плохой парень! — заметила Мэгги. — Получается, ты и его внесла в свой список, а нам не сказала!

Я умоляюще посмотрела на Эрин сквозь пальцы.

— Бак — дерьмо. Тебе ли не знать? — саркастически проговорила она.

Мэгги кивнула:

— Это верно. Я встречалась с ним на первом курсе. И насколько я помню, он был так себе: слишком слюнявый. — Она поежилась. — Господи, мне иногда кажется, что такие парни, как он, хотят утопить нас в слюнях. Каждые две секунды приходится сглатывать.

Эрин расхохоталась, впившись пальцами в мое плечо. В ее смехе я заметила неестественность, которой не могла расслышать Мэгги. Я не рассказывала соседке деталей того, что произошло, пока все праздновали Хеллоуин. Да она и не просила. Понимала, что мне даже в общих чертах тяжело об этом говорить. К тому же детали просто были не слишком важны. Важна была суть того, что со мной случилось. И что могло бы случиться.

— Так, значит, у тебя с ним ничего нет? — не отставала Мэгги; я знала, что ей просто любопытно, но меня все равно передернуло, когда она упомянула имя Бака рядом с моим.

— Эрин правильно сказала: он дерьмо. — Мне тоже было интересно, но мое любопытство носило болезненный характер. — А почему ты спрашиваешь? Он что-то про меня говорил?

Мэгги пожала плечами:

— Триша сказала, что парень ее младшей сестры болтанул, что Бак поругался из-за тебя с Кеннеди. Эти двое похожи на больших козлов, которые бодаются из-за козочек. Думаю, Бак до сих пор кипятком писает из-за того, что Кеннеди его обошел: когда они еще только собирались вступать в свой клуб, другие пацаны, которые тоже туда рвались, выбрали Мура своим президентом, хотя у Бака отец — член этого клуба.

Об этом обстоятельстве я почти совсем забыла, хотя с него-то и началась вражда между Кеннеди и Баком. С тех пор они постоянно друг с другом соперничали, несмотря на то что с виду были приятелями, «братьями» по студенческому союзу. Я нахмурилась:

— Но ведь отец Кеннеди тоже член этого общества.

Мэгги слизнула с ладони крошки от печенья:

— Да. Только папаша Бака был в свое время не просто рядовым членом, а президентом. Сынуля должен был пойти по его стопам.

Я села, почувствовав прилив ярости: теперь я точно знала, чем в первую очередь объяснялось поведение Бака. Выходит, он и правда издевался надо мной для того, чтобы взбесить моего бывшего.

— И это дает ему основание сплетничать про меня, будто я с ним сплю?! — Об остальном я промолчала.

— Что ты, я же его не оправдываю!

Эрин сгребла свои тетради в охапку:

— Ладно, дамы! Как думаете, какие созвездия нам завтра выпадет наносить на карту?

Я взглядом поблагодарила подругу за перемену темы разговора и постаралась как можно дальше прогнать мысли о Баке из своего сознания.

ГЛАВА 14

После моего трехмесячного отсутствия запах родительского дома показался мне забавным. Это было сочетание псины с маминой туалетной водой «Шанель» и еще с чем-то трудновычленимым, что ассоциировалось у меня с родным гнездом и в то же время было мне совершенно чуждо. Мой организм чувствовал, что я уже оторвалась от этого места.

Я втащила контрабас: он был надежно упакован в дорожный футляр на колесиках. Теперь, когда родители и Коко уехали, можно было никуда его не прятать. Я водрузила инструмент у стены в гостиной, как будто это полноправный предмет обстановки. Уезжая, мама поставила свет на таймер, и я решила, что пускай он себе включается и выключается, когда захочет. Буду зажигать только люстру на кухне и лампы в своей спальне — автоматически освещать эти помещения, скорее всего, не планировалось.

В кладовке и в морозилке я нашла кое-что из еды, а холодильник был совершенно пуст. Перед отъездом родители повыбрасывали все скоропортящееся — я ведь не сказала им, что приеду. Мама прислала мне эсэмэску. Сообщила, что они уже садятся в самолет, и добавила: «Желаю вам с Эрин хорошо повеселиться. Увидимся в следующем месяце». Она не стала второй раз спрашивать о моих планах на этот уик-энд и теперь была уверена, что я поехала в гости к соседке по комнате.

Я разогрела себе на обед порцию вегетарианской лазаньи, а потом переложила из морозилки в холодильник

пирог с индюшачьим фаршем — мой будущий праздничный ужин. Еще в морозилке я нашла полпачки начищен-
ной и нарезанной картошки, а в кладовке — непочатую
бутылку клюквенного коктейля. Все это я тоже помести-
ла в холодильник. Та-дам! Весело праздновать День благодарения одной!

Посмотрев несколько серий старого комедийного
шоу, я выключила телевизор и перетащила журнальный
столик орехового дерева, стоявший строго в центре комнаты, к плетеному тибетскому коврику. Потом я приспо-
собила подставку для цветка вместо пюпитра (его я не
смогла найти) и пробежала прелюдию, которую начала
сочинять для курсовой работы.

Сидя с карандашом над нотной тетрадью, я меньше
всего ожидала услышать звонок в дверь. Раньше я никогда не боялась оставаться дома одна, но настолько
одинокой я оказалась здесь впервые. Я было хотела
сделать вид, что меня нет, но вовремя поняла: тот, кто
позвонил, наверняка слышал, как я сначала играла, а
потом перестала играть. Я положила контрабас набок,
подкралась к массивной двери и, приподнявшись на цыпочки, заглянула в глазок. На крыльце, в лучах висящих
на веранде фонарей, стоял улыбающийся Кеннеди. Он,
конечно, не мог меня видеть, но ему самому много раз
приходилось открывать эту дверь, и вид из глазка он
изучил немногим хуже моего.

Я открыла и, стоя на пороге, спросила:

— Кеннеди, что ты здесь делаешь?

Он оглядел пространство позади меня и прислушал-
ся к полнейшей тишине дома:

— Родители ушли?

Я вздохнула:

— Их нет.

Он нахмурился:

— Их нет только сейчас или не будет все выходные?

Я уже почти забыла, как хорошо Кеннеди ведет при-
цельный огонь по тем вещам, о которых собеседник
умалчивает. Думаю, именно этим умением во многом
и объяснялись его победы в дискуссиях.

— Их не будет все выходные. А ты-то что здесь делаешь?

Он прислонился плечом к косяку:

— В этот раз я написал тебе, прежде чем прийти, но
ты не ответила. — (Я не слышала, как пришла эсэмэска.
Когда я играю на контрабасе, мне вообще мало что бывает слышно.) — За обедом мама напомнила мне при-
везти тебя завтра к часу. Да, да, не смотри на меня
так: я не рассказал им, что мы расстались. Думал сообщить сегодня, но потом решил, что, может, ты захочешь ненадолго сбежать от Ивлин и Трента? Кстати, где
они?

Проигнорировав последний вопрос, я отметила про
себя, что Кеннеди сказал «мы расстались», как будто
это было наше совместное решение. Как будто я не ходила за ним как слепая идиотка, пока он меня не ого-
рошил.

— То есть мы должны прийти к тебе домой на праздничный обед и изображать идиллию, лишь бы тебе не
пришлось говорить родителям, что мы расстались?

Он улыбнулся, продемонстрировав ямочки на щеках:

— Да нет, я не настолько трус. Могу сказать им,
если хочешь. Объясню, что пригласил тебя просто как
друга. Но если ты не хочешь, то можно и не говорить.
Сами они, поверь мне, ничего не заметят: не такие уж
они внимательные. Мой братишка уже больше года ку-
рит травку. Оттягивается так не по-детски, что ребятам из нашей общаги и не снилось. А родители и в ус
не дуют.

— И ты не беспокоишься за него?

Кеннеди пожал плечами:

— Учится он прилично. Все это у него *просто* так, от скуки. И потом, он же не мой ребенок.

— Но он твой младший брат!

Я у своих родителей одна, поэтому о братско-сестринских отношениях я имела только самое общее представление. Мне казалось, что по логике братья должны отвечать друг за друга. Но Кеннеди, похоже, так не считал.

— Даже если я попробую с ним поговорить, он меня не послушает.

— Почему ты в этом так уверен?

Он вздохнул:

— Не знаю. Может, потому, что он никогда меня не слушает. Ладно. Давай встретимся завтра. Я заеду за тобой около часу. Хоть поешь нормальную еду, а не то, что ты там собиралась разогреть в микроволновке.

Я закатила глаза, а он усмехнулся.

— И все-таки я не понимаю, почему ты им не скажешь. Ведь уже больше месяца прошло.

Кеннеди опять пожал плечами:

— Не знаю. Может, потому, что мои тебя очень любят. — Это была полнейшая чушь. Я скептически приподняла брови, а он засмеялся. — Ну ладно-ладно. Они привыкли к тебе, привыкли к тому, что мы вместе. А своим родителям ты, как я понимаю, сказала?

Я поджала пальцы на ногах: мраморный пол был холодный, из открытой двери дуло.

— Я сказала маме, а она, наверное, передала отцу. По-моему, их это слегка раздосадовало, хотя не знаю, кем они были больше недовольны: тобой, из-за того что ты меня бросил, или мной, из-за того что не смогла тебя удержать.

Едва договорив, я ужасно рассердилась на себя за эти слова. Теперь Кеннеди, чего доброго, подумает, будто я по нему убиваюсь.

На самом же деле мой разрыв с ним просто вернул нас с мамой к старому разговору о том, в какой колледж мне следовало поступать. Она с самого начала не одобрила моего выбора: мол, умные девочки думают прежде всего о своем образовании, а не бегут за парнем, с которым встречались в школе. «Поступай как знаешь. Тебе к этому не привыкать», — сказала мама, удаляясь из моей комнаты. До того как Кеннеди меня бросил, мы не вспоминали об этом споре. А потом она вздохнула в телефонную трубку: «Сейчас, конечно, уже бесполезно указывать тебе на то, что я была права относительно Кеннеди. И насчет твоего решения ехать за ним в колледж».

Каждый раз, когда я выигрывала спор, мама говорила что-нибудь вроде: «Даже сломанные часы дважды в день показывают точное время». Сейчас я сказала это, нанеся ей удар ее же оружием. Она вздохнула (как в тот день, когда я объявила, куда буду поступать): дескать, бесполезно с тобой разговаривать — и тема была закрыта. Мама не знала, что как раз теперь-то я с ней согласна. Пожертвовать собственным образованием ради парня — это действительно был наиглупейший поступок в моей жизни.

Кеннеди стоял, просунув пальцы в петли для ремня. По выражению его лица можно было подумать, что он раскаивается.

— Если я правильно понял, ты не собираешься праздновать ни у Далии, ни у Джиллиан. А то бы уже сказала.

Я действительно еще не звонила своим школьным подругам, не говорила им, что я дома. Собиралась сделать это, когда праздник отшумит. Джиллиан после первого курса отчислили из Луизианского университета, и она вернулась домой. Выучилась на менеджера магазина одежды. Ей сделал предложение какой-то парень, который работал в торговом центре, в ювелирной секции.

Далия изучала медсестринское дело в Оклахоме. После выпуска мы очень отдалились друг от друга. Даже странно, что сейчас они казались мне такими чужими, хотя все четыре года старшей школы мы были не разлей вода.

Теперь у Далии полным-полно новых друзей в соседнем штате, а у Джиллиан — синяя прядь в волосах, работа с полной занятостью и жених. Обе мои бывшие подруги были шокированы новостью о нашем с Кеннеди разрыве и первыми выразили (или попытались выразить) сочувствие, хотя на тот момент мы уже почти год не поддерживали близких отношений. Сейчас я надеялась, что мы с ними встретимся и просто зажжем. Не будем до посинения обсуждать моего бывшего.

— Я еще ни с кем ни о чем не договаривалась. Мне хочется побыть одной, — сказала я с ударением на последнем слове и посмотрела на Кеннеди.

— Но ты ведь не можешь торчать здесь в полном одиночестве весь День благодарения!

В этих словах мне послышалась унизительная жалость, и я, уставившись на Кеннеди, отрезала:

— Могу.

— Можешь, конечно, — согласился он, и я почувствовала, как его темно-зеленые глаза сканируют мое лицо. — Но в этом нет необходимости. Мы ведь друзья, верно? Ты же знаешь, что навсегда останешься для меня дорогим человеком.

Этого я не знала. Точнее, знала, что это не так. Но если бы я отказалась от приглашения и осталась в пустом доме, чтобы вместо жареной индейки есть разогретый в микроволновке пирог с индюшачьим фаршем, Кеннеди мог бы много о себе возомнить: он бы подумал, что мне до сих пор больно его видеть.

— Хорошо, — сказала я и почти сразу же об этом пожалела.

❖ ❖ ❖

— Вы с этим уродом помирились или как? — шепотом спросил Картер, пока мы накрывали на стол.

Братья Муры были похожи друг на друга почти как две капли воды: у обоих зеленые глаза, густые светло-русые волосы. Только Кеннеди был высокий и худой, а Картер высокий, широкогрудый и мускулистый. За последние несколько лет он здорово изменился: я помнила его поджарым четырнадцатилетним мальчиком, хмурым и молчаливым, терявшимся в тени старшего брата (который и ростом тогда был заметно выше его). Теперь Картер покинул тень.

— Нет, — ответила я на его вопрос, предварительно оглянувшись и убедившись, что нас никто не может услышать.

Он шел позади, раскладывая вилки на сложенные мною салфетки.

— Тем хуже для него. — Я удивленно посмотрела на Картера; он усмехнулся. — Да брось ты! Дураку понятно, что ты слишком хороша для Кеннеди. Тогда каким же ветром тебя сюда занесло?

— Спасибо за комплимент, а занесло меня сюда потому, что мои родители уехали в Брекенридж.

Картер от неожиданности попятился:

— Ни хрена себе! Серьезно? А я думал, что мои предки самые большие засранцы в этом городе!

Я изо всех сил постаралась сдержать улыбку, но не смогла. Из-за своей импульсивности Картер с детства выделялся на фоне остальных Муров, всегда невозмутимо спокойных и рассудительных. Его считали трудным, слишком эмоциональным ребенком. Раньше мне не приходило в голову, насколько чужим он себя чувствовал в компании старшего брата и младшей сестры Рейган, которая, наверное, уже в пеленках была похожа на тридцатилетнюю бухгалтершу.

— Выбирай выражения, Картер, — сказал Кеннеди, входя в комнату.

— Иди в задницу, Кеннеди, — не моргнув глазом парировал Картер.

Я стиснула зубы, чтобы не рассмеяться, но все-таки не удержалась и сдавленно фыркнула. Заметив это, Картер улыбнулся во весь рот и подмигнул мне. Я моргнула, подумав, что бедные девчонки в бывшей моей школе, наверное, сползают по стенке, когда он фланирует мимо них.

Старший брат нахмурился. Воспользовавшись тем, что Картер побежал на кухню помогать матери, я спросила:

— А как же насчет того, что это не твой ребенок? — Положив на место последнюю недостающую ложку, я повернулась к Кеннеди. — Раз ты считаешь себя вправе ругать его за грубые выражения, то почему тогда ты умываешь руки, вместо того чтобы помочь ему решить проблему с наркотиками, если, конечно, она есть?

Говоря так, я рисковала нарваться: спорить с Кеннеди было делом безнадежным. Но он, как ни странно, наклонил голову и сказал:

— Ты права.

Я опять удивленно моргнула: интересно, много ли еще сюрпризов припасли для меня эти братишки?

Как Кеннеди и обещал, Грант и Бев Муры не блистали проницательностью. Похоже было, что за четыре часа, которые я у них провела, они не заметили напряжения между их старшим сыном и мной. Раньше мы с ним довольно раскованно вели себя в присутствии родителей, а теперь он ни разу не взял меня за руку, не приобнял, не поцеловал в щеку. Правда, когда я садилась, он придвинул мне стул (так его воспитали), но этим все и ограничилось. Тринадцатилетняя Рейган сощурила на нас свои вострые глазенки. Я сделала вид, что не замечаю ее проницательного взгляда. Картер, разумеется, хитро на нас посматривал и вовсю со мной флиртовал: старался рассмешить меня и взбесить брата. И то и другое ему удалось, а родители ничего не заподозрили.

После обеда все стали смотреть футбол на огромном, чуть ли не во всю стену, плоском телевизоре. Кеннеди и я сидели рядом, не прикасаясь друг к другу (правда, он несколько раз прижался ко мне ногой под столом). Происходящее на экране приводило Картера в такую ярость, что он пару раз вскакивал, изрыгая проклятия. При этом родственники, все четверо, оборачивались и спокойно его одергивали. Наконец он, сердито топая, вышел из комнаты и вернулся через несколько минут. Судя по тому, как он потирал руку, он сходил к себе в спальню и, чтобы разрядиться, треснул по чему-нибудь кулаком.

Как только Кеннеди подвез меня к дому, я поблагодарила его за приглашение и выскочила из машины, давая понять, что дальше обойдусь без провожатых. Он натянуто улыбнулся:

— Сходим куда-нибудь в субботу? Я тебе позвоню.

Слава богу, он не попытался выйти из машины. Пропустив его предложение мимо ушей, я еще раз сказала спасибо и попрощалась. Зайдя в дом, выглянула из-за шторы: с минуту Кеннеди задумчиво смотрел на закрытую дверь, а потом уехал, приложив к уху телефон.

❖ ❖ ❖

Договорившись встретиться в пятницу вечером с Далией и Джиллиан, я принялась за контрабас. Около одиннадцати часов свет в гостиной автоматически выключился. Я усмехнулась в темноту, поставила инструмент к стене и, нащупав полку книжного шкафа, положила на нее смычок. В этот момент загорелся экран телефона, лежавшего на подставке для цветка: пришла эсэмэска.

Даже не утруждая себя тем, чтобы выйти на свет, я прочла ее и сразу же ответила.

ЛУКАС. Когда вернешься в кампус?

Я.   Наверное, в воскресенье. А ты?

ЛУКАС. В субботу.

Я.   Семейная драма?

ЛУКАС. Нет. Просто те, с кем я еду, не могут дольше задерживаться. Дай знать, если вернешься пораньше. Хочется тебя увидеть. Сделать новый набросок.

Я.   Правда?

ЛУКАС. Рисовал тебя по памяти, но получилось непохоже. Не совсем схватил овал лица. И линию шеи. И губы. Надо бы больше на них смотреть, меньше пробовать их на вкус.

Я.   С последним не согласна.

ЛУКАС. Правильно: надо больше и того и другого. Напиши, когда вернешься.

Итак, намечалась еще одна бессонная ночь. Пока я перечитывала эсэмэски Лукаса, ко мне потихоньку подкрались воспоминания о том, как он меня целовал. Картины субботнего вечера стали всплывать передо мной в мельчайших подробностях, и я почувствовала, что внутри зажигаются крошечные огоньки. По-прежнему стоя в темноте, я закрыла глаза.

Я должна была сердиться на Лукаса/Лэндона или, по крайней мере, испытывать к нему недоверие, но все мои попытки вызвать в себе гнев провалились. Я объясняла это тем, что Кеннеди и Бак уже исчерпали весь мой запас злости, а Лукас на их фоне казался скорее загадкой, чем угрозой. Тем более что я тоже была с ним не до конца откровенна: я ведь не рассказывала ему об операции «Фаза плохих парней», не говорила, что первоначально собиралась использовать его для разрядки после разрыва со своим бывшим.

Стараясь обуздать своенравный поток воспоминаний и размышлений, я взяла из холодильника бутылку воды и пошла наверх, к себе в спальню, — единственную комнату, где в одиннадцать часов вечера не погас свет.

Проверив электронную почту, я обнаружила среди рекламных писем и всевозможных уведомлений послание от Л. Максфилда. Сердце у меня забилось. Он написал мне днем, за несколько часов до нашего обмена эсэмэсками. Кажется, я начинала воспринимать Лэндона и Лукаса как одно целое. Точнее, я стала видеть Лукаса под маской ассистента преподавателя экономики. Почему он не скажет мне, кто он? Мне было интересно это узнать, но спрашивать я не собиралась. Хотела, чтобы он сказал сам.

Привет, Жаклин!

Оказывается, в местном магазинчике рыболовного снаряжения теперь есть кофе и доступ в Интернет, о чем гордо сообщает обновленная вывеска. Правда, Джо, хозяин заведения, поленился переделать ее целиком. Просто подставил к старой надписи «Снасти и наживка» белую дощечку, на которой корявыми буквами выведено: «И кофе», а чуть ниже: «И Wi-Fi».

В магазинчик притащили три крошечных столика и пару неуклюжих кресел в цветочек. Получился как бы местный «Старбакс», обставленный мебелью с гаражной распродажи, которую устраивала чья-то бабушка. Это единственное заведение в городке, не закрывшееся по случаю праздника, поэтому отбою от посетителей нет. Кофе не совсем ужасен, хотя и хорошим его при всем желании не назовешь. К тому же все здесь, как и следовало ожидать, попахивает рыбой.

Как у тебя прошел день? Не забываешь на ночь закрывать дом и включать сигнализацию? Не хочу тебя обидеть, просто ты говорила, что будешь все праздники одна...

ЛМ

Привет, Лэндон!

Я принимаю все мыслимые и немыслимые меры предосторожности. Новейшая система сигнализации — последнее слово техники — на страже моей безопасности. И я не обижаюсь, мне приятно, что ты обо мне заботишься.

Я обедала у своего бывшего. Его родители не подозревают о том, что мы расстались: он им почему-то не сказал. Было неловко. Даже не знаю, зачем я поддалась на его уговоры и приехала. В субботу хочет встретиться и «поговорить». Может, вернусь в кампус пораньше, еще не решила. Завтра встречаюсь с друзьями. Надеюсь, будет повеселее, чем на сегодняшнем обеде.

А что делал ты? Как твоя семья?

ЖУ

Я понимала, что он вряд ли скоро прочтет мой ответ, ведь для этого ему нужно идти в магазин рыболовного снаряжения. Чувствуя себя разбитой после долгой беспокойной ночи, я выпила кофе и проверила почту. Неудивительно, что нового письма от Л. Максфилда не было. Я подумала, не отправить ли эсэмэску Лукасу, но что бы я ему сказала? Что всю ночь проворочалась с боку на бок, вспоминая его прикосновения?

ГЛАВА 15

Остановившись на полпути в кампус, чтобы заправиться, я послала Муру эсэмэску: мол, решила вернуться пораньше. Не успела я снова выехать на дорогу, как раздался звонок. Это был Кеннеди. Я глубоко вздохнула, выключила плеер и взяла трубку.

— Ты уже уехала? А я думал, завтра уезжаешь. Думал, мы сегодня поговорим.

Я вздохнула. Захотелось упасть головой на руль, но я вовремя поняла, что идея не блеск: я ведь ехала со скоростью семьдесят миль в час[1].

— Не понимаю, о чем ты хочешь говорить, Кеннеди.

Похоже, он не отдавал себе отчета в том, сколько было случаев, когда я бы с радостью согласилась его выслушать, сколько было подходящих моментов, которыми он даже не попытался воспользоваться.

— Думаю, я сделал ошибку, Джеки. — Тут я от неожиданности проглотила язык, а Кеннеди, неправильно истолковав мое молчание, добавил: — То есть Жаклин. Извини, все никак не привыкну...

— Что значит «сделал ошибку»? Что ты имеешь в виду?

— Нас. То, что мы расстались.

Я опять замолчала. Мне хотелось обрушить на Кеннеди гневную тираду, но слова прилипли к горлу. Я изо всех сил старалась не слушать университетские сплетни

---

[1] Около 112 км/ч (одна миля равняется 1609 м).

и все равно слышала и видела достаточно, чтобы понять, насколько не монашеский образ жизни вел мой бывший после нашего разрыва. От недостатка женского внимания он явно не страдал. Но видимо, не все девчонки, которые с ним спали, соглашались еще и терпеть его говнистые «настроения», выслушивать его авторитетные умозаключения по всем вопросам, поддерживать его начинания. Это может вынести только любящая женщина. Раньше терпеть, выслушивать и поддерживать Кеннеди входило в мои обязанности. Он меня от них отстранил.

— Почему?

Кеннеди вздохнул. Я вообразила, что сейчас он, наверное, уставился в потолок, убрал рукой пряди со лба и так замер: пальцы в волосах, локоть согнут. Он ошибался, если думал, что я его не вижу: даже при телефонном разговоре все его ужимки были мне прекрасно видны.

— Почему я сделал ошибку? Или почему я считаю, что это была ошибка? — Отвечая вопросом на вопрос, Кеннеди старался выиграть время, чтобы найти выход из непростого положения, — эта его повадка тоже была мне известна. — Такие разговоры легче вести не по телефону...

— Мы встречались почти три года, а ты взял и *просто* порвал со мной, даже не... ты даже не... — пролепетала я, но потом осеклась, сделала глубокий вдох и сказала: — Может быть, это не было ошибкой.

— Как ты можешь так говорить! — У него еще хватало наглости строить из себя оскорбленного.

— Уж и не знаю, — резко ответила я. — Наверное, так же, как ты в свое время смог сказать, что меня бросаешь.

— Джеки...

— Не надо меня так называть, — процедила я сквозь зубы, чеканя каждое слово.

Он замолчал, и в течение нескольких минут я слышала только шум шоссе. Мой грузовик быстро проглатывал мили, разделявшие два близлежащих городка. Поскольку дело шло к зиме, почти все сельскохозяйственные работы были закончены. Только один огромный зеленый комбайн двигался по хлопковому полю. Я смотрела, как он ползет, и мне подумалось: «Что бы ни происходило с отдельным человеком, жизнь кругом продолжается. В тот момент, когда Кеннеди первый раз меня поцеловал, какая-нибудь другая пара наверняка распалась. А когда он меня бросил, кто-то в кого-то влюбился — может быть, прямо тут же, в моей общаге».

— Жаклин, я не знаю, что ты хочешь от меня услышать.

За каких-нибудь несколько секунд я проехала городишко, бо́льшую часть которого занимал внушительный торговый центр. С каждой милей я удалялась от Кеннеди. И приближалась к Лукасу. Вдруг я поняла, что еду к нему, что с первой нашей встречи он стал для меня человеком, с которым мне хорошо и спокойно.

— Ничего, — ответила я на вопрос Кеннеди, — я ничего не хочу от тебя слышать.

Мур был достаточно рассудителен, чтобы не настаивать на продолжении разговора, который зашел в тупик. Поблагодарив меня за то, что я пришла к нему домой в четверг, он пообещал связаться со мной, как только вернется в кампус. Последнюю реплику я оставила без ответа.

Жаклин,
похоже, твой бывший хочет тебя вернуть. Или, по крайней мере, он желает чего-то большего, чем дружба. Вопрос только в том, чего хочешь ты.

Моя семья — это только я и мой отец. В День благодарения он был более разговорчив, чем обычно, потому что к нам приезжали старые друзья. Когда мы вдвоем, мы можем молчать по нескольку часов. У нас в доме целыми днями царит полное безмолвие, если не считать реплик вроде «Извини» или «Передай соль».

У папы есть лодка, которую он сдает напрокат. Сейчас ею мало кто интересуется, и все-таки даже в это время года он иногда организует глубоководную рыбалку или возит людей смотреть местных птиц. Вот и сегодня у него туристы, поэтому в пять утра мы попрощались, и к обеду я уже был у себя.

ЛМ

Лукас был от меня в десяти минутах езды. Я боролась с желанием написать ему, что тоже приехала. Мои шансы на победу в этой борьбе были невелики.

Я распаковалась и затеяла стирку. Сейчас, пока мало кто успел вернуться из дому, в прачечной нашего этажа было полно свободных машин. А вот завтра все съедутся — и здесь будет аншлаг. Теперь я выбирала такие моменты, когда, чтобы постирать одежду, не нужно было шастать по этажам. Ни в коем случае не пользоваться боковой лестницей вошло у меня в привычку. Я изобретательно обходила это неприятное для меня место, даже если бывала не одна. Моих уловок никто не замечал, кроме Эрин. Во второй раз, когда я сказала: «Ой, я кое-что забыла в комнате! Встретимся внизу», подруга смерила меня проницательным взглядом.

А как-то вечером она напрямую спросила:

— Боишься идти на лестницу, да?

Я в тот момент как раз красила ногти на ногах кроваво-красным лаком. Услышав такой вопрос, я уставилась на кисточку и, стараясь, чтобы рука не дрожала, принялась себя успокаивать: «От кутикулы к краю, от кутикулы к краю...»

— А ты бы на моем месте не боялась?

— Боялась бы.

В следующий раз, когда мы целой компанией направились к боковой лестнице, Эрин уже сама сказала:

— Вот дерьмо! Забыла в комнате кошелек. Джей, пойдем со мной, ключ ведь у тебя, — и, повернувшись к остальным, добавила: — Мы вас догоним через пять минут.

Я.   Я вернулась.

ЛУКАС. Думал, до завтра не приедешь.

Я.   Планы поменялись.

ЛУКАС. Вижу. Вечером свободна?

Я.   Да.

ЛУКАС. Поужинаем?

Я.   Да.

ЛУКАС. Заеду за тобой в 7.

— Раньше парни никогда для меня не готовили.

Лукас улыбнулся. Он нарезал овощи и полил их каким-то соусом, ингредиенты которого только что смешал.

— Вот и хорошо. Значит, ты не будешь возлагать на мою стряпню слишком больших надежд.

Выложив содержимое миски на лист фольги и скрепив края, он поставил этот сверток в духовку, где уже что-то готовилось.

Я потянула носом воздух:

— Мм... Вкусно пахнет. И, судя по тому, как ты ловко управляешься, ты опытный повар. Не хотелось бы тебя пугать, но на этот ужин я возлагаю огромные надежды.

Он включил таймер, вымыл и вытер руки, а потом отошел от столешницы и подвел меня к дивану:

— У нас есть пятнадцать минут.

Мы сели рядом, и Лукас стал изучать мою руку. Он трогал прохладными подушечками мои короткие ногти (я стригу их, чтобы не мешали играть на контрабасе), водил по чувствительным желобкам между пальцами, вертел мою кисть, ласково ее поглаживая. Наконец он медленно нарисовал на моей ладони спираль. Я смотрела на него, как будто загипнотизированная мягкостью его прикосновений.

Пальцы Лукаса скользнули между моими пальцами, мы соединили ладони, и он потянулся ко мне, чтобы усадить к себе на колени. Его губы дотронулись до моей шеи, чуть повыше ключицы. Через несколько минут прозвонил таймер, но я не слышала звонка.

Лукас достал из духовки две отдельные порции, завернутые в фольгу. Внутри свертков оказались куски красного луциана, которого он поймал два дня назад, овощной салат и картошка. Фрэнсис принялся вопить, как пожарная сирена, и не угомонился, пока не получил причитающееся ему угощение. Мы сели за крошечный столик, стоявший возле единственной пустой стены, и я спросила:

— Привык готовить для себя одного?

Он кивнул:

— Последние года три — да. А раньше готовил на двоих.

— Ты сам готовил? Не родители?

Он кашлянул, насаживая на вилку кусочек картофелины.

— Мама умерла, когда мне было тринадцать. До этого, конечно, она была на кухне главная. А потом... мне оставалось или научиться готовить, или трескать одни тосты и рыбу, что, как я подозреваю, мой отец делает, когда меня нет дома. Хотя время от времени я напоминаю ему, чтобы покупал фрукты или какую-нибудь зелень.

Так. Пока все совпадало с тем, что говорил о себе Лэндон: живет с отцом, ни братьев, ни сестер нет. Трудно было не обратить внимание на такое совпадение, и, думаю, Лукас это понимал. И все-таки для разоблачения его двуличия момент был не слишком подходящий. Ведь человек секунду назад сказал мне, что еще ребенком потерял мать.

— Извини, я не знала.

Он кивнул, но тему развивать не стал.

После того как мы поели, Лукас выпустил кота на улицу, потом вернулся к столу, взял меня за руку и отвел к себе в спальню. Ничего не говоря, мы лежали на боку лицом друг к другу. Его прикосновение было почти нестерпимо легким. Он прошептал что-то, щекоча своим дыханием мою щеку, процеловал дорожку от уха к ключице и стал неторопливо расстегивать пуговицы моей белой блузки. Открыв одно плечо, он дотронулся до него губами. Я вздохнула и закрыла глаза. Почувствовав мои пальцы у себя под рубашкой, Лукас сел, быстро стащил ее через голову и отбросил в сторону, а потом накрыл меня своим телом и снова стал целовать.

Его губы требовательно разжали мои. Я положила руку ему на бок, туда, где были начертаны таинственные письмена, и почувствовала, как по его телу пробежала дрожь. Мы перевернулись, и Лукас стащил блузку с другого моего плеча. Она так и висела у меня на локтях, пока он целовал кожу над светло-бежевыми чашечками бюстгальтера. Мое тело тянулось к нему, как будто под действием статического заряда.

Ничего не говоря и не объясняя, Лукас остановился перед чертой, которую я провела неделю назад. Наш диалог сводился к междометиям и тихим неясным звукам. Все они означали только одно — радостное принятие того, что происходило сейчас между нами.

— Я должен отвезти тебя обратно. — Мы почти час не разговаривали, поэтому его голос был немного сиплым.

Стрелка висевших над столом часов подползала к двенадцати. Лукас протянул мне лифчик и пролез в свою рубашку — так же как и снял ее, через голову. После этого он подал мне блузку, а как только я продела руки в рукава, развернул меня, застегнул пуговки и, обхватив мое лицо обеими ладонями, поцеловал.

Я стояла возле мотоцикла и надевала перчатки, когда на другом конце дворика открылась дверь и из дома вышел мужчина с ведром. Он открыл бак, выбросил туда мусор и повернул обратно, но тут вдруг я заметила, что Лукас замер как вкопанный и смотрит на этого человека. Тот, наверное, почувствовал на себе наши взгляды и обернулся. Свет из открытой двери дома упал ему на лицо: это был доктор Хеллер.

— Лэндон? — вопросительно произнес он и, не получив ответа (ни Лукас, ни я даже не пошевелились), смущенно добавил: — Жаклин?

Вне всякого сомнения, профессор тут же сообразил, что мы двое вышли из квартиры, которую Лукас у него снимает, и что сейчас двенадцать часов ночи. Подумать, что мы просто провели невинный внеплановый семинар по экономике, он не мог: время и место нашего свидания были слишком нетипичны для академических мероприятий.

Несколько ужасно долгих секунд мы все молчали. Наконец доктор Хеллер, сокрушенно вздохнув, пригвоздил Лукаса решительным взглядом:

— Мне нужно будет с вами поговорить. Когда вернетесь, зайдите, пожалуйста, на кухню. Это займет не больше получаса.

Лукас быстро кивнул, надел свой шлем, который на протяжении всей этой сцены судорожно сжимал в руках, а потом повернулся ко мне, чтобы проверить, хорошо ли я застегнула ремешки под подбородком. Мы посмотрели друг на друга, но он промолчал, и я тоже. Десять минут езды до моей общаги ничего между нами не прояснили: не было сказано никаких волшебных слов, от которых ложь перестала бы быть ложью. Я не знала, что мне делать или говорить в такой ситуации. Поэтому стала просто ждать, когда Лукас сам все объяснит.

Мы подъехали к общежитию. Я слезла с мотоцикла и, не снимая перчаток, неловко стащила с головы шлем и резинку для волос. Лукас тоже снял шлем и убрал вместе с моим — как будто не собирался больше его надевать. Я повернулась к Лукасу: он сидел, уставившись на свои руки, сжимавшие руль.

— Ты уже знала, да? — Он говорил тихо, и мне было непонятно, какое чувство он вкладывает в эти слова.

— Да.

Он оторвал взгляд от руля и, хмурясь, посмотрел мне в глаза:

— Почему не сказала?

— А ты почему ничего не сказал? — Я считала, что в подобной ситуации не я должна была отвечать на его вопросы, а он на мои. И меня взбесило, что он их из меня вытягивает. — Так, значит, ты Лэндон. А Ральф зовет тебя Лукасом. И та девушка, и другие люди. Как же тебя зовут на самом деле?

Он снова взглянул на руль, и я почувствовала, что злость растет внутри меня, будто надувной шар, — даже в ребрах затеснило. Лукас, казалось, решал, что рассказать мне, а о чем промолчать. «Харлей» тихо ворчал, готовый в любую секунду рвануться с места.

— И так и этак. Лэндон — мое первое имя, Лукас — второе. Все зовут меня Лукасом. Теперь. Но Чарльз... доктор Хеллер знает меня давно, и для него я по-прежнему Лэндон. Ты, я думаю, знаешь, что некоторых людей трудно заставить называть тебя не так, как они называли всегда.

Очень логично. Только эта логика все равно не объясняет, зачем было изображать передо мной двух разных парней.

— Ты мог бы сказать мне раньше. И не сказал. Ты обманывал меня.

Лукас выключил двигатель и, сойдя с мотоцикла, взял меня за плечи:

— Я никогда тебя не обманывал! Ты просто строила предположения, исходя из того, что сказал тебе Ч... доктор Хеллер. Но перечитай мои письма: ни в одном из них я не назвал себя Лэндоном.

Я высвободилась:

— Зато ты позволял мне называть тебя Лэндоном!

Он уронил руки и посмотрел на меня так, что я невольно застыла.

— Ты права, во всем виноват я. И мне очень жаль. То, чего мне так хотелось, не могло произойти между тобой и Лэндоном. Все, что у нас было, запрещено правилами. Я их нарушил.

Я с трудом сглотнула. Мне было тяжело дышать. Я уже слышала то, чего он еще не сказал. Он собирался меня бросить. Я моментально вернулась на несколько недель назад, к тому ужасному разговору с Кеннеди. Все те чувства хлынули на меня, как будто прорвало плотину. Казалось, я вот-вот утону. Меня бросили родители, меня бросил парень, а вслед за ним — все друзья, кроме Эрин и Мэгги. Теперь меня бросает Лукас. И Лэндон. Два разных человека, каждый из которых был мне по-своему дорог.

— Значит, это все.

Он посмотрел на меня поразительно осязаемым взглядом, как будто пальцами по лицу провел:

— Иначе пострадает твоя оценка. Как вернусь, я объясню доктору Хеллеру, что ты ни в чем не виновата. У него не будет к тебе претензий.

— Значит, это все, — повторила я.

— Да, — сказал Лукас.

Я повернулась и пошла к зданию. Только поднявшись на верхнюю ступеньку крыльца, я услышала, как снова зарычал оживший мотор мотоцикла.

ГЛАВА 16

В понедельник, в конце лекции, доктор Хеллер сказал:

— Миз Уоллес, подойдите, пожалуйста, ко мне на минутку после занятия.

Я кивнула, на секунду встретившись с ним взглядом.

— Ай-ай-ай, маленькая хулиганка! — сказал Бенджи. Улыбка сползла с его лица, как только он на меня посмотрел. — Погоди... У тебя что, действительно проблемы? — Мой сосед обернулся, быстро найдя глазами единственную возможную причину моих неприятностей с профессором. — Он узнал про... — Бенджи кивнул в сторону Лукаса.

— Да.

Бенджи вытаращился на меня и понизил голос:

— Серьезно? Вот черт! Как это получилось?

Я покачала головой:

— Не важно как. Он узнал. Теперь все.

Сжав губы, Бенджи запихнул тетрадь в рюкзак и вздохнул:

— Ой, как жалко! — Его ореховые глаза наполнились искренним сочувствием. — Может, я чем-нибудь помогу?

Я снова помотала головой. Разговор нужно было направить в другое русло.

— Со мной все будет в порядке. Как прошел разговор с отцом?

Бенджи широко улыбнулся и раскрыл руки:

— Как видишь, я не разорван на куски. Все части тела на месте. — Он игриво подвигал бровями, а я в шутку его пихнула. — Это оказалось не так страшно. — Бенджи закинул на плечо рюкзак. — Мне даже стало легче, когда я все выложил. И ему, по-моему, тоже.

— Хорошо.

Я была рада за друга. Жаль только, что раскрытие моей тайны не привело к тому же результату. На Лукаса я ни разу не обернулась. Когда я входила в аудиторию, он пялился в свой блокнот, явно не желая смотреть в мою сторону.

— Привет, Жаклин! — сказал Кеннеди, когда мы встретились, и гордо улыбнулся: дескать, гляди, я наконец-то запомнил твое имя!

— Привет, — ответила я, проскакивая мимо.

Я остановилась на последней ступеньке прохода. Доктор Хеллер посмотрел на меня поверх голов студентов, которые толпились вокруг него, и попросил, чтобы я зашла за своей работой к нему в кабинет после обеда. Судя по выражению его лица, это был скорее приказ, чем приглашение. Я покраснела и сказала, что приду.

❖ ❖ ❖

— Ты же не сделала ничего плохого, поэтому и беспокоиться тебе не о чем. Может, препод просто хочет убедиться, что этот Лукас — или Лэндон (без разницы, кто он, — хоть Боб из «Симпсонов») — тобой не воспользовался.

Я была благодарна Эрин за попытку меня подбодрить, но ее доводы казались мне малоубедительными. Я полулежала на кровати, свесив ноги, и глядела на квадратик свинцового неба в маленьком окне. Меня слегка трясло, хотя в помещении было тепло, даже жарко. Мы с Эрин знали, что раритетная отопительная система нашей общаги будет нагнетать нам горячий воздух до тех пор, пока маленькая комнатка не превратится в сауну. Потом отопление выключат и снова включат только после того, как мы закоченеем. Так было всю прошлую зиму, и даже удивительно, что к февралю мы с соседкой не заработали воспаление легких.

— Как ассистент преподавателя Лэндон был на высоте. А мои отношения с Лукасом никого не касаются.

— Разве что меня, — поправила Эрин.

Я повернула к ней голову и слабо улыбнулась:

— Да, разве что тебя.

— Во сколько ты должна быть у доктора Хеллера? — спросила она, кладя последние штрихи на сверкавший блестками плакат, который поручили ей «сестры» по студенческому обществу.

— Между половиной второго и половиной третьего.

— Лучше поторопись. А я сейчас заканчиваю и бегу на работу. Скинь мне эсэмэску, если надо будет кому-нибудь врезать. И не забудь: завтра мы идем покупать платья для тусовки «братишек».

— Помню, — сказала я, в очередной раз изумляясь, до чего легко и быстро моя подруга умеет менять тему разговора.

Во второй раз за семестр доктор Хеллер взирал на меня из-за своего стола, а я старалась не ёрзать на стуле. То, что за каких-нибудь несколько недель я уже дважды оказалась на этом месте, было для меня чем-то невероятным, ведь в детстве я почти никогда не вызывала недовольства учителей.

Пригласив меня сесть, доктор Хеллер порылся в стопке бумаг и, вытащив оттуда мою работу, пробормотал:

— Ага...

Пока он внимательно ее пролистывал, я сидела, сцепив руки на коленке и гадая, будет ли моя оценка зависеть от того, что я скажу или не скажу в ближайшие несколько минут, или она уже выставлена. Я вздрогнула, когда профессор, откашлявшись, сказал:

— Я побеседовал с мистером Максфилдом — вы, наверное, об этом знаете?

— Нет, сэр. Мы не разговаривали, — ответила я, нервно глотнув воздуху.

Профессор приподнял брови и удивленно посмотрел на меня:

— Вот как? — Он нахмурился, как бы немного растерявшись. — Что ж, я задам вам тот же вопрос, который задал ему. Очень надеюсь на вашу правдивость. Эта работа написана с его помощью?

Теперь уже я озадаченно нахмурилась: я не была уверена, что правильно понимаю вопрос.

— Он сориентировал меня относительно источников. А потом, когда проект был готов, все прочитал и указал мне на несколько ошибок, которые я исправила. Работа моя.

Доктор Хеллер, кивнув, вздохнул:

— Хорошо. Теперь последняя самостоятельная. Вам было сообщено о ней что-то, чего не знали другие студенты?

Я сглотнула:

— Он прислал мне вопросный лист и посоветовал, чтобы я его заполнила.

Профессор приподнял кустистую бровь и в упор посмотрел на меня. Я поправилась:

— Очень настойчиво посоветовал. Но, честное слово, про самостоятельную он ничего не говорил. Я думала, он просто раскомандовался. Не поняла, что это он не случайно...

Вот дерьмо!

— Он полностью признал свою ошибку, миз Уоллес.

У меня перехватило дыхание, мысли стали путаться. Сейчас я видела только одно: с первой нашей встречи, когда он расквасил физиономию Баку (перед этим, надо полагать, стащив его с меня), Лукас постоянно мне помогал. А теперь, каковы бы ни были наши отношения, он рисковал потерять из-за меня работу.

Я подалась вперед и, вцепившись в край стола, сказала:

— Лукас никоим образом не воспользовался мной. Он был замечательным репетитором. Я не могла ходить на его семинары (в это время у меня другое занятие), поэтому он присылал мне вопросники по электронной почте. — Я перевела дыхание, боясь наговорить еще больше глупостей, чем уже сказала. Если я буду лепетать, как девчонка, влюбленная до потери пульса, моим словам будет грош цена. — Мне бы очень не хотелось, чтобы у него были из-за меня неприятности.

Профессор, наморщив лоб, смотрел на мою работу, которую по-прежнему держал в руках. Пожалуй, вид у него был более участливый, чем за несколько секунд до того. Внимательно поглядев на меня, он сказал:

— Лэндон говорит то же самое. Вы, дескать, не знали, что молодой человек, с которым вы... виделись... и есть ассистент преподавателя. И все вопросы, связанные с учебой, вы обсуждали только по электронной почте.

Я кивнула. Противоречить Лукасу было нельзя. Доктор Хеллер опять вздохнул, откинулся на спинку стула и, задумавшись, потер подбородок. Наконец он протянул мне мои листки:

— Вы проделали большую работу, миз Уоллес. Для студенческого проекта ваши выводы очень глубоки и хорошо обоснованы. Если вы так же успешно сдадите экзамен, ваша оценка за мой курс не пострадает от... э-э-э... эмоциональных потрясений, которые вы претерпели в этом семестре. И позвольте дать вам совет: в вашей жизни еще не раз может произойти что-то способное выбить вас из колеи. На будущее, пожалуйста, имейте в виду: не всегда преподаватели и работодатели будут проявлять понимание и терпимость. Как бы сказала моя дочь, этого ежика придется скушать.

— Да, сэр, — сказала я, с трудом удерживаясь, чтобы не заглянуть на последнюю страницу работы, где стояла оценка. Теперь, конечно, нужно было встать, поблагодарить профессора и смыться, пока он добрый. Но я не смогла не спросить: — А Лукас? У него неприятности? Он... он потеряет работу?

Доктор Хеллер покачал головой:

— Нет — ведь, насколько я понимаю, ничего страшного не случилось. Но я напомнил Лэндону... э-э-э... Лукасу, что иногда важна не столько суть происходящего, сколько то, как окружающие могут это воспринять. В данной связи я посоветовал ему до конца семестра ограничить ваше общение рамками сугубо академических взаимоотношений.

Лукас вообще не заикался о каком бы то ни было продолжении нашего общения. Его слова о необходимости расстаться прозвучали как вполне окончательные, и он не опроверг их ни письмом, ни эсэмэской, ни хотя бы взглядом (я, правда, точно не знала, смотрел он на меня на лекции или нет).

— Спасибо, доктор Хеллер.

Выйдя из кабинета, я наконец-то посмотрела на свою оценку — 94. Если бы я не пропустила промежуточную аттестацию, такой высокий балл мне точно было бы не получить.

❖ ❖ ❖

В среду и в пятницу я старалась не замечать Лукаса: не глядела в его сторону ни перед лекцией, ни после нее, тем более что, когда занятие заканчивалось, Кеннеди ждал меня в проходе и провожал до выхода. В среду он спросил, как идут мои индивидуальные занятия.

— Что? — Я запнулась на последней ступеньке, и Мур подхватил меня за локоть.

— Кто те два пацана, которые втюхались в тебя до умопомрачения? Они в восьмом классе или в девятом? — Кеннеди рассмеялся. Девчонки, которые стояли в дверях, когда мы выходили на улицу, проводили нас взглядом. Мой бывший, по своему обыкновению, сделал вид, будто не заметил их. — Или в тебя влюбляются все твои ученики?

«Ах, так это он про занятия по музыке, не по экономике!» — с облегчением подумала я, заматывая шею пушистым шарфом и до самого подбородка застегивая молнию. Мы обогнули здание, и теперь холодный ветер с силой дул нам навстречу. Кеннеди поднял воротник пальто и засунул голые руки в карманы.

— Понятия не имею, как они ко мне относятся в глубине души, но, вообще-то, они все довольно колючие ребята.

Кеннеди улыбнулся мне, и точно так же, как когда мы встретились в первый раз, я невольно посмотрела сначала на ямочку на щеке, а потом на красивые зеленые глаза. Он легонько подтолкнул меня локтем:

— Колючесть — верный признак влюбленности.

Я нахмурилась и, глядя прямо перед собой, прибавила шагу. Было непонятно, куда мой бывший клонит, но выяснять не очень-то хотелось.

— Увидимся позже, Кеннеди. Мне пора на испанский.

Он поймал меня за руку:

— Мэгги сказала, ты придешь в субботу на нашу тусовку?

Я кивнула. Во вторник вечером мы с подругой провели в торговом центре несколько часов в поисках подходящих платьев и туфель. Ей кровь из носу нужно было заставить Чеза пожалеть обо всем, что бы он ни сделал, — разумеется, кроме решения упасть к ее ногам.

— А кто-то, кажется, говорил мне про свободу, про охоту на новых парней... — сказала я, глядя как Эрин вылезает из десятого или одиннадцатого коктейльного платья, недостаточно совершенного для предстоящего случая, и энергично, как бы танцуя шимми, натягивает на себя кусочек серебристой ткани с разрезом чуть ли не до трусов.

Решительно и немного хищно улыбнувшись в зеркало, Эрин подождала, пока я не застегну ей молнию, и изучила свое отражение. Благодаря сверкающему и переливающемуся платью ее волосы казались просто огненными.

— Так я и охочусь, — промурлыкала она.

Я высвободила руку и, не оборачиваясь, пошла своей дорогой. Кеннеди крикнул мне вслед:

— До скорого, Жаклин!

Я стала мысленно перебирать все предлоги, которыми можно было бы воспользоваться, чтобы все-таки не идти вместе с Эрин на ежегодную большую вечеринку «братишек». Но подходящей отмазки не нашлось, а обещание, данное подруге, просто так не нарушишь — тем более теперь, когда она, обычно вполне вменяемая девушка, преисполнилась такой решимости хотя бы на одну ночь превратить жизнь своего бывшего в сущий ад. В понедельник за ужином она сказала: «Надо его добить. Напоследок». При этом Мэгги посмотрела в мою сторону и многозначительно приподняла бровь. Драма Эрин и Чеза, попытки Кеннеди заполучить меня обратно и вероятное присутствие Бака — все это должно было сделать вечеринку совершенно незабываемым событием.

❖ ❖ ❖

Не смотреть друг другу в глаза на занятиях по само-обороне оказалось для нас с Лукасом гораздо труднее, чем играть в прятки на лекциях по экономике. Но час мы продержались. Самое странное было то, что всю неделю он продолжал высылать мне вопросники без каких бы то ни было комментариев, не считая приписки: «В прикрепленном файле новый вопросный лист. ЛМ».

— Если при ударе ступней велика вероятность того, что вы не попадете в цель или преступник увернется, то удар коленом более надежен: он выполняется легко и с небольшого расстояния. Этим приемом мы сейчас и займемся. — Голос Ральфа вывел меня из задумчивости. — Надеюсь, леди, что вы пока не будете целиться нашим отважным инструкторам в самое уязвимое место.

Как и полмесяца назад, Дон и Лукас поделили группу пополам. Я поспешила присоединиться к Дону, Эрин пошла за мной. Пристегнув к мускулистой руке защитную подушку, наш тренер объяснил, как нужно выполнять удар коленом, и попросил кого-нибудь помочь ему это продемонстрировать. Эрин с радостью согласилась. Я даже почувствовала гордость за подругу, когда она, издав воинственный клич, схватила Дона за плечи и заехала коленом в подушку. Я сразу вспомнила, как Лукас вырубил Бака, пнув его в подбородок: тот как подкошенный повалился на землю и поднялся, я думаю, не скоро.

Наступила моя очередь. Под ободряющие возгласы других женщин и Дона я преодолела стеснение, выполнила прием и, почувствовав легкую дрожь от прилива адреналина, вернулась к Эрин. Она заглянула в мои расширенные зрачки и засмеялась:

— Вот то-то и оно!

Мы перешли к ударам ступней. Каждый раз, когда я под одобрительное бормотание Дона выполняла положенное движение, мои сомнения в том, что я смогу применить все это на практике, потихоньку отступали. Седоволосая Вики (женщина, которая, сама того не зная, помешала мне уйти с занятия две недели назад) спросила:

— Допустим, у нас получится ударить в нужное место, и достаточно сильно. Но даже в этом случае разве нам одолеть такого крупного мужчину, как вы?

Дон напомнил, что наша задача — не победить в драке, а унести ноги:

— Каждая выигранная секунда дает вам возможность убежать.

Ральф объявил небольшой перерыв, и я украдкой взглянула на Лукаса. Он смотрел на меня поверх голов двух девушек, одна из которых что-то ему говорила. В ярко освещенной комнате его льдистые серо-голубые глаза казались совсем светлыми. Меня повело, дыхание стало мелким и прерывистым (видимо, сказалась еще и физическая нагрузка). Мы не отворачивались друг от друга, пока Эрин не взяла меня под руку и не потянула к двери.

— Пойдем-ка, Джульетта, — пробормотала она так тихо, чтобы, кроме меня, этого никто не слышал.

Я покраснела и поплелась за ней в раздевалку. Наклонившись над раковиной, я плеснула себе в лицо водой, уставилась в зеркало и задумалась о том, что видел Лукас, когда на меня смотрел. Что видел Кеннеди. А что — Бак.

— Поплохело, да? — Эрин подала мне бумажное полотенце и тоже принялась разглядывать мое отражение, сжав губы и наклонив голову набок. Ее темные глаза встретились с моими. — Эх, я должна была догадаться, что охота не пойдет тебе на пользу. Кстати, если тебя это утешит, его, кажется, ломает ничуть не меньше.

Я закатила глаза, промокая щеки салфеткой:

— Поверь, это меня нисколько не утешает.

Приподняв бровки, Эрин перевела взгляд с моего отражения на свое, устранила какой-то дефект макияжа, видимый ей одной, и поправила пушистый рыжий хвостик:

— Мм-хм...

❖ ❖ ❖

— За оставшийся час мы с вами освоим еще несколько движений, которые помогут вам освободиться от захвата за плечи и за шею. На следующей неделе мы объединим все приемы, которые выучили, и прокрутим несколько возможных сценариев вашего столкновения с преступником, — сказал Ральф и, хлопнув в ладоши, добавил: — Делимся на группы и приступаем.

Мы, двенадцать женщин, автоматически разделились так же, как и до перерыва. Дон с Лукасом, надев защитные подушечки и шлемы, направились было каждый к своим подопечным, но Ральф их остановил:

— Поменяйтесь-ка местами, ребята. Дамам полезно тренироваться на разных нападающих.

О господи боже мой! Этого еще не хватало! Хоть я и понимала, что суетиться бесполезно, мой мозг стал судорожно искать какую-нибудь увертку, которая избавила бы Лукаса от необходимости при всех до меня дотрагиваться.

Первый вариант нападения назывался «медвежья хватка». Бесстрашная седоволосая Вики вызвалась в замедленном темпе продемонстрировать, что́ в этом случае должна делать жертва. Я стояла рядом с Эрин и другими женщинами и смотрела на Лукаса, тяжело дыша и чувствуя, как сердце пытается проломить грудную клетку. И это он еще ко мне не прикоснулся!

Вскоре стало понятно, зачем инструкторам шлем: оказалось, что жертва должна изо всех сил ударить нападающего затылком в нос и рот. Еще нужно было топнуть ему по ноге, но Лукас попросил пощадить его ничем не защищенные стопы, пообещав, что кричать и извиваться будет как по-настоящему. Все засмеялись. После удара локтем в живот полагалось выполнить движение, которое Ральф, подошедший, чтобы за нами понаблюдать, окрестил «газонокосилкой».

— Мы надеемся, что этот прием вы тоже пока не станете применять в полную силу, — сказал полицейский, оборачиваясь к Лукасу и хлопая его по плечу. — Пожалуйста, не лишайте наших мальчиков будущих радостей отцовства. — (При этих словах женщины усмехнулись, а Лукас слегка порозовел и, неловко улыбнувшись, уставился в пол.) — Ну а если на вас действительно нападут, то вы свободной рукой хватаете нападающего за причинное место и резко дергаете, как будто запускаете газонокосилку.

Ральф продемонстрировал это движение, издав характерный для запуска газонокосилки звук. Даже женщины из группы Дона смотрели и смеялись, а Лукас только прикусил губу и покачал головой.

Каждая из нас шестерых должна была подойти к инструктору и, когда он произведет захват, выполнить нужные движения. Дамам постарше особенно понравилась газонокосилка: они даже вслед за Ральфом пытались воспроизвести шумовой эффект. Когда настала очередь Эрин, глаза у нее загорелись и она одно за другим лихо исполнила все положенные па: ударила «злодея» затылком, топнула, потом проехалась стопой по его голени и пихнула локтем в живот, одновременно «запустив газонокосилку» свободной рукой. Женщины одобрительно зашумели, а Лукас сказал:

— Замечательно! Считайте, что он уже валяется на полу и умоляет вас поскорее убежать.

— Может, мне сначала его пнуть? — спросила Эрин совершенно серьезно.

— Хм... Если нападавший не предпримет новой атаки, то лучше бегите, пока он не поймал вас за ногу и не повалил на землю.

Эрин кивнула и, вернувшись ко мне, незаметно сжала мою руку. Лукас посмотрел мне в глаза, я подошла и встала к нему спиной, стараясь сконцентрироваться на том, что должна была сделать.

Вдруг его мускулистые руки обхватили меня быстро и сильно, хоть и гораздо нежнее, чем это сделали бы руки бандита. Мне показалось, будто я связана ремнями, — так крепко Лукас меня держал. Разволновавшись, я забыла все движения и начала беспомощно барахтаться, пытаясь высвободиться.

— Ударь меня, Жаклин, — сказал он мне на ухо, — локтем. — Я ткнула его в привязанную к животу подушечку, и он пробормотал: — Хорошо. Теперь нога. — (Я осторожно топнула.) — Голова. — Мой затылок едва коснулся его подбородка, защищенного шлемом. Наконец Лукас мягко выдохнул: — Газонокосилка.

Как я ни напрягала свое воображение, мне не удавалось представить себе, будто я могу дотронуться до этой части его тела, чтобы причинить ему боль. И все-таки я, покраснев как рак, выполнила необходимое движение — разумеется, без всяких звуковых эффектов, — после чего Лукас меня отпустил, и я на ватных ногах вернулась к Эрин. По идее я не должна была чувствовать себя глупо, ведь каждая женщина в этом зале проделала все то же, что и я. Но только мне одной пришлось проделывать это с парнем, от чьего прикосновения у меня плавились внутренности. Мне приходилось пинаться, когда на самом деле высвобождаться из его рук я совсем не хотела.

Женщины нашей группы принялись одобрительно похлопывать меня по плечу: все делали вид, что не заметили, как я остолбенела в начале упражнения.

Медвежий хват спереди дался мне, пожалуй, еще хуже. Лукас прижал меня к груди, и, когда я подняла на него глаза, его зрачки слегка расширились. Как правильно подметила Эрин, ему тоже приходилось непросто. Оттого что я это понимала, мне было одновременно и легче и тяжелее.

С удушающими захватами я справилась хорошо, без подсказок. Занятие закончилось. Ральф посоветовал нам самостоятельно тренировать выученные приемы в течение будущей недели — только осторожно. На прощание он пообещал:

— В следующий раз парни будут с ног до головы в доспехах, и вы сможете от души их молотить, ни в чем себе не отказывая.

Эрин и Вики хлопнули друг друга поднятыми вверх ладонями, а Ральф широко улыбнулся, потирая руки:

— Какие жестокие, кровожадные дамы! Берите с них пример!

ГЛАВА 17

После злополучного Хеллоуина я не была ни на одной студенческой вечеринке, а Бака с тех пор, как он пристал ко мне на лестнице, видела только мельком, и всегда рядом были другие люди. Если он ко мне приближался, я шарахалась от него, как будто все его существо вызывало у меня отторжение. Да так оно и было: при одной только мысли о нем у меня пересыхало во рту и начинало крутить живот.

В нашей комнате Эрин заявила, прихорашиваясь перед большим зеркалом:

— Пусть этот маньяк держится от тебя подальше, а то его задница узнает, что такое газонокосилка.

— Этот прием не имеет к заднице никакого отношения, — пошутила я и содрогнулась от воспоминания о лапах Бака на моем теле; мне было досадно, что я до сих пор не научилась подавлять эту дрожь.

На сей раз я не собиралась отходить от Эрин ни на шаг. Слава богу, подруга, кажется, не возражала против того, чтобы на этой вечеринке за ней был хвост. Она взяла меня за плечи и поставила рядом с собой:

— Мы выглядим просто потрясающе! — Наши глаза встретились в зеркале. — Спасибо, что не отказалась со мной пойти. Другие девчонки тоже меня поддерживают, но с тобой им не сравниться. Когда ты рядом, у меня как будто прибавляется сил.

Я улыбнулась и прижала Эрин к себе. Выглядели мы действительно потрясающе. Она, в переливающемся

серебристом наряде и босоножках на каблуке (тоже се-
ребристых), сияла ярче, чем дискотечный зеркальный
шар. Я надела узкое голубое платье, спереди очень просто скроенное, и нанесла на веки тени точно в тон. На
фоне Эрин я могла бы выглядеть скучно, если бы не глубокий (почти до самой талии) V-образный вырез сзади:
благодаря игре на контрабасе и занятиям йогой у меня
была красивая спина. К тому же открытые черные туфельки на высоченном каблуке тоже придавали моему
строгому образу некоторую пикантность.

Сделав несколько танцевальных движений, Эрин
сказала:

— Вперед, и пусть Чез пожалеет, что родился!

Я вздохнула и рассмеялась:

— Какое счастье, Эрин, что ты мне друг, а не враг!

— Верно, черт возьми!

Она шлепнула меня по заднице, и мы, схватив пальто, вышли из комнаты. Ни слова не говоря, протопали
мимо боковой лестницы к широкой центральной. Все,
мимо кого мы проходили, на нас таращились. Один
костлявый первокурсник даже споткнулся, когда его
глаза забегали между мной и Эрин. Хорошо еще, что
шел он не вниз, а вверх и поэтому смог удачно призем-
литься на руки почти у самых ног моей блистательной
подруги.

— Ничего себе! — ахнул бедняга, задыхаясь, а она
потрепала его по голове, как щенка, и проворковала:

— Какой милый!

Обожание, изобразившееся на лице первокурсника
в момент, когда Эрин до него дотронулась, говорило о
том, что есть парни, которые действительно готовы по-
ставить ее на пьедестал и поклоняться ей, как богине.
Но, мне кажется, на самом деле моей соседке этого не
так уж и хотелось.

❖ ❖ ❖

«Братья» из общества, в котором состоял Чез, расстарались вовсю: повесили настоящий зеркальный шар с мотором, наняли музыкантов. Благодаря костюмам, галстукам и чудовищной самоуверенности хозяева вечера выглядели чертовски сексуальными и прекрасно об этом знали. Двое первокурсников, кандидаты в члены клуба, стояли в дверях: один взял наши пальто, а другой забрал у Эрин приглашение на два лица и выдал каждой из нас по купону для «бара», устроенного в кухне, и по лотерейному билетику.

За разложенными на столе призами лотереи присматривал еще один первокурсник. В основном это были всякие электронные прибамбасы: айподы, игровые системы и даже телевизор с диагональю сорок два дюйма.

— Ребята, — фыркнула моя подруга, — а где же спа-процедуры и подарочные сертификаты в магазин женского белья?

При последних словах у парня, поставленного охранять призы, загорелись глаза.

— Привет, Эрин! — сказал чей-то низкий голос. Мы обернулись: позади нас стоял Чез. Он был совершенно неотразим в своем безукоризненно скроенном темно-сером костюме и красном галстуке, как будто специально подобранном к волосам Эрин. — Привет, Жаклин, — добавил он, взглянув на меня тепло и дружелюбно, без тени укора (а ведь я была косвенной причиной их разрыва).

— Привет, Чез! Вечеринка — просто супер! — ответила я за нас обеих.

Эрин, покачиваясь под музыку, помахала кому-то из друзей, а на Чеза никак не отреагировала — словно его тут и не было. Исполнив кантри-песню Кита Урбана, музыканты заиграли старый хит группы «Би Джиз» из

«Лихорадки субботнего вечера». Этот фильм, вышедший, когда мои родители учились, наверное, в начальной школе, был выбран темой сегодняшнего праздника.

Рассеянно оглядевшись по сторонам, Чез снова посмотрел на меня.

— Спасибо, — сказал он и с этого момента никого, кроме Эрин, уже не видел.

А Эрин между тем смотрела на танцующих. Мимо нее проходил какой-то парень, державший в руках несколько традиционных для студенческих попоек красных пластиковых стаканов. Когда она, недолго думая, выхватила один, парень попытался было возразить, но Чез смерил его таким взглядом, что тот прикусил язык и пошел дальше.

Пока моя подруга потягивала содержимое стакана и делала вид, будто давно забыла о существовании своего бывшего, он не сводил с нее глаз. Его намерения были очевидны, и то, что Эрин смотрела куда угодно, только не на него, явно говорило о ее уязвимости. Весь вечер они не выходили друг у друга из поля зрения, но новых попыток заговорить Чез не делал.

Я знала, что он хороший парень, просто слишком доверчивый и потому не застрахованный от серьезных ошибок. Он стал защищать Бака, как своего друга: наверняка говорил Эрин, что я могла выпить лишнего и запомнить все в искаженном свете. Видимо, насильники представлялись Чезу страшилищами, которые выпрыгивают из кустов на девушек, проходящих мимо. Ну а Бак, ясное дело, никакой не насильник — ведь он симпатяга, собрат Чеза по студенческому союзу, его закадычный приятель, наконец. Это же немыслимо, чтобы его лучший друг за каких-нибудь пять минут втоптал в грязь чье-то человеческое достоинство, причинил боль ни в чем не повинной девушке из желания уязвить конкурента. Бак не мог таким варварским способом попытаться выместить на девушке свои комплексы и насрать на то, что теперь ее жизнь превратится в сплошной страх.

Да, в полной безопасности я себя чувствовала только рядом с Лукасом. Черт!

Прошло десять минут. Я смотрела, как Бак танцует с какой-то старшекурсницей, «сестричкой» из общества Эрин. Они оба улыбались, смеялись, и он выглядел таким... нормальным. Тут я впервые подумала: «Неужели я единственный объект его агрессии? Если да, то за что такая честь?»

Вдруг я подпрыгнула от неожиданности, услышав прямо у себя над ухом голос Кеннеди:

— Классно выглядишь, Жаклин! — Вздрогнув, я выплеснула пиво себе на руку (хорошо, что не на платье). Мур взял у меня стакан. — Ой, извини, не хотел тебя напугать. Пойдем, я дам тебе полотенце.

Когда Кеннеди повел меня через толпу, одной рукой держа мое запястье, а другую положив мне на голую спину, я растерялась и даже не сразу сообразила, что удаляюсь от Эрин. Опомнилась я только на кухне, перед раковиной, — как будто я не пивом облилась, а получила смертельную рану. Ополоснув и вытерев мою руку, Кеннеди задержал ее. Я высвободилась. Он, будто бы не обратив на это внимания, улыбнулся:

— Как я уже попытался сказать, ты сегодня очень красивая. Я рад, что ты пришла.

Музыка играла очень громко, и, чтобы слышать его слова, мне приходилось стоять к нему ближе, чем я хотела.

— Я пришла ради Эрин, Кеннеди.

— Знаю, но мне все равно очень приятно, что ты здесь.

От него пахло его любимым одеколоном «Лакост», но мне уже не хотелось прижаться к нему и вдыхать этот аромат. Опять мой бывший парень показался мне полной противоположностью Лукаса, чей запах был и тоньше, и сложнее: это был запах кожаной куртки в сочетании с едва различимой примесью лосьона, графитного порошка, оставшегося у него на пальцах после рисования, и еды, которую он для меня приготовил, бензина, которым питался его «харлей», и мятного шампуня, которым пахла его подушка.

По тому, как Кеннеди вопросительно на меня посмотрел, приподняв одну бровь, я поняла, что, видимо, прослушала его очередную реплику.

— Извини, что ты сказал? — Я приблизила к нему ухо, пытаясь отогнать воспоминания о Лукасе.

— Я сказал: «Давай потанцуем».

Не будучи в силах привести в порядок путающиеся мысли, я кивнула, и Кеннеди вывел меня на освобожденное от мебели пространство. Мы оказались прямо перед музыкантами. Зеркальный шар, висевший так низко, что парни повыше вполне могли задеть его головой, медленно вращался, волнообразно озаряя комнату вспышками отраженного света. Его отблески падали на лица и тела танцующих, загорались на дверных ручках, женских украшениях и на переливающемся платье Эрин. Руки моей подруги были сомкнуты на шее у старшекурсника из клуба «Пи-каппа-альфа»[1], пальцы сжимали пустой стакан. Парень, сам того не зная, был на линии огня: Чез сверлил его испепеляющим взором. Эрин, заметив это, теснее прижалась к партнеру и восторженно посмотрела ему в глаза. Бедный Чез! Я тоже должна была бы сердиться на него, но мне стало его жалко.

Кеннеди проследил за моим взглядом:

— Я слышал, что Эрин с Чезом расстались. Что там у них случилось?

— Спроси лучше у Чеза.

---

[1] «Пи-каппа-альфа» — студенческий союз, основанный в 1868 г. в Виргинском университете. Объединяет студентов и выпускников различных высших учебных заведений США и Канады.

Интересно, как бы Мур отреагировал, если бы узнал про выходку Бака? Они ведь с самого начала соперничали, хотя и не демонстрировали неприязни друг к другу.

— Спрашивал. Он не захотел об этом распространяться. Сказал, они сильно поссорились из-за того, что Эрин втемяшилась в башку какая-то ерунда, бла-бла-бла... В общем, отделался глупостями, которые парни обычно говорят, когда сами все испортят.

В этот момент заиграла быстрая музыка, и я отдалилась от Кеннеди на более комфортное для меня расстояние. Неприятный разговор о разрывах и их виновниках был замят. Я почувствовала такое облегчение, что потеряла из виду Эрин. И Бака.

В промежутке между двумя песнями он подошел ко мне со спины и сказал:

— Привет, Жаклин! — Во второй раз за вечер я подпрыгнула на месте. — Уже натанцевалась с этим неудачником? Теперь потанцуй со мной.

Все волоски на моем теле встали дыбом, как колючки ежа, каждый мой нерв натянулся, и я шагнула к Кеннеди. Он обнял меня за плечи. Я не хотела, чтобы он ко мне прикасался, но в подобной ситуации выбирать не приходилось.

Бак улыбнулся и протянул мне руку. Я, с недоверием на нее уставившись, прижалась к Кеннеди. Он тоже весь напрягся.

— Нет.

Изобразив свою фирменную ленивую усмешку, Бак посмотрел на меня так, словно моего бывшего рядом не было. Будто я стояла в одиночестве.

— Ладно. Значит, потом.

Я замотала головой и сосредоточилась на слове, которое крутилось у меня в мозгу все утро и которое я повторяла про себя перед каждым ударом на занятиях по самообороне.

— Я сказала «нет». Или ты не понял? — Краем глаза я заметила, что Кеннеди бросил на меня пронзительный взгляд.

Бак прищурился, и маска равнодушия на долю секунды сползла с его лица. Но он тут же опомнился и снова ее натянул. В этот момент я поняла, что он не собирается от меня отставать. Просто выжидает.

— Все понятно, Жаклин. Нет проблем. — Он взглянул на Мура, чье настороженное, но спокойное лицо так не гармонировало с воинственной напряженностью его тела. — Кеннеди... — Они кивнули друг другу, и только тогда Бак ушел.

Я обмякла. Мур подхватил меня. Высвободившись из его рук, я стала искать глазами серебристое платье Эрин, затерявшееся в битком набитом небольшом помещении.

— Жаклин, что у вас с ним происходит?

— Где Эрин? Мне нужно найти Эрин, — пробормотала я, игнорируя вопрос и устремляясь в направлении, противоположном тому, куда ушел Бак.

Кеннеди поймал меня за предплечье. Я вырвалась. Люди на нас смотрели. Мур, не касаясь меня, подошел ближе:

— Жаклин, что происходит? Я помогу тебе найти Эрин. — Он говорил тихо, чтобы слышала только я. — Но сначала скажи мне: почему ты так сердишься на Бака?

Я посмотрела на Кеннеди, чувствуя, что глаза у меня вспыхнули:

— Не здесь.

Он сжал губы, а потом сказал:

— Пойдем ко мне. В мою комнату. — Заметив, что я заколебалась, он добавил: — Жаклин, я же вижу, ты чем-то напугана. Давай поговорим.

Я кивнула, и он повел меня вверх по лестнице. Мы вошли в комнату. Кеннеди закрыл дверь и усадил меня рядом с собой на кровать. В его жилище было, как всегда, чисто, вещи лежали на своих местах — если не считать того, что постель он не застлал, а на стуле возле письменного стола валялись джинсы и рубашки. Я узнала одеяло и простыни, которые мы вместе выбирали перед тем, как обосноваться в кампусе (ему хотелось, чтобы все у него было новое). Узнала книжный шкаф, любимые романы Кеннеди, его книги по юриспруденции, биографии президентов. Все в комнате было таким знакомым. Включая ее хозяина.

— Так что же происходит? — Его беспокойство было искренним.

Я прокашлялась и, не упоминая Лукаса, рассказала о событиях той злополучной ночи. Кеннеди сначала слушал молча, а потом встал и принялся ходить по комнате, тяжело дыша и сжав кулаки. Когда я закончила, он остановился и снова сел. Чувствовалось, что внутри у него все кипит.

— Ты сказала, что смогла убежать. Значит, он не...

Я мотнула головой:

— Нет.

Кеннеди со свистом выдохнул:

— Черт подери! — Ослабив узел галстука, он расстегнул верхнюю пуговицу белой рубашки. Его зубы были так сильно стиснуты, что жилы на шее вздулись и стали похожи на натянутые под кожей канаты. Он покачал головой и с силой ударил себя кулаком по ляжке. — Мать его!..

Обычно Кеннеди не злоупотреблял нецензурной бранью, по крайней мере в разговоре со мной.

— Я займусь этим, — сказал он, пристально на меня посмотрев.

— Не надо, Кеннеди. Что было, то было... Лучше не ворошить. Теперь я только хочу, чтобы он оставил меня в покое.

Удивительно, но, пока я все это говорила, глаза у меня были сухие. Рассказав о происшедшем своему бывшему парню, я как будто почувствовала себя немного сильнее. Кстати, после разговора с Эрин я ощутила то же самое.

Кеннеди опять стиснул зубы, процедив:

— Даже не сомневайся, — он взял мое лицо обеими руками, — эта мразь оставит тебя в покое. Я об этом позабочусь.

Тут он меня поцеловал. Ощущение от его поцелуя было мне так же хорошо знакомо, как обстановка комнаты, где мы сейчас сидели: книги на полке, одеяло на кровати, скалолазное снаряжение в углу, куртка с капюшоном (я иногда ее надевала), запах одеколона. Только почему-то прикосновение этих знакомых губ сейчас показалось мне грубоватым. Можно было подумать, что к нежности, которую Кеннеди испытывает ко мне, примешивается злоба на Бака, но дело было не в этом. Мой бывший всегда целовал меня так. Вот и теперь его язык властно протиснулся мне в рот. Это было совершенно привычно и абсолютно не похоже на Лукаса.

Я отпрянула. Кеннеди уронил руки:

— Господи, Джеки, прости... Это было так неуместно...

— Нет, ничего... Я просто... Я не хотела...

Я принялась рыться у себя в мозгу, стараясь сформулировать, чего же именно я не хотела. С тех пор как мы расстались, прошло семь недель. И вот теперь все точно закончилось. Ничего уже не вернешь. Внезапное осознание этого потрясло меня, и я уставилась на свою руку, лежавшую у меня на колене ладонью кверху.

— Понимаю. Тебе нужно время, — сказал Кеннеди, вставая.

Я тоже встала. Мне захотелось поскорее уйти из этой знакомой комнаты и от этого разговора.

Время ничего не изменило бы в моих чувствах, ничего к ним не прибавило. Времени уже прошло достаточно: боль оттого, что мой парень меня бросил, еще не исчезла, но становилась все слабее. И хоть будущее по-прежнему виделось мне как в тумане, я начала привыкать к мысли, что для Кеннеди в этом будущем места нет.

— Пойдем разыщем твою Эрин. А я поговорю с Баком.

Я застыла на полпути к двери:

— Кеннеди, я вовсе не считаю, что ты должен...

Он обернулся:

— Знаю. Не важно. Я займусь этим. Займусь им.

Я глубоко вздохнула и следом за Кеннеди вышла из комнаты. Мне хотелось верить, что его намерения продиктованы чувством справедливости, а не желанием меня отвоевать.

Мы с Эрин из окна наблюдали за разборкой Кеннеди и Бака. Они вышли на пятачок за домом: там было совершенно безлюдно, из-за холода никто не высовывался из помещения. Слов мы не слышали, но жесты говорили сами за себя. Бак был выше и здоровее моего бывшего, зато Мур обладал врожденным чувством превосходства над противником, которое помогало ему удерживать контроль над ситуацией. Пока Кеннеди говорил, Бак переполнялся яростью, пытаясь выдать ее за раздражение. Мур несколько раз ткнул пальцем воздух, не касаясь Бака и в то же время показывая, что не боится его. Я позавидовала умению Кеннеди бесстрашно разговаривать с людьми, которых он считает недостойными. Я всегда завидовала этому его умению.

Мы отошли от окна, когда мой бывший развернулся и направился к зданию. Секундой раньше Бак заметил меня и пронзил взглядом, полным чистейшей ненависти.

— Ну и дела! — проб ормотала Эрин, хватаясь за мою руку. — По-моему, нам нужно чего-нибудь выпить.

Среди играющих в четвертаки[1] мы увидели Мэгги.

— Э-э-эрин, — позвала она. Язык у нее слегка заплетался, — идем к нам!

Эрин прищурилась:

— Играете командами?

— Да. — Мэгги схватила ее за руку и усадила к себе на колени. — Джей, ты будешь в паре с Минди. Сейчас мы вам всем надерем задницы!

Минди, миниатюрная блондинка-первокурсница, улыбнулась и заморгала большими зелеными глазами, пытаясь сфокусироваться на мне.

— Тебя зовут Джей? — спросила она, растягивая слова и хлопая ресницами — длинными, как у красавицы из мультика. Она выглядела немного инфантильно для своих восемнадцати лет и представляла собой полную противоположность Мэгги, похожей на язвительного эльфа. — Джей — это же мужское имя!

Парни, сидящие напротив, усмехнулись, а Мэгги раздраженно закатила глаза. Теперь я поняла, почему она решила сбагрить свою партнершу мне.

— Нет. Джей — первая буква от Жаклин.

Один из парней взял возле стены два складных стула и поставил их между Мэгги и Минди. Мы с Эрин сели.

— А... — Моя новая знакомая нахмурилась и снова заморгала. — Тогда можно я буду звать тебя Жаклин? — Это было произнесено так неразборчиво, что я едва уловила свое имя.

Мэгги выругалась, беззвучно шевеля губами.

— Конечно так и зови, — ответила я и оглядела стол. — Так что, мы выигрываем?

Парни ухмыльнулись: до победы нам было явно далеко.

---

[1] *Четвертаки* — игра, заключающаяся в подбрасывании двадцатипятицентовой монетки со стола в стакан. Выполнивший неудачный бросок выпивает штрафную порцию спиртного.

ГЛАВА 18

К моменту, когда все начали разъезжаться по домам, мы с Эрин так наигрались в четвертаки, что от нас за километр разило пивом и до утра нам явно предстояло или смотреть на кружащиеся стены (в лучшем случае), или (в худшем) обниматься с унитазом. В воскресенье мы обе до трех часов дня разговаривали исключительно шепотом. А к семи Эрин уже должна была идти на встречу со своими «сестрами». Моя подруга проклинала родню той несчастной, что назначила собрание на следующий день после вечеринки «братишек».

— Какого черта нам собираться, если сегодня мы все равно ничего не решим! Как только председательница стукнет своим молоточком, каждая вторая из нас бросится, чтобы ее растерзать.

Пока мой ноутбук грузился, я наблюдала, как Эрин наматывала на шею фиолетовый шарф и натягивала перчатки того же цвета. Мы все еще разговаривали вполголоса.

— Зато повидаешься с товарищами по несчастью.

— Да уж. — Напялив на огненно-рыжую голову фиолетовую шапку, Эрин надела пальто. — Увидимся через пару несчастных часов.

Лукас уже прислал мне вопросный лист за понедельник. Опять без комментариев. Я понимала, почему он старается не смотреть на меня на лекциях и почему нам, наверное, лучше не встречаться наедине. Но я не понимала, почему наше общение по электронной почте тоже прекратилось. Мне очень не хватало его писем, и я даже гадала, как он отреагирует, если я напишу ему первая. Мне хотелось рассказать Лукасу о вечеринке, о том, как я встретила Бака и ответила ему «нет», как до смерти испугалась и в то же время почувствовала прилив сил.

Оставалась одна учебная неделя, потом сессия и каникулы. Я понятия не имела, изменится ли что-то в наших отношениях после окончания семестра.

Я сделала самое ненапряжное из домашних заданий (разметила карту созвездий для завтрашней лабораторной по астрономии) и разобрала постиранное белье, которое ожидало моего внимания в корзине возле кровати уже три дня. Или четыре. Если не пять. В этот уик-энд я пропустила репетицию ансамбля и часы своих индивидуальных занятий на контрабасе, так что на неделе мне предстояло каким-то образом наверстать упущенное.

Перед приходом Эрин я собралась лечь в постель и с помощью сна избавиться от остатков похмелья.

— Я тут подумала отправиться на боковую пораньше... — зевнув, сказала я в сторону приоткрывшейся двери.

Оказалось, Эрин пришла не одна. У нее под мышкой торчала Минди, моя вчерашняя партнерша по игре в четвертаки. Сначала мне показалось, что накануне она просто перебрала еще сильнее, чем я. Но потом я заметила мрачную физиономию Эрин и красные воспаленные глаза самой Минди. Ее не от выпитого колбасило, она плакала. Причем много. Я спустила ноги с постели на пол.

— Эрин?

— Джей, у нас проблема. — Закрыв дверь, моя соседка усадила подругу рядом с собой на кровать. — Вчера, когда мы с тобой уехали, Минди танцевала с Баком.

При этих словах бедняга вздрогнула, закрыла глаза, и из них снова хлынули слезы.

Сердце у меня забилось. Я догадывалась, что́ Эрин может сказать дальше: все это было малоприятно. Я сто лет не молилась, но тут вдруг начала про себя твердить: «Господи, пусть окажется так, что он не сделал с ней того, чего не вышло со мной. Господи! Прошу Тебя!»

— Он уломал ее пойти с ним в его комнату. — Минди закрыла лицо руками и, как ребенок, уткнулась Эрин в плечо. Та пропела: — Ш-ш-ш... — и обняла несчастную девочку обеими руками. Мы переглянулись. Мы обе знали, что у нее нет своего Лукаса, который бы ее защитил. — Джей, мы должны все рассказать. Теперь молчать уже нельзя.

— Никто мне не поверит! — проскрежетала Минди. Неудивительно, что голос у нее охрип: наверняка она сначала изо всех сил умоляла Бака остановиться (как делала я), потом плакала целую ночь и еще полдня. Представив все это, я почувствовала ярость, какой не испытывала еще никогда... и страх. — Я не... — Она понизила голос до шепота. — Я уже не была девственницей.

— Это не важно, — отрезала Эрин.

Не без труда проглотив ком, стоявший у меня в горле, я выдавила:

— Тебе поверят. Со мной он тоже... пытался это сделать. Месяц назад.

— Он тебя тоже изнасиловал? — ахнула Минди.

Ее личико было все в красных пятнах, а глаза расширились от удивления и ужаса.

Я покачала головой. По всему телу, от шеи до лодыжек, побежали мурашки.

— Нет. Его остановили. Мне повезло.

Насколько мне тогда повезло, до меня дошло лишь теперь. Я и раньше думала, будто понимаю, чего избежала. Но похоже, я понимала не все.

— А... — От непрекращающегося плача голос Минди издал подобие мягкой трели. — Это тоже считается?

— Считается. — Эрин уложила ее, укрыла одеялом и, сидя рядом, взяла за руку. — Как думаешь, Джей, Лукас подтвердит твои показания? Судя по тому, что мы о нем знаем, должен.

Той ночью он был явно раздосадован, когда я не разрешила ему вызвать полицию. Мне тогда не пришло в голову, что, если я не заявлю о случившемся, Бак почувствует свою безнаказанность и захочет это повторить. Я надеялась, ему хватило того, как обошелся с ним Лукас. Но видимо, не хватило. Иначе Бак не поймал бы меня на лестнице. И не стал бы скрыто угрожать мне на вечеринке — прямо перед носом у Кеннеди.

Я кивнула:

— Подтвердит.

Эрин нервно вздохнула и, посмотрев на Минди, сказала:

— Нужно позвонить в полицию или поехать в больницу, ведь так? Не знаю, что в этих случаях делают в первую очередь.

— В больницу? — испуганно переспросила Минди.

Ее чувства были нам понятны.

— Наверное, они должны будут тебя... осмотреть или что-то вроде того... — Эрин попыталась произнести это как можно мягче, но глаза ее несчастной подопечной все равно опять расширились и наполнились слезами.

— Не хочу, чтобы меня осматривали, не хочу в больницу! — запричитала она и так вцепилась в одеяло, что костяшки ее пальцев побелели.

Упрекать Минди было нельзя, ведь предстоящие судебно-медицинские процедуры обещали ей новую боль и новые унижения.

— Мы поедем с тобой. Ты сможешь, — сказала Эрин и, повернувшись ко мне, спросила: — Так что мы должны делать?

Я покачала головой. В полиции кампуса работали разные люди. Кто-нибудь вроде Дона нам бы, наверное, помог. А кто-то сделал бы только хуже. Надо было ехать прямиком в больницу. Но к кому именно там обратиться? Подскажут ли нам, как быть дальше? Я взяла телефон и набрала номер.

— Алло? — настороженно произнес Лукас, и только тут я сообразила, что звоню ему в первый раз.

— Ты мне нужен.

С тех пор как наше общение ограничилось пересылкой вопросных листов и занятиями по самообороне, прошло больше недели.

— Ты где?

— У себя в комнате.

Я ожидала, что он спросит, чего мне от него нужно, но он не спросил:

— Буду через десять минут.

Я закрыла глаза:

— Спасибо.

Он нажал отбой. Я положила телефон, и мы стали ждать.

❖ ❖ ❖

Лукас присел на корточки перед кроватью и заглянул Минди в глаза:

— Если ты не заявишь, он сделает это опять. С кем-нибудь еще. — Голос Лукаса отдавался внутри меня как колокольный звон, хотя говорил он еле слышно. — Подруги поедут с тобой.

Эрин по-прежнему сидела на постели, держа руку Минди. Я едва знала эту девочку, но из-за Бака мы теперь были союзницами. Нас связывало то, чему никто бы не позавидовал.

— А ты? — прошептала она.

— Если хочешь, — ответил Лукас.

Она кивнула, и я почувствовала что-то вроде ревности, тут же поняв, насколько это не к месту.

❖ ❖ ❖

Телевизор в приемном покое был включен на такую громкость, что лопались барабанные перепонки. Я хотела его выключить или убавить звук (у меня и без того болела голова), но какой-то пожилой мужчина с видимым трудом уселся в кресло в десяти футах от экрана и, сложив руки на животе, стал смотреть старое комедийное шоу. Я решила, что пускай телевизор орет, если это помогает старику отвлечься от того, из-за чего он здесь оказался.

Лукас сел рядом со мной, положив ногу на ногу. Его поднятое колено касалась моего бедра, а рука была так близко, что мне захотелось потрогать ее порозовевшим пальцем, но я не стала этого делать.

— Ты не фанатка этого шоу?

Дурацкий вопрос заставил меня перестать хмуриться.

— Шоу просто супер, но, по-моему, его слышно даже на той стороне улицы.

— Хм... — промычал Лукас, разглядывая свой ботинок. — А может, тебя еще слегка козявит после вчерашнего? — Как только Эрин и Минди посвятили его в подробности, он вычислил, что я была вместе с соседкой на вечеринке мужского студенческого общества.

— Есть немного.

Я подумала, не считает ли он меня неблагоразумной из-за того, что я пошла на тусовку, где должен был быть

Бак. «Не очень-то ты осторожна!» — упрекнул меня Лукас месяц назад, и эти слова до сих пор звенели у меня в ушах. Потому что были справедливы.

— Он заговаривал с тобой вчера? — спросил Лукас, по-прежнему глядя на ботинок.

— Да. Приглашал танцевать. — (На челюстях у него обозначились желваки, глаза стали холодными, и он поднял их на меня.) — Я сказала «нет», — добавила я, чувствуя, что оправдываюсь.

Лукас сделал глубокий вдох и, развернувшись ко мне, тихо, но оттого не менее грозно проговорил:

— Жаклин, ты бы знала, каково мне сейчас сидеть здесь и ждать, когда свершится правосудие, вместо того чтобы отловить этого выродка и выбить из него, к чертовой матери, все дерьмо. Конечно, ни ты, ни она не виноваты. Вы не просили его это делать. Никто на это никогда не напрашивается, что бы там ни говорили всякие долбаные придурки и психопаты. Верно?

Я кивнула, онемев от такого монолога.

— Он принял твое «нет»? — спросил Лукас, прищурив глаза, и мне показалось, он хочет договорить: «... на этот раз?»

Я снова кивнула:

— Со мной был Кеннеди. Он заметил, как я странно реагирую на Бака. Пришлось объяснить, что произошло. Тебя я не упоминала. Вообще не говорила про драку. Сказала, мне удалось убежать.

Между бровями у Лукаса залегла маленькая морщинка.

— Как он это воспринял?

Я вспомнила выражения, которые выпалил Кеннеди, — такие нетипичные для его обычной речи — и сказала:

— Рассвирепел. Я никогда его таким не видела. Он вывел Бака на улицу и велел держаться от меня подальше.

Может быть, Бак почувствовал себя уязвленным и, чтобы выместить злость... — Слова «изнасиловал Минди» застряли у меня в горле.

— Говорю же тебе, ты не виновата.

Я кивнула, уставившись на свои колени и чувствуя, что слезы начинают жечь глаза. Мне хотелось верить, будто моей вины тут нет, и все-таки с Минди случилась беда как раз после того, как Кеннеди разобрался с Баком. Из-за меня. Я не могла не связать эти факты. И не могла не чувствовать угрызения совести.

Лукас взял меня за подбородок и, повернув мое лицо к себе, с расстановкой повторил:

— Ты не виновата.

Я опять кивнула, цепляясь за его слова как за спасение.

❖ ❖ ❖

Я припарковала свой грузовичок возле соседнего участка, закрыла дверцу так тихо, как только смогла, и на цыпочках засеменила по еле освещенной дорожке к гаражу. Было поздно — я надеялась, достаточно поздно, чтобы никто уже не стал пялиться в окна на девчонку, которая впотьмах крадется к жилищу парня.

Мотоцикл Лукаса был припаркован возле лестницы. Сердце у меня колотилось. Взявшись за перила, я посмотрела на дом доктора Хеллера: там горел свет, хотя никакого движения заметно не было. Затаив дыхание, я поднялась по ступенькам и тихонько постучала.

В двери был глазок, и через него Лукас, наверное, видел, как я стою на освещенной лестничной площадке. Когда он открыл, лицо у него было явно озадаченное. За час до этого он проводил нас с Эрин и Минди до общежития и уехал к себе. Тогда я поняла, что не сказала ему очень важную вещь. И чтобы все договорить до конца, мне нужно было его видеть.

— Жаклин... — Он взглянул на мою физиономию, невольно попятился и, втащив меня внутрь, захлопнул дверь. — Что случилось?

Лукас схватил меня за локти, а я снизу вверх посмотрела на него. Он был в темной футболке и пижамных штанах на шнурке. Из-под коротких рукавов виднелись татуировки, спускающиеся от плеч к запястьям. Еще на нем были тонкие очки в черной оправе, благодаря которым глаза казались голубее, а ресницы ярче выделялись. Я набрала в легкие побольше воздуху, решив все выпалить, пока не струсила и не передумала:

— Я просто хотела сказать... Мне тебя не хватает. Наверное, это звучит смешно — мы ведь почти не знаем друг друга... Только письма, и эсэмэски, и... все остальное... Но мне показалось, будто знаем. Мне и сейчас так кажется. Мне не хватает... как же это сказать? Вас обоих.

Лукас сглотнул, опустил веки и сделал медленный вдох. Я решила, что не позволю себя оттолкнуть, даже если он, как серьезный здравомыслящий человек, снова попытается это сделать. Но он резко раскрыл глаза и проборомотал: «Да пошли они все!» — а потом толкнул меня к двери и, опершись о нее обоими локтями, поцеловал мои губы с такой силой, с какой их еще никто никогда не целовал: я даже почувствовала, как металлическое кольцо на краешке его рта врезается мне в кожу.

Он прижимался ко мне своим твердым телом, а я приникала к нему, хватаясь двумя руками за его футболку и подстраиваясь под каждое движение. Вдруг Лукас слегка отстранился и, услышав мое протестующее мычание, мягко усмехнулся: он просто высвободил меня из пальто и теперь тянул к дивану, чтобы усадить к себе на колени и еще крепче обнять, одной рукой осторожно придерживая мой затылок.

Мы разняли губы, переводя дыхание. Он бросил очки на столик и через голову сдернул футболку, а потом, уже более бережно, снял мою. Его теплые пальцы сжали мою талию, и мы снова поцеловались. Я обхватила Лукаса за шею, тая от медленного щекотания во рту, а когда он спустился губами к ложбинке над ключицами, запрокинула голову. Его легкие поцелуи, слегка прихватывавшие кожу, заставили меня издать мягкий стон.

— У тебя здесь родимое пятнышко, — прошептал Лукас, дотрагиваясь до моей шеи языком. — Как увижу, с ума схожу. Так хочется...

Замирая от нежных потягивающих поцелуев, я сжала коленями его бедра. Подняв мерцающие светлые глаза, он снял с меня лифчик и подушечками пальцев нарисовал на мне две окружности. У меня в голове все поплыло — такими легкими были эти прикосновения. Он положил руки на мои груди и стал поглаживать их большими пальцами, а я потянулась к нему губами и, проведя ладонью по его упругому животу, развязала шнурок.

— Боже мой, Жаклин... — Лукас глотнул воздуху и весь напрягся под моей рукой, запуская пальцы мне в волосы. Через несколько секунд он уткнулся лбом мне в плечо и сквозь стиснутые зубы простонал: — Останови меня.

Я растерянно замотала головой — может быть, яростно, а может, и едва заметно. Почувствовав у себя на груди его дыхание, я наклонилась и пробормотала:

— Не хочу, чтобы ты останавливался.

Потянув меня вниз и укладываясь рядом на бок, Лукас расстегнул мне джинсы. Его пальцы нырнули под ткань, а губы, не отрываясь, целовали мои. Я выдохнула его имя ему в рот и сжала руку, лежащую у него на плече. Он тихо прорычал мне в ухо:

— Жаклин, скажи «перестань».

Я качнула головой и скользнула рукой по животу Лукаса под мягкую фланель: его тело не желало останавливаться.

— Не скажу.

Я хотела всего, чего захочет он, и ни ставила никаких условий. Чтобы он понял это, я поцеловала его, даже не сомневаясь, что мое согласие сотрет последнюю грань, которую мы еще не перешли. Но я ошибалась.

— Скажи «перестань», пожалуйста, пожалуйста... — тихо попросил он, и я, конечно же, не могла не исполнить эту просьбу, несмотря на то что не понимала, чем она вызвана.

— Перестань, — шепотом сказала я то, чего не думала и не хотела.

Лукас задрожал и убрал пальцы. Я не отодвинулась и не стала больше ничего говорить, а просто сложила руки между своей и его грудью и пролежала так несколько долгих минут, пока он не успокоился и не задышал глубоко и ровно.

Лэндон/Лукас Максфилд спал у себя на диване. В обнимку со мной.

❖ ❖ ❖

Меня разбудило мяуканье Фрэнсиса, который требовал, чтобы его впустили в дом. Я осторожно выбралась из объятий Лукаса и, на ходу напяливая лифчик и футболку, пошла открывать. Вместе с котом в комнату проник холодный ветер, и я поспешила закрыть дверь. Перед тем как прошествовать в спальню, Фрэнсис пару секунд потерся о мои ноги, — думаю, он удостоил меня наибольшего проявления благодарности, на какое только был способен.

Я вернулась к дивану, но вместо того, чтобы разбудить Лукаса или снова лечь рядом с ним, уселась на полу и стала его рассматривать. На лице лежали пряди темных волос, густые ресницы были сомкнуты, пухлые губы сонно приоткрыты. Глядя на него, я как никогда отчетливо увидела мальчика, спрятанного внутри мужчины. Я не знала, что произошло несколько часов назад, зачем он заставил меня сказать «перестань», почему он отгораживался от всех — и от меня тоже. Я не понимала этого, но хотела понять.

Может, красная роза могла мне что-то подсказать? Ведь не случайно же она была вытатуирована у Лукаса на сердце... Узоры на его руках были причудливыми и непонятными. «Наверное, сам придумал», — решила я. Когда он повернулся на спину, у меня наконец-то появилась возможность прочитать то, что написано у него на боку.

> Любовь — не безрассудство,
> А разум — очищенный, согретый
> И вылепленный так,
> Чтобы заполнить собою сердце.

Эти слова показались мне бесспорным свидетельством того, что когда-то — может быть, совсем недавно — Лукас горячо любил какую-то женщину, которую, наверное, потерял, иначе бы я видела ее возле него.

Я снова взглянула на руку, покоившуюся возле его лица. На внутренней стороне запястья, под браслетом чернильного узора, прятался тонкий, но все же заметный шрам — как тайный шифр, вплетенный в витиеватый орнамент.

Внимательно посмотрев на Лукаса и убедившись, что он спит, я осторожно сняла с его груди правую руку и перевернула ее. Под точно таким же узором, как на левой, был тщательно скрыт еще один шрам, пересекающий запястье.

Я села, ошеломленная своим открытием. Не сводя глаз со спящего Лукаса, я подумала, что, даже если он когда-нибудь захочет рассказать мне о том, как появились у него эти шрамы, я вряд ли смогу его понять. Конечно, я сама отгоревала немало дней и ночей после разрыва с Кеннеди, но мне никогда не было настолько плохо, чтобы я решила покончить с собой. И я не представляла себе горя, которое может довести человека до такого отчаяния.

Было поздно. До начала нашего, то есть моего, занятия оставалось восемь часов. Я засобиралась домой и, найдя на кухонной столешнице какую-то обертку, нацарапала на ней, что уехала в общежитие и мы увидимся утром.

— Погоди, — остановил меня голос Лукаса, когда я уже взялась за дверную ручку.

Он сел и посмотрел на меня еще сонными глазами.

— Не хотела тебя будить, поэтому оставила записку, — пробормотала я, беря исчерканную обертку с края стола, складывая ее и засовывая в карман. Мне столько нужно было сказать и спросить, но все слова застряли где-то внутри.

Лукас потер веки, встал, наклонил голову набок и, жмурясь, потянулся. Я старалась не пялиться на его прорисовавшиеся бицепсы и грудные мышцы, но смогла отвести взгляд, только когда он открыл глаза.

— Я провожу тебя до твоего грузовичка.

Когда он отвернулся, чтобы взять футболку, я снова уставилась на него. Спина его тоже была в татуировках, но я не успела их рассмотреть: он надел футболку слишком быстро. Потом зашел за перегородку и вышел оттуда в уже знакомой мне куртке с капюшоном и очень поношенных ботинках, которых я на нем раньше не видела.

— Как Фрэнсис оказался на кровати? — улыбаясь, спросил Лукас. — Если он не отрастил человеческие пальцы, значит это ты его впустила?

Я кивнула. Он подошел ко мне, и его улыбка погасла. Перед тем как мы заснули, уткнувшись друг в друга, произошло что-то странное, и, видимо, теперь это не давало ему покоя. Он спрашивал себя, что я могла подумать, когда он попросил меня сказать слово, которого я говорить не хотела. Если бы он только знал: мое замешательство, вызванное этим непонятным отказом от дальнейшего сближения, было ерундой по сравнению со страхом перед тем, что оставило шрамы на его запястьях.

ГЛАВА 19

Поскольку всю предыдущую неделю Лукас делал вид, будто не замечает моего присутствия в аудитории, в понедельник утром я не знала, чего от него ждать. Перемена оказалась едва заметной, но все-таки бесспорной. Когда я вошла, наши глаза встретились и на его лице появился еле различимый намек на улыбку. Я поймала себя на мысли, что все в нем теперь так хорошо мне знакомо. Когда мы с ним танцевали в клубе, его черты сливались в довольно неясный образ: это был просто офицительно сексуальный парень. Сейчас я могла в любой момент четко представить себе крутую линию, ведущую от уха к сильному подбородку, нос с почти незаметным следом от перелома, на скуле шрам в виде полумесяца и прозрачные глаза, от которых иногда мне становилось не по себе. Волосы, всегда всклокоченные, как будто он только что встал с постели, смягчали его облик. Постригись он короче, он выглядел бы совершенно по-другому.

Лукас снова уставился в свой блокнот, без которого не приходил на лекции по экономике. Я перевела взгляд себе под ноги, чтобы не споткнуться на ступеньках. Каких-нибудь несколько часов назад он взял мое лицо в свои ладони, прижал меня к дверце грузовичка и поцеловал так, будто между нами уже произошло то, чего я хотела. Назад в общежитие я ехала совершенно дурная от страсти.

Проскользнув на свое место рядом с Бенджи, я удержалась от соблазна оглянуться. Если б оказалось, что

Лукас на меня не смотрит, я бы разочаровалась, а если бы он смотрел, я была бы поймана с поличным.

Моя соседка справа, как всегда, в подробностях описывала свой уик-энд подружке, а заодно и двум-трем десяткам людей, которые волей-неволей тоже выслушивали этот отчет. Бенджи принялся точно, хотя и немного утрированно, пародировать жесты и мимику болтушки, и я, чтобы замаскировать приступ хохота, изобразила кашель. Это привлекло ее внимание.

— Ты умираешь, что ли? — спросила она и издевательски оскалилась, когда я покачала головой. — То, как ты при людях выворачиваешь легкие наизнанку, не очень-то аппетитно выглядит. Это я так, на всякий случай.

Я вспыхнула, а Бенджи, наклонившись к ней через меня, сказал:

— А как насчет того, что каждый понедельник пол-аудитории выслушивает во всех сенсационных подробностях, какая ты распущенная алкоголичка? По-моему, это тоже не совсем аппетитно. Так, на всякий случай.

Она негодующе разинула рот, а сидящие вокруг захихикали. Я прикусила губу, изо всех сил стараясь смотреть только на доктора Хеллера, который, к счастью, как раз вошел в аудиторию. Впереди было еще пятьдесят минут отчаянных попыток забыть о том, что тремя рядами выше и на пять мест левее сидит Лукас.

— До экзамена всего девять дней, — хитро улыбнулся Бенджи, пока мы запихивали тетради в рюкзаки.

— Угу...

— Девять дней, и больше никаких... ограничений. — Я уставилась на соседа, а он шаловливо задергал бровями. — Хм-хм...

Я не удержалась и посмотрела, здесь ли еще Лукас. Он разговаривал с девушкой из «Дзеты», которая подходила к нему и раньше, но при этом глядел на меня поверх ее головы.

Выбравшись в проход, Бенджи ослабился и тоненьким голоском пропел:

— Выбираю вопрос за двести долларов из категории «Горячие ассистенты преподавателей», — и замурлыкал мелодию заставки известной телевикторины.

Перед тем как выйти, он, не переставая мурлыкать, улыбнулся Лукасу. Тот пошел по коридору рядом со мной, и мне оставалось только надеяться, что я не очень сильно покраснела. Лукас кашлянул и, дернув плечом, указал на удаляющуюся спину Бенджи.

— Этот парень что... э-э-э... знает про... — спросил он, слегка хмурясь и покусывая нижнюю губу с продетым в нее серебряным колечком.

— От него я узнала... кто ты такой.

— Правда?

Лукас провожал меня на испанский, как две недели назад.

— Он заметил, что мы... смотрим друг на друга, — объяснила я, неловко поежившись, — и спросил, хожу ли я на твои семинары.

Лукас прикрыл глаза и тяжело вздохнул:

— Жаклин, прости меня...

Я замерла, надеясь, что сейчас он наконец-то раскроет мне тайну Лукаса/Лэндона. Минуту или две мы шли молча, с каждым шагом приближаясь к месту, где должны были разойтись. Погода стояла ясная, и, как только мы выходили из холодной тени деревьев или зданий, солнце начинало нас припекать.

— Я заметил тебя еще на первой неделе, — мягко произнес он. — Не только потому, что ты красивая, хотя и поэтому, конечно, тоже. — (Я улыбнулась, глядя на наши синхронно шагающие ноги.) — Мне понравилось, как ты подаешься вперед и опираешься на локти, когда слышишь что-то интересное. А когда ты смеешься, ты просто смеешься, а не привлекаешь к себе внимания. Волосы с левой стороны лба ты постоянно заправляешь за ухо, а справа они падают тебе на лицо, как занавес. Если тебе скучно, ты тихо постукиваешь ногой по полу и барабанишь пальцами по крышке стола, как будто играешь на пианино. Мне захотелось тебя нарисовать. — Мы остановились на освещенном солнцем квадратике, не доходя до затененного входа в филологический корпус. — Почти всегда, когда я тебя видел, ты была с ним. Но однажды ты подошла к зданию одна. Я открыл дверь для девушек, которые в этот момент входили внутрь, и, не отпуская ее, стал ждать тебя. Мне показалось, тебе это приятно и немного странно: ты, в отличие от других девчонок, не ожидала, что какой-то незнакомый парень будет держать для тебя дверь. Ты улыбнулась и сказала: «Спасибо». Это было последней каплей. С тех пор я молился, чтобы ты не пришла ко мне на семинар — по крайней мере, не с ним. Я боялся, что ты узнаешь, кто я. А он, твой парень, воспринимал тебя как что-то само собой разумеющееся, даже когда ты стояла рядом и держала его за руку. Как будто ты его вещь. — Лукас нахмурился, и я подумала, что именно так я и чувствовала себя с Кеннеди. Довольно часто. — Мне ни в коем случае не хотелось причинить тебе боль, но тем не менее хотелось забрать тебя у него. Приходилось постоянно себе напоминать, что не важно, есть у тебя парень или нет: ты все равно стоишь по другую сторону черты, которой я не должен переступать. А потом ты не пришла на аттестацию, и на следующее занятие, и через занятие тоже. Я забеспокоился, не случилось ли чего. Твой парень первые пару дней был слегка мрачный, но уже к концу недели девчонки флиртовали с ним перед лекцией, и по тому, как он с ними держался, я понял, что произошло: вы расстались и ты начала прогуливать. Это было эгоистично с моей стороны, но я ужасно обрадовался и стал искать тебя в кампусе, хотя и не совсем отдавал себе в этом отчет. — Он посмотрел мне в глаза и заговорил еще тише: — А потом Хеллоуин.

У меня перехватило дыхание.

— Ты там был? На вечеринке? — (Он кивнул.) — Почему? Ты разве член их общества?

Он покачал головой:

— В общаге сломался кондиционер. Штатный технический персонал в выходные и праздники не ходит на вызовы, если ситуация не аварийная. А я работаю по контракту и согласился прийти. Чаевых я не взял, и тогда меня пригласили остаться на вечеринку. Я не отказался только потому, что надеялся увидеть тебя. На занятия ты уже две недели не ходила, а кампус такой огромный... Я боялся, что мы никогда с тобой не пересечемся. — Он мягко усмехнулся и потер ладонью шею. — Звучит так, будто я тебя выслеживал.

«Звучит так, будто ты влюбился. О господи!» — подумала я, а вслух спросила:

— Почему ты не заговорил со мной в тот вечер? Перед тем как...

Он покачал головой:

— Было видно, что тебе очень тяжело и ты замкнулась в себе. Почти всех парней, которые к тебе подходили, ты отшивала не глядя. Мне не хотелось быть на их месте. Ты танцевала только с теми, кого уже знала. С ним в том числе.

— С Баком.

— Да. Потом ты ушла, он за тобой, и я подумал, что, может быть... может быть, вы решили втихаря слинять вдвоем. Встретиться на улице или где-нибудь еще.

— Он лучший друг парня моей соседки по комнате, — проговорила я, глядя, как три мои однокурсницы входят в здание. — То есть теперь уже бывшего парня.

Я думала, что знаю его, что он и мой друг тоже. Но, черт возьми, я никогда еще так не ошибалась в людях!

Лукас, нахмурившись, кивнул:

— Мой байк стоял у самого выхода, и я уж было собрался уезжать, но что-то не давало мне покоя. Полсеместра я хотел отобрать тебя у твоего бывшего, а теперь — у этого парня. Я остановился и стал внушать себе, что у меня нет на это никаких оснований. Стоя на месте и препираясь сам с собой, я потерял время, о чем потом очень жалел. В итоге я решил, что у вас с ним все на мази: мне остается только уехать — и дело с концом. Не думать о тебе больше.

— Но вышло по-другому.

— Да.

Вдруг я заметила, что вокруг нас стало пусто, и вытащила из сумки телефон: было десять минут одиннадцатого.

— Вот дерьмо! Занятие-то уже началось!

— Ой, а ведет его тот свирепый профессор, который так не любит, когда опаздывают?

— Тот самый, — сказала я, подумав: «Надо же, запомнил!» — и с тихим стоном засунула телефон обратно. — Теперь мне что-то вообще расхотелось идти на испанский.

Лукас приподнял уголок рта:

— Замечательный из меня сотрудник университета: надоумил студентку прогулять занятие на последней неделе семестра!

— Сегодня обобщающий урок. У меня выходит «А», так что обойдусь без повторения.

Мы стояли и смотрели друг на друга. Я наклонила голову набок и, взглянув Лукасу прямо в его ясные глаза, спросила:

— А у тебя сейчас нет занятия?

— До одиннадцати я свободен.

Уже не в первый раз я почувствовала, что его взгляд скользит по моему лицу, как ветер или самое легкое прикосновение. Когда он остановился на моих губах, я приоткрыла их. Дыхание у меня замедлилось, а сердце, наоборот, забилось быстрее.

— Ты так и не нарисовал меня еще раз. — Лукас резко перевел взгляд на мои глаза, но ничего не сказал. Поэтому я подумала, что он забыл, как мы обменивались эсэмэсками в День благодарения. — Ты говорил, наброски по памяти у тебя не получаются. Хотел уточнить овал лица и шею...

— И губы. Я сказал, что мне нужно больше на них смотреть, меньше пробовать их на вкус. — (Я кивнула. Боже мой, неужели он вообще ничего не забывает?) — Думаю, это было довольно глупо с моей стороны.

Лукас опять уставился на мои губы. От такого прицельного взгляда я даже почувствовала легкое покалывание, и, чтобы погасить это щекочущее ощущение, мне захотелось прикусить губы или потрогать их руками. Я облизнулась, и Лукас, втянув в себя воздух, проговорил:

— Кофе. Пойдем выпьем кофе.

Я кивнула, и мы, ничего больше не говоря, пошли к студенческому центру, который в это время дня был самым многолюдным местом во всем кампусе. Когда мы сели за крошечный столик и принялись потягивать горячее содержимое своих стаканов, я наконец-то нарушила молчание, уже становившееся неловким:

— Так, значит, ты носишь очки? — Я выпалила первое, что пришло в голову.

— Мм... Да.

Так. Мне удалось упомянуть вчерашнюю ночь. Но стоило ли ее упоминать? Или об этом лучше не заговаривать? Могу ли я спросить у Лукаса, почему он меня оттолкнул: потому что он ассистент преподавателя или тут как-то замешаны шрамы на запястьях?

— Я ношу линзы, но к концу дня глаза от них устают.

Я вспомнила, как накануне он открыл мне дверь и какое у него при этом было встревоженное лицо. Очки придавали его облику некоторый налет официальности, а пижама производила обратный эффект. Я прокашлялась и сказала:

— Они тебе идут. Очки. Ты бы мог их всегда носить.

— На них не очень-то удобно напяливать мотоциклетный шлем. А еще они мешают заниматься таеквондо.

— Да уж, представляю себе.

Мы опять замолчали. Через сорок минут ему надо было идти на лекцию, а у меня начиналось занятие на контрабасе, которое я перенесла с выходных.

— Я мог бы сделать набросок прямо сейчас.

Лицо у меня ни с того ни с сего загорелось. К счастью, Лукас в этот момент как раз полез в рюкзак, достал оттуда блокнот и стал искать в нем пустую страничку. Потом вынул из-за уха карандаш и только тогда снова посмотрел на меня. Если он и заметил, что я покраснела, то ничего не сказал. Ни слова не говоря, он откинулся на стуле, положил блокнот на коленку и стал легко, плавно и со знанием дела водить грифелем по бумаге, переводя взгляд с блокнота на меня и обратно. А я тихо сидела, потягивала кофе и смотрела на его лицо, на руки.

В позировании для портрета мне виделась какая-то интимность. В старших классах я ходила на занятия по изобразительному искусству, и, поскольку мои успехи были более чем скромными, за два дополнительных балла с радостью согласилась побыть моделью. Мне пришлось целый урок сидеть на столе перед полным классом пацанов-подростков, которые беззастенчиво на меня глазели. Было очень непривычно и крайне неловко. Особенно меня напрягло, что Зик, парень Джиллиан, начал портрет с груди. Он бессовестно на меня пялился и гордо демонстрировал соседям плоды своих трудов. Я сидела вся красная и делала вид, будто не слышу его шуточек по поводу моих анатомических особенностей, а также пожеланий, чтобы я сняла или хотя бы расстегнула блузку. «Художники обычно начинают с головы», — сказала миз Вачовски, посмотрев на рисунок. Зик и другие мальчишки прыснули со смеху, а я покраснела от унижения, и весь класс это видел.

— О чем задумалась?

Мне не хотелось делиться с Лукасом этими своими воспоминаниями, поэтому я ответила:

— Вспомнила школу. — Морщинку, которая в этот момент наверняка нарисовалась у него между бровями, закрывали волосы, зато было прекрасно видно, как он сжал губы. — А что?

Из-за голосов, музыки и прочего шума я почти не слышала, как грифель царапает бумагу. Следя за карандашом, я подумала о том, какую часть меня Лукас сейчас набрасывает и что бы ему, может быть, хотелось изобразить. Интересно, каким он был в шестнадцать лет? Любил ли рисовать так же, как теперь? Тусовался ли с другими мальчишками своего возраста? Влюблялся ли? Не разбила ли ему сердце какая-нибудь жестокая красавица? А шрамы? Они были у него на запястьях уже тогда или ему еще предстояло их себе нанести?

— Ты сказала, что вы с ним встречались три года, — произнес Лукас ничуть не громче, чем было нужно, чтобы я его слышала.

Он не отрывал глаз от блокнота, продолжая водить карандашом. Его слова не были вопросом. Он решил, что я вспоминаю Кеннеди.

— Я не о нем думала.

Лукас стиснул зубы и снова поджал губы. Ревность? Я поняла, что хотела бы заставить его ревновать, и почувствовала себя виноватой.

— А ты вспоминаешь время, когда был старшеклассником? — спросила я и тут же об этом пожалела.

Он вдруг посмотрел мне в глаза, и рука, сжимавшая карандаш, застыла.

— Бывает. Но мои воспоминания, скорее всего, не похожи на твои.

Он перестал рисовать. Взгляд напряженно блуждал по моему лицу.

— Правда? Чем?

Я улыбнулась, надеясь, что мы либо преодолеем этот возникший перед нами барьер, либо, на худой конец, отступим от него.

— Ну, к примеру, я ни с кем не встречался, — ответил Лукас, теперь уже неподвижно глядя на меня.

Я подумала о розе на его груди и о стихах на левом боку. Мне не хотелось, чтобы та любовь оказалась совсем уж недавним прошлым.

— Как! Совсем ни с кем?

Он покачал головой:

— У меня все было очень... нестабильно, что ли... Были связи, но несерьезные отношения. Я вовсю прогуливал уроки, отрывался с местными и с туристами. Часто ввязывался в драки, в том числе и прямо в школе. Меня то отстраняли от занятий, то вообще исключали. Так что, когда я просыпался по утрам, мне еще нужно было сперва сообразить: идти сегодня на уроки или меня там не ждут.

— И что же случилось?

Его лицо окаменело.

— То есть?

— Ну как ты попал в колледж и стал таким... — Я указала на него рукой и пожала плечами. — Серьезным студентом?

Он уставился на карандаш и стал царапать острие ногтем большого пальца.

— Мне было семнадцать лет. Я ждал, что меня вот-вот снова отчислят, уже с концами, и я буду всю оставшуюся жизнь работать на отцовской лодке. Однажды мы с друзьями устроили тусовку на пляже. Развели огромный костер: на такой огонек всегда сбегались девочки-туристки. Они, как правило, бывали на все готовы. Один из моих приятелей торговал наркотиками. По мелочи, только на вечеринках. Он очень хорошо зарабатывал на приезжих, а нам, своим, давал просто так. В тот раз за нами увязалась его младшая сестра, которая на меня запала. Она была совсем еще девчонка, всего четырнадцать лет, к тому же не в моем вкусе. Поэтому я ее отшил. Тогда назло мне она начала заигрывать с парнями, которые, так сказать, финансировали нашу тусовку. Тупица-братец уже так обдолбался, что на сестру совершенно не смотрел. Моя башка была немногим яснее, и все-таки я заметил, что один из тех, с кем она танцевала, куда-то ее потащил, а она вроде как пыталась высвободиться. Я пошел за ними, а дальше все как в тумане. На следующий день мне сказали, что я сломал тому парню челюсть. Он заявил в полицию, меня арестовали и, наверное, посадили бы, но на той неделе у нас гостили Хеллеры, и Чарльз каким-то образом все уладил. У них с моим отцом был разговор. Потом выяснилось, что меня записали в секцию боевых искусств. Я был не против научиться махать кулаками еще лучше, чем уже умел, и потому не стал возражать. В результате эти занятия впервые в жизни меня как-то дисциплинировали. А перед отъездом Хеллер так промыл мне мозги, как никогда не делал отец. Мне не хотелось разочаровывать Чарльза. — Лукас внимательно на меня посмотрел. — И сейчас не хочется.

Мы продолжали пить кофе. Я молча ждала: это была явно не вся история.

— Чарльз сказал, что я лишаю себя будущего, что наркотики и драки не для меня. Сказал, что мама все видит, и спросил, хочу ли я, чтобы она мною гордилась или чтобы ей за меня было стыдно. Потом пообещал помочь мне поступить в университет: он, мол, подключит все связи, сделает все возможное, если только я возьмусь за ум. Он знал, что я бы хотел начать жить по-другому, и дал мне такой шанс.

При последних словах у меня по спине пробежали мурашки.

— Доктор Хеллер и мне дал шанс. Хороший он человек.

Лукас чуть заметно улыбнулся:

— Да. Очень хороший. Так вот. Я воспользовался своим шансом и последний год учился в школе вполне пристойно, хотя до этого плевал на свой средний балл с высокой башни. Не знаю, как Чарльзу удалось устроить так, что меня приняли — хотя бы условно. Отцу, конечно, мое обучение не по карману, поэтому я и хватаюсь за любую работу. Я плачу Хеллерам за квартиру, но за то, что они с меня берут, у других людей я не снял бы и койку в гараже.

— Он прямо твой ангел-хранитель — столько для тебя сделал...

— Ты даже не представляешь себе сколько, — сказал Лукас, поднимая на меня нестерпимо светлые глаза.

ГЛАВА 20

Я моргнула и в замешательстве уставилась на Эрин:

— Что значит «может быть, передумает давать показания»?

Моя соседка шваркнула телефон об стол, хлопнула дверцей холодильника (предварительно выхватив из него бутылку воды) и бросила на стол туфли таким энергичным движением, что они срикошетили о стену над кроватью.

— Они добрались до нее. Кеннеди, Ди-Джей и декан. Принялись ее убеждать — и уже почти убедили, — что сами займутся Баком. А если, мол, она даст против него показания, пострадает все их студенческое общество и вообще репутация университета.

— Что?!

— Они пытаются заставить Минди чувствовать себя виноватой в том, что ее изнасиловали! — Я никогда еще не видела подругу такой взбешенной. — Дерьмо хрёново! Звоню Кэти.

Я встала и, подойдя к Эрин, предостерегающе дотронулась до ее руки:

— Не нужно никуда звонить, раз Минди этого не хочет.

Эрин пристально посмотрела на меня:

— Джей, ты же знаешь этих «братишек». Всем известно, как они умеют уговаривать.

— Да уж. Ладно, звони.

Эрин набрала номер, и я стала слушать, как она выкладывает председательнице их общества все, что думает об этой ситуации.

— Договорились. Буду через час. С Минди. — Положив трубку, она села ко мне на кровать и взяла меня за руку. Теперь ее лицо было более спокойным и сосредоточенным. — Джей, нужно, чтобы ты поехала с нами. Ты должна им рассказать, что он сделал с тобой.

Почему-то перспектива свидетельствовать перед «сестрами» из женского студенческого союза радовала меня еще меньше, чем предстоящий допрос в полиции и беседа с окружным прокурором.

— З-зачем? — пролепетала я. — Я же не член вашего общества. Так какое им дело...

— Не важно. Прецедент есть прецедент.

Сколько раз я слышала от Кеннеди подобные юридические словечки! Он обожал ими козырять.

— Думаешь, мой рассказ что-то изменит? Ведь со мной у Бака не вышло, да и случаев было, включая мой, всего два...

Глаза Эрин сверкнули.

— Жаклин!

— Ну хорошо, хорошо... Боже мой, что я говорю! — бормотала я, теребя лицо трясущимися пальцами.

Эрин взяла мои руки в свои и мягко сказала:

— Мы должны сделать все возможное, чтобы это не повторилось.

Я кивнула. Она была права. Отослав эсэмэску Минди, мы вышли из общаги и уже собирались садиться в машину, как вдруг меня окликнули: к нам трусцой подбежал Кеннеди:

— Привет, Жаклин, Эрин. — В ответ на его сухую натянутую улыбку моя подруга нахмурилась. Он повернулся ко мне. — Нам нужно поговорить.

Я негодующе посмотрела на него:

— О чем? Уж не о том ли, чтобы я помогла отговорить Минди давать показания? Ты попросишь меня об этом, зная, что́ он со мной сделал?

Кеннеди устало вздохнул:

— Все не совсем так...

— Правда? Тогда в чем же дело?

— Давай поговорим наедине. Пожалуйста.

Я взглянула на Эрин. Она поджала губы, бросила на моего бывшего уничтожающий взгляд и сказала, обращаясь ко мне:

— Поеду за Минди. Мы будем ждать тебя на месте.

Она опасалась, что, поскольку я была настроена и без того не очень решительно, Муру удастся сбить меня с толку. Я внимательно посмотрела на него и убедилась: что бы он там ни плел, он пришел именно затем, чтобы отговорить меня заявлять на Бака.

— Отвези меня на собрание женского общества. Прямо сейчас. Только так я согласна тебя выслушать.

Мой резкий ответ разочаровал и озадачил Кеннеди, и все-таки он согласился:

— Хорошо. Я подвезу тебя, если по дороге мы поговорим.

Я посмотрела на Эрин поверх крыши ее седана:

— Увидимся там.

Она с надеждой кивнула, а я пошла за Кеннеди к его машине. Включив стереосистему на небольшую громкость, он медленно тронулся с места, небрежно положив одну руку на обтянутый кожей руль.

— Спасибо, что согласилась поговорить. — Он бросил на меня взгляд и тут же перевел его на дорогу. — Не сомневайся, я на сто процентов верю всему, что ты мне рассказала в субботу вечером. Бак — подонок, я всегда это знал, только не представлял себе, до какой степени. Он будет исключен: мы уже этим занимаемся.

— Исключен? Из общества? Вот так наказание!

Я закрыла глаза и мотнула головой, как бы пытаясь вытряхнуть из нее то, что услышала.

— Бак приехал в университет в полной уверенности, что возглавит сначала группу кандидатов в члены клуба, потом весь клуб, а к последнему курсу, может, и студенческий совет. Теперь он получит пинка под зад, и никакой папочка ему не поможет. Поверь, для Бака это наказание!

Я разинула рот, не веря собственным ушам:

— Кеннеди, он изнасиловал девушку!

Мур содрогнулся:

— Я понимаю, но...

— Какое еще, на хрен, «но»?! — У меня внутри все дрожало, и я изо всех сил прижала руки к коленям, чтобы не вмазать Кеннеди по лощеной физиономии. — Такие, как он, должны сидеть в тюрьме, и я сделаю все, чтобы он туда отправился.

Послав Мура на переговоры со мной, ребята из их общества поступили недальновидно: эта беседа не только им не помогла, но даже возымела обратный эффект. Кеннеди остановился и припарковал машину.

— Жаклин, тебе нужно понять одну вещь, — начал он, вцепившись в руль обеими руками. — Бак уже несколько недель несет про вас с ним всякий бред. Это все слышали, а кое-кто даже подтверждает. Кроме меня, никто не купится на твою историю о том, как он тебя тоже пытался изнасиловать. Теперь уже поздно это ворошить.

Мне как будто перекрыли дыхание, руки свело от острой боли. Чтобы справиться с головокружением и сдержать слезы, я на секунду опустила веки. Перед глазами у меня было красно от ярости, которая бурлила во мне.

— Мою «историю»?

— Я же сказал, я верю тебе.

Я в упор смотрела в зеленые глаза Кеннеди. Это был тот самый парень, которого я так близко знала целых три года. Я видела, что он мне действительно верил, но эта вера противоречила его желанию избежать скандала. И ради репутации своего клуба он готов был поступить непорядочно.

— Ты мне веришь, но не хочешь, чтобы поверил кто-то еще. Поэтому сидишь здесь передо мной и пытаешься уговорить меня молчать в тряпочку.

— Жаклин, все гораздо сложнее...

— Вот именно, черт подери!

Я выскочила из машины и громко хлопнула дверцей, чтобы не слышать того, что Кеннеди скажет мне вслед. Топая к зданию, где проходили заседания женского студенческого общества, я тряслась от злости и страха. Но теперь к моим чувствам добавилось еще кое-что: решимость.

❖ ❖ ❖

На собрании присутствовало меньше двадцати человек: Эрин, Минди, члены правления и я. Кэти, председательница общества, сидела во главе большого полированного стола. Справа и слева расположились ее помощницы, одной из которых оказалась сестра Оливии. Они были похожи как близнецы.

— Минди, солнышко, тебя здесь никто ни в чем не обвиняет, — сказала она, стервозно улыбнувшись, точь-в-точь как сестрица. В ее голосе сквозила фальшь. — Но дело в том, что ты ведь сама согласилась пойти в его комнату. Так чего же ты ждала?

Я было раскрыла рот, но Эрин меня остановила, положив руку мне на колено. Я выдохнула через нос. Подозреваю, что от бешенства у меня из ушей шел пар, но пока лучше было молчать: я ведь не член клуба, и стоило мне сорваться, меня бы запросто выгнали. Тогда я бы не смогла помочь Минди.

— Ты ведь не была девственницей, верно? — спросила какая-то девушка.

— Господи, Тейлор, это не имеет значения! — выпалила другая.

Тейлор пожала плечами:

— А для меня бы имело.

Минди сидела вся белая. Казалось, или ее сейчас вырвет, или она упадет в обморок. Эрин наклонилась к ней и прошептала: «Дыши, моя хорошая».

Все начали высказываться: кто-то нес откровенную чушь, кто-то говорил более или менее разумно. Молчали только Кэти, Эрин и мы с Минди — два человека, от которых в конечном счете зависела судьба Бака. Когда Кэти легонько стукнула молоточком, все замолчали и повернули к ней голову. Вид у нее был такой величавый, будто она королева, восседающая на троне.

— Джеки, насколько я понимаю, ты утверждаешь, что в ночь празднования Хеллоуина Бак пытался тебя изнасиловать? — проговорила она, воззрившись на меня.

Некоторые из девчонок начали перешептываться, а одна даже хихикнула. Стараясь не обращать на них внимания, я сжала под столом кулаки, сглотнула и ответила:

— Да.

— Прошу прощения, а что она вообще здесь делает, — подала голос девица из младшего звена, — если он даже не...

— Он решительно намеревался сделать это, — процедила Эрин сквозь стиснутые зубы. — Просто его остановили, прежде чем он успел.

Одна из присутствующих, эффектно закинув волосы на спину, спросила:

— Почему же она не заявила об этом сразу же, а теперь вот решила заявить? Может, она таким образом привлекает к себе внимание или хочет отомстить Баку за что-нибудь?

Эрин тихо зарычала.

— Его остановил парень, который все видел и готов дать показания. — Голос у меня дрожал. Эрин сжала мою правую руку. — Что касается того, почему сейчас, а не тогда... это была моя ошибка. Я не знала, что он захочет сделать такое с кем-то еще. — Я виновато посмотрела на Минди, а потом перевела взгляд на Кэти. — Я думала, дело только во мне.

— А что за парень? Из «братишек»? Тогда это дохлый номер, они не станут свидетельствовать против Бака, — сказала Тейлор.

Несколько девушек кивнули.

— Нет. Лукас Максфилд.

— А, я его знаю, — пропела сестра Оливии. — Он аппетитный!

— Это тот, который в Хеллоуин был у «братишек» на вечеринке без костюма? Ковбойские ботинки? Темные волосы? Обалденные глаза? Сексуальный такой? — поинтересовалась девушка, сидевшая рядом с ней.

— Да, это он.

— Минди, — сказала Кэти, прерывая дискуссию о физических данных Лукаса, — если я правильно понимаю, декан и Ди-Джей вчера с тобой разговаривали?

Минди кивнула и посмотрела на председательницу широко раскрытыми глазами, все еще красными от слез:

— Они не хотят, чтобы я давала показания. Обещали сами все уладить.

Все вертели головой, глядя то на Кэти, то на Минди, пока те обменивались репликами.

— И что ты собираешься делать?

— Не знаю. Я совсем запуталась.

Кэти пронзительно посмотрела на нее:

— Бак действительно сделал то, о чем ты говоришь?

Минди кивнула, и из ее глаз, которые и без того были на мокром месте, градом покатились слезы.

— И в чем же ты тогда умудрилась запутаться? Какие, черт возьми, могут быть сомнения?

Эта реплика всех огорошила. На несколько секунд повисла тишина. Наконец девушка, которая назвала Лукаса сексуальным, спросила:

— То есть ты считаешь, она должна дать показания?

— Однозначно.

Девицы заохали, а я так оцепенела, что не могла пошевелиться.

— Но это же будет так нехорошо для... — попыталась возразить вице-президент общества.

— Знаете, что действительно нехорошо? — оборвала ее председательница. — Нехорошо, если женщины не поддерживают друг друга, когда кому-нибудь из парней взбрендит отколоть такую штуку. Меня это уже просто бесит. Час назад я сказала Ди-Джею, чтобы он засунул эту их вонючую «репутацию» себе в одно место. — Кэти встала и подалась вперед, опершись руками о стол. — Сейчас я вам, девочки, расскажу одну интересную историю. В старших классах я выступала в группе поддержки нашей футбольной команды и встречалась с парнем, игроком, который намыливался попасть в университет по спортивной линии. Я с ним несколько раз переспала. По собственной воле. Но однажды мне этого не захотелось, а ему, видите ли, захотелось. Тогда он повалил меня и взял силой. Те немногие, кому я об этом рассказала (включая мою лучшую подругу), твердили о том, что будет с ним, если я расскажу об этом. Они долдонили: мол, ты уже не девственница, вы встречались, занимались сексом. И я промолчала. Даже маме не сказала. А ведь на теле у меня остались синяки. Я плакала и умоляла этого парня остановиться, но он не остановился. Это, девочки, называется изнасилованием. — Кэти выпрямилась и сложила руки. — Так что Бак вполне заслуживает того, чтобы сидеть в камере и радоваться, как он просрал свою жизнь. Этот урод нанес ущерб двум женщинам, сидящим здесь, за нашим столом. И вы беспокоитесь, что, если они на него заявят, кто-то будет нехорошо выглядеть? Выбросьте из головы эту дурь! Пускай декан, Ди-Джей, Кеннеди и другие «братишки» идут в задницу! Сестры мы или нет?!

Привет, Жаклин!
Высылаю вопросник к обобщающему семинару, который будет в четверг. Не уверен, что поступаю формально правильно, отправляя его тебе раньше времени. Но ведь, как я уже признавался, ты моя любимая ученица.
 ЛМ (он же Лукас, он же Лэндон, он же мистер Максфилд)

Мистер Лэндон/Лукас Максфилд!
Как странно получать от тебя письма, касающиеся учебы! Такое ощущение, будто ты не ты. (Вспомнила, как однажды я у тебя спросила, не нужна ли тебе помощь по экономике. Чуть было не собралась сама стать твоим репетитором. Представляю, какой я тебе тогда показалась дурой!)
Спасибо за вопросник. До четверга даже не загляну в него. Так что пусть тебя не мучит совесть из-за того, что ты послал мне его раньше, чем другим.
Мы с Минди дали показания в полицейском участке. Эрин нас туда возила. Мне впервые пришлось рассказать кому-то о случившемся во всех подробностях. Под конец я тряслась и плакала, снова чувствовала себя слабой и глупой. Минди было еще хуже. Нам сказали, что ей, может быть, нужно лечиться от посттравматического расстройства и что нам обеим лучше обратиться за помощью к университетскому или частному психологу.
На обратном пути Минди позвонила родителям, и утром они уже прилетят. А мне даже в голову не приходило рассказать своим. Нет сил в очередной раз выслушивать мамино «Я же тебе говорила...». Во всяком случае, по такому поводу.

Я дала следовательнице твой телефон. Она сказала, что позвонит, когда ты им понадобишься. Что будет дальше, не знаю.

ЖУ

(она же Жаклин, она же Джей, она же миз Уоллес,
она же Джеки — но если так меня назовешь,
применю приемы, которым у тебя научилась)

Миз Жаклин не-Джеки Уоллес!

Ты ни секунды не казалась мне дурой. Я совсем заврался, и от этого мне становилось все паршивее и паршивее. Рад, что ты выяснила, кто я. Жалею только, что сам тебе об этом не сказал. Если кто и дурак, так это я.

А еще я был ослом, когда, не подумав, брякнул, будто в том, что произошло тогда ночью, может быть доля твоей вины. Я просто дико разозлился — на него. Если бы ты в тот момент не закричала, я бы мог его вообще убить.

Вы подали заявление на выдачу охранного ордера?[1]

Лукас

Я.   Перейдем на СМС?

ЛУКАС. ОК.

Я.   Документы в работе. Временный охранный ордер подпишут завтра.

ЛУКАС. Хорошо. Обещай, что позвонишь мне, если тебе будут угрожать.

Я.   Ладно.

ЛУКАС. Завтра сижу на экономике в последний раз. В пятницу у д-ра Хеллера обобщающая лекция.

Я.   Конечно, тебе там нечего делать. А я раньше думала, ты ленивый студент: сидишь сзади, рисуешь, слушаешь невнимательно...

---

[1] *Охранный ордер* — судебное предписание, запрещающее лицу или группе лиц совершать действия, которые могут, по мнению суда, привести к нарушению прав другого лица. В случаях сексуальных домогательств и домашнего насилия выдается с целью оградить жертву от общения с предполагаемым агрессором до проведения слушаний по делу.

ЛУКАС. Немудрено, что ты так решила. На самом деле я сижу на
этих лекциях 4 года. Из них 3 как ассистент. Уже наи-
зусть все знаю.

Я.   Значит, после среды на занятиях не увидимся? А что будет через неделю, после экзамена?

Прошло несколько минут. Я поняла: он или не хочет
отвечать на мой последний вопрос, или не знает, что
ответить.

ЛУКАС. Каникулы. Ты обо мне не все знаешь. Я решил больше
тебя не обманывать. Но и рассказать все пока не готов.
Не уверен, что смогу. Извини.

Каникулы начинались в пятницу на следующей неделе, после заключительного экзамена. По окончании
зимней сессии я должна была уехать из общежития до
начала нового семестра, то есть на семь недель. За это
время многое могло измениться.

В шестом классе я упала с дерева и сломала руку. После этого я семь недель не могла ни на контрабасе играть,
ни даже самостоятельно причесываться. Когда мне было
пятнадцать лет, моя лучшая подруга Далия уехала на семь
недель в летний лагерь, а как вернулась, стала лучшей
подругой Джиллиан. Я продолжала поддерживать отношения с ними обеими, но мы с Далией никогда уже не
были так близки, как раньше. Через семь недель после
начала этого осеннего семестра меня бросил Кеннеди,
а еще через семь недель я поняла, что он мне больше не
нужен. Семь недель могут изменить все.

Как ответить Лукасу и нужно ли вообще отвечать,
я решить не успела: с работы вернулась Эрин. Она казалась странно тихой и какой-то рассеянной. Вместо того
чтобы, как обычно, разбросать одежду по комнате, она
аккуратно разделась и сложила все в корзину для белья.

— Эрин, у тебя все в порядке?

Она плюхнулась на кровать и уставилась в потолок:

— Когда я вышла, Чез стоял возле машины. С цветами.

Поскольку цветов Эрин не принесла, нетрудно было представить, чем закончилась эта встреча. Очевидно, ничем хорошим.

— Чего он хотел?

Вообще-то, я знала, чего хотел Чез: и сегодня, и в субботу вечером. Может быть, он захотел этого в первую же секунду после того, как имел глупость предпочесть любимой девушке своего мерзавца-дружка.

— Униженно извинялся. Сказал, что готов униженно извиняться и перед тобой, если я потребую. Он, понимаешь ли, не думал, что Бак может до такого дойти, когда девчонки сами на него вешаются. А я ведь говорила три недели назад: этому подонку не секс был нужен, ему хотелось выплеснуть на кого-то свою агрессию. — Эрин приподнялась на локтях и посмотрела на меня. — Тогда Чез не стал меня слушать. А теперь вот, когда Бака того и гляди арестуют за изнасилование, — теперь вот слушает.

Я пожала плечами и сказала:

— Думаю, парню, который сам на такое свинство не способен, трудно поверить в то, что на это способен кто-то другой.

Но вообще-то, я понимала Эрин: прекрасно, если человек осознал свою ошибку и извинился, но некоторые вещи лучше делать вовремя.

ГЛАВА 21

В среду утром Кеннеди ждал меня у входа в аудиторию. Я собиралась, не глядя ему в глаза, пройти мимо, но он ухватил меня за локоть:

— Жаклин, давай поговорим.

Позволив ему оттащить меня на несколько футов в сторону, я встала так, чтобы видеть, когда войдет Лукас. Кеннеди прислонился плечом к гладкой стене, выложенной плиткой, и тихо сказал:

— Чез говорит, вы с Минди вчера были в полиции.

Я ожидала, что Мура это взбесит, но он казался спокойным.

— Да, были.

Он потер двумя пальцами тщательно ухоженную щетину под нижней губой (при виде того, как он это делал, мне обычно тоже хотелось потереть подбородок).

— Думаю, я должен тебя предупредить: Бак утверждает, что та штука, которая была у них с Минди, вышла по обоюдному согласию, а с тобой в ночь Хеллоуина у него вообще этой штуки не было.

Я разинула рот:

— Ничего себе «штука»!

Кеннеди, не обращая внимания на мое негодование, продолжал:

— Он, похоже, забыл, как рассказывал Чезу и десятку других парней, что вы с ним кувыркались в твоем грузовике сразу после вечеринки, а потом он нарвался на каких-то бродяг.

Я знала, что Бак распространяет обо мне сплетни, но детали были мне неизвестны.

— Кеннеди, ты думаешь, я бы до такого опустилась?

Он пожал плечами:

— Да нет, просто я же не знал, как ты отреагируешь на наш разрыв. Я сам тогда совершил несколько... хм... необдуманных поступков. Вот и решил, что и ты, может быть, повела себя подобным образом.

Я вспомнила про операцию «Фаза плохих парней», про то, как Эрин и Мэгги предлагали мне пуститься во все тяжкие, и отметила про себя, что не так уж он и не прав. И все-таки у меня создалось ощущение, будто этот человек совершенно меня не знает.

— То есть, по-твоему, потеряв тебя, я могла так сильно расстроиться, что начала клеить парней на стоянках?

Кеннеди ущипнул себя за переносицу:

— Конечно нет. Я всегда догадывался, что Бак преувеличивает. Только я понятия не имел, что... — Мур стиснул зубы и зло сверкнул зелеными глазами. — Мне и в голову не приходило, что он может сделать такое.

Этот разговор уже успел меня здорово утомить, когда наконец-то в поле зрения появился Лукас. Заметив меня, он сразу же подошел и стал рядом:

— Все в порядке?

Он столько раз говорил мне эти слова, что они начали действовать на меня точно наркотик. Когда он их произносил, его голос звучал как сталь, обернутая в бархат. Я кивнула:

— Все хорошо.

Лукас кивнул мне в ответ и, перед тем как войти в аудиторию, быстро взглянул на Мура, обещая уничтожить его, едва появится повод. Кеннеди моргнул и посмотрел Лукасу вслед:

— Этот парень ходит с нами на экономику? Какого черта он тут кроит такие физиономии?

Мур повернулся и стал внимательно изучать мое лицо: я тоже провожала Лукаса взглядом.

— Чез сказал, что в ту ночь на стоянке был какой-то парень и это он на самом деле отделал Бака, а не пара бродяг, как тот говорит. Он и есть тот самый герой? — Кеннеди указал большим пальцем в сторону двери, за которой исчез Лукас. Я кивнула. — Тогда почему же ты мне сказала, что просто убежала?

— Мне не хотелось говорить обо всем этом, Кеннеди, — ответила я и мысленно прибавила: «Особенно с тобой».

В ближайшее время мне предстояло об этом говорить: в полиции, а потом еще и в суде.

— Это понятно. И все-таки мне ты могла бы сказать правду.

— Я и сказала тебе правду. Только не совсем всю. А теперь, после того как ты пытался уговорить меня все замять, лишь бы спасти вашу репутацию, я вообще жалею, что заговорила с тобой о той ночи.

— Возможно, это была моя ошибка, но ее же исправили...

— Да. Девчонки из общества Эрин, которые оказались куда храбрее тебя. Тебе почти удалось надавить на Минди, и если бы она отказалась от иска, то мое дело даже не было бы начато. Кому, как не тебе, это знать! Так что спасибо, Кеннеди, за поддержку. — Я вздохнула. — Послушай, я оценила твой жест, когда ты вышел разобраться с Баком, и я верю, что ты искренне на него разозлился. Но если вы его по-свойски пожурите и турнете из клуба — это не будет для него наказанием. Он должен сидеть в тюрьме.

Я повернулась и хотела было войти в аудиторию, но Кеннеди меня окликнул:

— Жаклин... мне жаль, что так получилось.

Я кивнула. Только память о том, что нас когда-то связывало, заставила меня принять от Кеннеди эти слова. Эрин была права: извинения хороши, когда они своевременны.

Лекция уже началась. Я проскользнула на свое место, ответив Бенджи на его приветственную улыбку, и мысленно поздравила себя с тем, что оказалась такой живучей. Я пережила разрыв с Кеннеди. Пережила то, что пытался сделать со мной Бак, — причем дважды. И если Лукас не сможет или не захочет вверить мне свои тайны, я это тоже переживу.

❖ ❖ ❖

Деревья незаметно сбросили листья и теперь стояли совсем голые. Эта метаморфоза всегда происходила здесь очень резко, а не медленно и красочно, как в более северных штатах. К тому же в последнее время я была слишком занята другими мыслями и переживаниями, чтобы созерцать картины осенней природы. Поэтому мне казалось, будто еще вчера листва была густой и зеленой, а сегодня от нее вдруг почти ничего не осталось, если не считать потемневших сухих кучек под лестницами и возле заборов.

Ненадолго возвратившиеся теплые деньки закончились. Мы с Лукасом кутались в пальто. Шарф, дважды обмотанный вокруг шеи, закрывал мне пол-лица. Я выдохнула в мягкую шерстяную ткань: теплый воздух согрел ее всего на пару секунд. Лукас натянул шапку на уши.

— Хочешь, я пойду с тобой сегодня в полицейский участок? Могу договориться, чтобы в «Старбаксе» меня кто-нибудь подменил.

Я попыталась повернуть к нему голову, но не смогла из-за шарфа.

— Нет. Приехали родители Минди. Они проследят, чтобы с нами обеими все было в порядке. Они даже предлагали забронировать для меня номер в гостинице. Минди они всю эту неделю будут держать при себе, а сразу после экзаменов увезут прямиком домой. Отец перевозит ее вещи из общежития: Эрин говорит, что, может быть, насовсем.

Лукас нахмурился:

— Боюсь, общага здесь ни при чем. Это могло произойти где угодно.

— Может, они это поймут, когда оправятся от потрясения. А может, даже тогда Минди все равно не захочет сюда возвращаться.

— Что ж, ее можно понять, — пробормотал Лукас, глядя прямо перед собой.

Дальше мы шагали молча, пока не дошли до небольшого здания, где проходили занятия по испанскому.

— Я бы и в этот раз с удовольствием прогуляла, но сегодня мы сдаем устные задания, которые считаются частью экзамена.

Лукас улыбнулся и протянул руку, чтобы убрать наглую прядку волос, которая постоянно клеилась к моей губе. Сама я этого сделать не могла, потому что была в перчатках. Я заметила, что указательный палец у него слегка сероватый, значит на лекции он, как всегда, рисовал.

— Я бы хотел с тобой увидеться, прежде чем уеду домой. Где-нибудь, кроме субботнего занятия конечно.

Его палец скользнул по моей щеке, нырнул под шарф и забрался под подбородок. Сердце у меня упало: я уже должна была бы привыкнуть к таким бессловесным расставаниям, и все-таки это «прощай», которое сейчас было написано в глазах Лукаса, застало меня врасплох.

— Сегодня вечером я сдаю специальность, в субботу — ансамбль, а в пятницу концерт, на котором обязательно нужно быть. Могу выкроить время завтра, если хочешь.

Он кивнул и посмотрел мне в глаза так, будто собирался меня поцеловать:

— Хочу. — Вокруг нас еще вовсю суетились студенты, значит на этот раз я пока не опоздала на занятие. Лукас снова натянул мне шарф на подбородок и улыбнулся. — Ты похожа на недоделанную мумию. Как будто тот, кто тебя обматывал, вдруг отвлекся, а потом забыл закончить.

На лице Лукаса редко можно было увидеть открытую улыбку. Гораздо чаще он лишь слегка приподнимал уголки рта — если не хмурился и не пронзал собеседника мрачным взором, — поэтому теперь у меня от неожиданности перехватило дыхание. Я тоже улыбнулась. Из-за шарфа Лукас не видел моего рта, зато он не мог не заметить, что возле моих синеватых глаз, так же как и вокруг его серо-голубых, нарисовались маленькие морщинки.

— Может, я дала ему кулаком по физиономии и расквасила нос, чтобы перестал надо мной издеваться?

Лукас мягко рассмеялся. Глядя на его теплую улыбку, я потянулась к нему, как растение к солнцу.

— Любишь давать людям кулаком по физиономии, да?

— Не до такой степени, как Эрин любит всевозможные удары в пах.

Он снова рассмеялся и поцеловал меня в лоб. Я быстро пошла к зданию, то и дело оглядываясь. Улыбка на лице Лукаса становилась все бледнее, и мне показалось, я многое бы отдала, чтобы ее вернуть.

— Напиши, как у вас все пройдет в полиции.

Я кивнула:

— Хорошо.

❖ ❖ ❖

В среду вечером я ввела имя Лукаса в строку поиска, не будучи уверенной, удастся ли что-нибудь найти. Думала, может, отыщу объявление о смерти его матери и оно меня куда-нибудь выведет. Такое объявление действительно нашлось, но, как и большинство некрологов, оно не раскрывало обстоятельств трагедии. Не было даже приписки: «Вместо цветов просим вас отправлять пожертвования в фонд помощи больным...» — которая содержала бы название недуга, унесшего жизнь молодой матери. Тогда я, совершенно ни на что не рассчитывая, просто пробила имя женщины — Розмари Лукас Максфилд. Как ни странно, поисковик выдал мне множество статей восьмилетней давности. От их заглавий мне стало не по себе. Я кликнула на одно из них. Сердце у меня заколотилось так сильно, что я вздрагивала от каждого удара. Мне очень хотелось, чтобы это оказалась статья о гибели чьей-то чужой матери. Какого-то человека, которого я не знаю.

УБИЙСТВО В ЖИЛОМ КВАРТАЛЕ: НАЙДЕНО ДВА ТРУПА

Выяснились ужасающие обстоятельства трагедии, разыгравшейся в минувший вторник. Полиции удалось установить, что около четырех часов утра местный рабочий-ремонтник Даррен У. Смит через окно заднего фасада проник в дом Рэймонда и Розмари Максфилд. Муж погибшей в этот день находился в командировке. Предварительно заперев сына хозяев в его комнате, Смит неоднократно изнасиловал тридцативосьмилетнюю Розмари Максфилд, а затем перерезал ей горло. От потери крови, вызванной многочисленными ножевыми ранениями, женщина скончалась, после чего убийца выстрелил себе в голову. На месте трагедии были найдены семидюймовый охотничий нож и пистолет калибра девять миллиметров.

Этим летом Смит в числе других членов строительной бригады выполнял ремонтные работы в доме Максфилдов. Данным фактом, вероятно, и ограничивалось общение между преступником и будущей жертвой, если не считать того, что, судя по найденным в квартире Смита фотографиям, он наблюдал за Розмари и членами ее семьи. Следовательно, об отсутствии хозяина ему, скорее всего, было известно.

Обеспокоенный тем, что жена и сын весь день не отвечают на телефонные звонки, доктор Максфилд попросил своих друзей, Чарльза и Синди Хеллер, их навестить. Около семи часов вечера супруги обнаружили окровавленное тело Розмари Максфилд, а рядом с ней труп Смита. Несовершеннолетний сын погибшей был отправлен в окружную больницу для лечения от обезвоживания, шока и незначительных ран. Серьезного физического ущерба ему нанесено не было.

Сегодня вечером Хеллер сделал короткое заявление, попросив представителей прессы и социальных органов не беспокоить Рэймонда Максфилда и его сына, которым предстоит преодолеть потрясение от постигшего их несчастья. «Я служил в армии. В войсках специального назначения. Мне многое пришлось повидать, но ничего страшнее того, что произошло в доме Максфилдов, я не видел. До конца жизни буду жалеть о том, что в тот вечер взял с собой жену, — сообщил Хеллер, на протяжении шестнадцати лет поддерживавший близкие отношения с семьей погибшей. — Роуз была любящей женой и матерью, замечательным другом. Нам всем будет очень тяжело смириться с ее смертью».

❖ ❖ ❖

— Спасибо, что согласились встретиться со мной в нерабочее время. — Я сделала глубокий вдох и села, сцепив руки на коленях. — Я хотела поговорить с вами о Лукасе. Есть вещи, которые мне необходимо о нем знать.

Брови доктора Хеллера сомкнулись.

— Не уверен, что смогу чем-то помочь. Если это личное, то вам, наверное, лучше спросить у него самого.

Я боялась, что профессор так скажет, и все-таки попросила его о встрече. Мне нужно было добиться от него ответов на свои вопросы, прежде чем я снова увижу Лукаса. Мне нужно было знать, почему он нанес себе шрамы на запястья: только ли из-за гибели матери или позднее он пережил новое потрясение.

— Я не могу спросить у него. Это касается его мамы. Того, что случилось с ней. И с ним.

Доктор Хеллер посмотрел на меня так, будто я ударила его под дых:

— Это он вам рассказал?

Я покачала головой:

— Нет, я нашла в Интернете ее некролог, но ничего из него не поняла и тогда ввела в строку поиска ее имя. Выпала статья, в которой упоминаетесь вы.

Он нахмурился:

— Миз Уоллес, я не собираюсь говорить об обстоятельствах гибели Роуз Максфилд, чтобы удовлетворить чье-то нездоровое любопытство.

Я сползла на краешек стула и в очередной раз судорожно глотнула воздуху:

— Это не любопытство. Его руки... На них шрамы. Я никогда раньше не общалась с людьми, которые пытались сделать с собой такое. И когда мы разговариваем, я постоянно боюсь сказать что-то не то. Вы знаете Лукаса всю его жизнь, а я всего лишь несколько недель. Но он мне небезразличен. Даже очень.

Несколько секунд доктор Хеллер молчал, глядя на меня из-под кустистых бровей. Очевидно, он решал, что можно мне сказать, а чего нельзя. Трудно было разглядеть бывшего десантника в этом тихом полноватом человеке. Трудно было представить, что однажды он обнаружил тело зверски убитой жены своего близкого друга.

Он прокашлялся. Я сидела не шевелясь.

— Я подружился с Рэймондом Максфилдом еще в школе. Мы оба мечтали получить степень доктора

философии[1]. Но я собирался заниматься наукой и пре-
подаванием, а он хотел подыскать себе что-нибудь более
практическое вне университета. Как-то раз мы пришли
в дом к одному из наших профессоров, и там познакомились с его дочерью-студенткой. Она была потрясающе
хороша: темноволосая, темноглазая. Когда она прошла
на кухню, Рэй встал и тоже туда направился, якобы за
льдом. Я пошел за ним. Он был моим лучшим другом,
но уступать ему девушку я не собирался: в таких вещах
каждый сам за себя. — Доктор Хеллер мягко усмехнулся. — Через пять минут я был уверен, что Рэй мне не
конкурент. Он спросил, какая у нее специальность, а когда она ответила: «Изобразительное искусство», ляпнул:
«Твой отец — доктор Лукас, крупнейший специалист
в области современной экономики, а ты занимаешься
изобразительным искусством?! И что ты собираешься
делать с таким образованием?» — Доктор Хеллер улыбнулся. Это была рассеянная улыбка человека, погрузив-
шегося в воспоминания. — Она выпрямилась во все
свои пять футов два дюйма[2] и, сверкнув глазами, сказала: «Я собираюсь сделать этот мир прекраснее. А что собираешься делать ты? Деньги? Вот так удивил!» Она развернулась и вышла из кухни. Рэй потом еще долго бесился, что не успел ничего ответить. Через неделю я встретил
Роуз в кафе. Она спросила: «Ты такой же ненавистник
искусства, как и твой друг?» — а я, не будь дураком, гордо выпалил: «Ни в коем случае! Я отдаю себе отчет в том,
какую важную роль играет искусство в развитии нашей
цивилизации!» Тогда она пригласила меня на выставку,
в которой участвовала, и сказала, что Рэй тоже может
прийти. Я передал ему ее слова и тут же об этом пожа-

---

[1] *Доктор философии* — ученая степень, присваиваемая магистрам
как гуманитарных, так и естественных наук. Считается приблизитель-
ным эквивалентом степени кандидата наук в Российской Федерации.
[2] Около 157 см.

лел: он собирался реабилитироваться, засыпав девушку остроумными репликами, которые формулировал с того самого первого вечера. Картинная галерея была зажата между винным магазином и прокатом мебели. Когда мы подошли к входу, Рэй съязвил: «Пока мир искусства не кажется мне особенно прекрасным!» — а я в очередной раз рассердился на себя за то, что его привел. Роуз выглядела как настоящая художница: полупрозрачное платье, волосы забраны наверх. С ней была нарядно одетая блондинка во вкусе Рэя, которую она представила как свою лучшую подругу, тоже финансистку. Рэй эту девушку, по-моему, даже не заметил. «Ну и где тут твое?» — спросил он у Роуз, и она, явно нервничая, повела нас к стенду, на котором были вывешены ее акварели. Мы все стали напряженно ждать, когда Рэй выскажет свое суждение. Он молча изучил каждую работу, а потом посмотрел на Роуз и произнес: «Они прекрасны. Думаю, именно это и есть твое призвание». Через три месяца она окончила университет, и в тот же вечер у нее на пальце появилось кольцо. После того как он защитил диссертацию, они поженились, и он стал стремительно делать карьеру, о чем всегда мечтал. Ну а я, как ни странно, начал встречаться с симпатичной финансисткой, и мы поженились вскоре после Роуз и Рэя. С тех пор мы дружили семьями, и Лэндон был нашим троим детям почти как старший брат. — Тут доктор Хеллер остановился и глубоко, печально вздохнул. Ко мне вернулась прежняя неловкость. — Рэй работал в Федеральной корпорации страхования банковских вкладов, часто ездил в командировки. Я преподавал в Джорджтауне. Мы жили милях в двадцати друг от друга. В тот вечер Рэй не смог дозвониться до Роуз и Лэндона, и тогда мы с Синди поехали посмотреть, в чем дело. Роуз лежала в своей комнате, рядом с трупом Смита, а Лэндон был в своей. — Доктор Хеллер сглотнул. Мне стало трудно дышать. — Он так охрип от крика, что не мог говорить. Его запястья были намертво привязаны к столбику кровати. Он тащил ее за собой, пока во что-то не уперся. Оттого что он пытался вырваться и попасть к матери, веревки врезались ему в кожу. На его руках и на покрывале была засохшая кровь. Вот откуда эти шрамы. Он промучился так пятнадцать или шестнадцать часов.

Я почувствовала тошноту, и слезы в три ручья потекли у меня из глаз, но голос доктора Хеллера оставался ровным и бесстрастным. Мне показалось, что он изо всех сил старается не погружаться в то, о чем рассказывает. Наверное, я поступала жестоко, заставляя его вспоминать тот ужасный вечер.

— Роуз была сердцем их семьи. Рэй ее обожал. После того как она так трагически погибла, а он не смог ее защитить... он замкнулся. До этого события он быстро продвигался по карьерной лестнице, но теперь все забросил. Переехал вместе с Лэндоном к своему отцу на побережье и снова стал работать на рыбацкой лодке, которую, уезжая из дома в восемнадцать лет, надеялся никогда больше не увидеть. Через пару лет отец умер и оставил все им. Лэндон тоже замкнулся, хотя и по-своему. Мы с Синди много раз говорили: «Парень не должен быть оторван от всего, что знал и любил, и ему наверняка нужно лечение», но Рэй от горя ничего не хотел слышать. Он не мог вернуться в свой дом или хотя бы просто в город. — Доктор Хеллер посмотрел на меня и, заметив, что я плачу, полез в ящик стола за салфетками. — Думаю, будет лучше, если остальное вам расскажет сам Лэндон, то есть Лукас. Он решил называться своим вторым именем, девичьей фамилией матери, когда приехал сюда, в колледж. Видимо, посчитал, что так ему будет легче измениться и начать все заново. Довольно трудно отделаться от привычки восемнадцатилетней давности, да он и не особенно возражает, если я называю его по-старому. — Доктор Хеллер пристально посмотрел на меня и вздохнул. — Лучше бы я не видел, как вы вдвоем выходили из его квартиры. Ну а что касается ограничений, связанных с его ассистентской должностью, то они уже неактуальны. Об этом можете больше не беспокоиться.

Я промокнула глаза салфеткой и поблагодарила профессора. Должностные ограничения сейчас беспокоили меня меньше, чем что бы то ни было.

ГЛАВА 22

— А ты хороший повар, — сказала я, подхватывая еще не убранную со стола посуду и направляясь к раковине вслед за Лукасом.

Он ополоснул тарелки от остатков соуса песто и повернулся, чтобы взять у меня стаканы.

— Приготовить пасту — дело нехитрое. Проверенный студенческий рецепт, позволяющий блеснуть на свидании своими сомнительными кулинарными способностями.

— Так у нас свидание? — протянула я и, прежде чем Лукас успел обернуться, добавила: — Ты делал песто сам, по-настоящему, я за тобой наблюдала. Это выглядело вполне впечатляюще. К тому же откуда тебе знать, как питаются студенты, если ты никогда не жил в общежитии? Там паста — это консервированные макароны от «Шефа Бойярди» или лапша быстрого приготовления, которая продается по две упаковки за доллар. В лучшем случае — что-нибудь низкокалорийное замороженное. Так что, поверь мне, твоя кулинария очень даже изысканная.

Он рассмеялся, и я снова увидела его открытую улыбку, которая была мне так дорога.

— Правда?

Я тоже улыбнулась, хотя и не совсем искренне: мне как будто растянули рот, чтобы я выглядела веселее и беззаботнее, чем была на самом деле.

— Правда.

В глубине души я не переставая боролась со страхом перед тем, что прочла вчера в Интернете и несколько часов назад узнала от доктора Хеллера. Лукас прошел через настоящий ад и, насколько мне было известно, ни с кем не поделился своими переживаниями. Он сказал, что есть вещи, которых я о нем не знаю и о которых он, вероятно, не сможет со мной говорить. А я, вместо того чтобы отнестись к его тайне с уважением, решила докопаться до всего сама. Я хотела, чтобы Лукас доверился мне, но мое бесцеремонное любопытство запросто могло, наоборот, отдалить его от меня.

— Думаю, ты лишишь меня звания шеф-повара, когда узнаешь, что на десерт у нас брауни[1] из коробки, — мрачно сказал он.

— Смеешься? — Я улыбнулась. — Брауни из коробки — моя слабость. Откуда ты об этом узнал?

— Вы такая противоречивая, миз Уоллес. — Лукас попытался произнести это строго, но у него не получилось.

Я взглянула на него, приподняв брови:

— Я же девушка. Мне по определению положено быть противоречивой.

Он вытер руки, бросил полотенце на столешницу и притянул меня к себе:

— То, что ты девушка, мне очень даже хорошо известно.

Сплетя свои пальцы с моими, Лукас бережно завел мне руки за спину. Мы смотрели друг на друга. Дыхание у меня стало чаще, а сердце забилось быстрее.

— Как ты будешь освобождаться от такого захвата, Жаклин? — спросил он, обнимая меня.

— Никак, — ответила я и прислонилась к нему. — Я не хочу освобождаться.

---

[1] *Брауни* — традиционное американское шоколадное печенье.

— А если бы хотела? Тогда как?

Я закрыла глаза, представляя себе эту картину:

— Я бы дала тебе коленом в пах и топнула по ноге. — Тут я открыла глаза, чтобы сопоставить его рост со своим. — Долбануть тебя головой в переносицу я, пожалуй, не смогу: ты слишком высокий. Если только подпрыгнуть, как нас учили в футбольном лагере.

— Хорошо, — одобрил Лукас и, приподняв уголок рта, наклонился ко мне. Наши губы были в нескольких дюймах друг от друга. — А если бы я тебя поцеловал, когда тебе этого нс хотелось?

Мне этого хотелось так сильно, что голова шла кругом.

— Тогда бы я... я бы тебя укусила.

— О боже! — выдохнул он, закрывая глаза. — До чего заманчиво звучит!

Я приподнялась на цыпочки, но до губ Лукаса все равно не дотянулась. Нагнуть его к себе я не могла, потому что он удерживал мои руки у меня за спиной.

— Ну тогда поцелуй меня.

Губы у него были теплые. Он тихонько прихватил ими мои, а я провела кончиком языка у него за зубами, зацепив колечко в углу рта. Почувствовав это, Лукас поцеловал меня крепче — так крепко, что мне стало трудно дышать. Внезапно выпустив мои руки, он поднял меня и усадил на столешницу.

Теперь мы поменялись местами. Я обхватила Лукаса руками и ногами и, запустив пальцы ему в волосы, осторожно нащупала языком его нёбо. Через несколько секунд я охнула от приятного тянущего ощущения. Я никогда еще никого так не целовала. И никто так не целовал меня. Одной рукой придерживая мою шею, а другой — талию, Лукас опять прижался ко мне губами. Его язык мягко поглаживал мой, а зубы легонько щекотали.

— Черт... — простонала я.

После поцелуя я с еще большей силой притиснула Лукаса к себе. Мне было так хорошо, что хотелось кричать.

Сняв меня со столешницы, но не отстраняя от себя, он прошел в спальню, и мы рухнули на кровать. От нового щекочущего поцелуя я блаженно заерзала под Лукасом. Тогда он приподнял меня и стянул с меня свитер, а я расстегнула его рубашку. Не снимая ее, он взялся за молнию моих джинсов.

— Да, — сказала я, отвечая на его вопросительный взгляд. Сомнения в моем голосе не было.

Тогда он, по-прежнему глядя на меня, потянул за язычок, и я почувствовала, как бегунок ползет вниз. Я часто, но мягко дышала, не сводя глаз с Лукаса. Все еще держась одной рукой за замок, а другую положив мне на бедро, он пробормотал:

— Я давно не делал такого... Можно даже сказать, никогда.

— У тебя никогда раньше не было секса? — спросила я с недоверием, которое безуспешно попыталась скрыть.

Лукас взял меня за талию и, закрыв глаза, вздохнул:

— Был. Но эти женщины мало что для меня значили, и я почти ничего о них не знал. Случайные связи. И все. — Он поднял глаза.

— И так было всегда?

Лукас грустно улыбнулся и провел пальцами по моему животу, просунув их под ослабленный пояс джинсов.

— Да и этих связей было не очень много. В школе такое случалось со мной гораздо чаще, чем в последние три года.

Я не знала, что на это ответить. Я не могла ни на чем сосредоточиться, кроме его указательных пальцев, продетых в петли на моем поясе.

— Лукас, я сказала «да», и я действительно согласна. Я этого хочу. С тобой. Поэтому если у тебя есть... защита, то давай. Все нормально, — лепетала я, боясь повторения того, что произошло шесть дней назад. Я выдохнула и почти шепотом добавила: — Пожалуйста, не проси меня тебя остановить.

Лукас посмотрел мне в лицо. Я приподняла ноги, он стянул с меня джинсы и отбросил их в сторону, а потом снял свои и стряхнул с плеч рубашку.

— Я бы хотел, чтобы было лучше, чем нормально. Ты этого заслуживаешь.

Заглянув в прикроватную тумбочку и вытащив из коробки презерватив, Лукас устроился между моими ногами. Я тряслась, как в первый раз.

— Жаклин, ты дрожишь. Может быть...

Я приложила дрожащие пальцы к его губам.

— Нет, просто немного замерзла, — сказала я, про себя добавив: «И страшно нервничаю».

Лукас вытащил из-под нас одеяло, и мы укрылись. Он прижал меня телом и с силой поцеловал, а потом взглянул мне в глаза и, проведя пальцами по моему лицу, спросил:

— Так лучше?

Я глубоко вздохнула. От его прикосновения все страхи рассеялись. Теперь я чувствовала еще большее нетерпение, чем несколько минут назад на кухне.

— Да.

Лукас потрогал мои волосы, одновременно гладя большим пальцем кожу у меня на виске. Его лицо было так близко, что я видела каждую прожилку глазного яблока.

— Ты в любой момент можешь меня остановить, — сказал он тихо и мягко. — Но сегодня я тебя об этом не попрошу.

— Ладно, — сказала я, приподнимая голову, чтобы добраться до его губ, и хватаясь обеими руками за твердую мускулистую спину.

Когда я провела пальцем ему по позвоночнику, он, уже больше ни в чем не сомневаясь, снял то немногое, что еще было на нас надето, и после нового энергичного поцелуя вошел в меня. Если бы на его месте был Кеннеди, все закончилось бы через несколько минут.

Последней связной мыслью, промелькнувшей у меня в мозгу, пока Лукас ласкал и целовал мое изгибающееся тело, было: «И стоило этого так бояться...»

Мы лежали, уютно устроившись под одеялом, и смотрели друг на друга. Я следила за его взглядом, который медленно скользил по моему лицу — как будто он старался запомнить каждую черточку: форму уха, рта, подбородка, линию шеи, изгиб выглядывающего из-под одеяла плеча.

Наконец он снова посмотрел мне в глаза и, не отрываясь от них, поднял руку, чтобы прочувствовать мое лицо еще и на ощупь. Проводя пальцем по моим губам, он на секунду задержался там, где они смыкались. Я сглотнула и стала сосредоточенно дышать. Лукас перевел взгляд на мой рот и долго смотрел, а потом, положив руку мне на шею, привлек к себе и стал целовать так мягко, что сначала я едва ощущала его прикосновения. Но через несколько секунд меня охватила пронзительная нежность и я почувствовала, как искра пробегает от губ к самым кончикам пальцев.

Я вздохнула, и мое дыхание смешалось с дыханием Лукаса. Он отвернул одеяло, уложил меня на спину и, подперев щеку рукой, стал рассматривать мое открытое до пояса тело. Я должна была бы замерзнуть, но под его взглядом коже было тепло.

— Хочу нарисовать тебя так, — сказал он, водя пальцем по моей ключице. Его голос был нежным, как и прикосновения.

— Надеюсь, на стену ты это не повесишь?

Он улыбнулся:

— Очень бы хотелось, но, так и быть, не повешу. Я несколько раз тебя рисовал, и далеко не все висит на стене.

— Правда?

— Угу...

— А ты мне покажешь эти рисунки?

Кусая нижнюю губу, он провел теплыми руками по изгибам моей груди, а потом пробежал по ребрам и, остановившись на талии, притянул меня ближе.

— Прямо сейчас?

— Можно немножко позже, — сказала я, глядя ему в глаза, пока он накрывал меня собой.

— Хорошо. — Он спустился ниже. — Тогда перед этим я хотел бы сделать еще кое-что.

❖ ❖ ❖

Шлепая босыми ногами по полу, он в одних трусах направился на кухню. Входная дверь открылась и закрылась, и через секунду я услышала его тихое бормотание, заглушаемое настойчивым мяуканьем Фрэнсиса. Вскоре Лукас вернулся с высоким стаканом молока и тарелкой брауни.

Передав мне печенье, он отпил из стакана и поставил его на прикроватную тумбочку. Я села, придерживая простыню на груди, и стала наблюдать за его передвижениями по темнеющей комнате. Он включил настольную лампу и взял один из нескольких блокнотов, лежавших стопкой на краю стола.

Когда Лукас повернулся ко мне спиной, я увидела между лопатками витиеватый крест, расположенный так, чтобы футболка полностью его закрывала. Вокруг были какие-то строки — слишком мелкие и явно не предназначенные для чтения на расстоянии, как и стихи на боку. Ниже лопаток татуировок не было. Обернувшись, Лукас заметил, что я его разглядываю. Поскольку я не успела вовремя отвести глаза, теперь уже было глупо скрывать, как мне приятно смотреть на него.

Он забрался на кровать, сел позади меня, подсунув подушки себе под спину, и под одеялом обхватил ногами мои бедра. Я, откинувшись, прислонилась к его груди и принялась за печенье, а он начал листать блокнот. На некоторых страницах были только легкие линии, едва намеченные очертания, а на других — подробно проработанные пейзажи, изображения людей и предметов. Несколько рисунков Лукас закончил и подписал, но незавершенных было больше.

Наконец он открыл первый набросок, который сделал с меня (видимо, на лекции, еще до моего разрыва с Кеннеди): я сидела, облокотившись на стол и подпирая подбородок рукой. Я взяла у Лукаса блокнот и сама стала медленно переворачивать страницы. Рисунки: два самых старых университетских корпуса, парень на скейте, нищий, о чем-то разговаривающий с парой студентов на окраине кампуса, — показались мне очень умелыми. Они перемежались с подробными изображениями каких-то машин и деталей.

Листая блокнот, я нашла еще один свой портрет — крупный план: только лицо и линия волос. Судя по дате, нацарапанной в нижнем углу, рисунок был сделан за две-три недели до того, как Кеннеди меня бросил.

— Ты не обижаешься, что я наблюдал за тобой еще до того, как мы познакомились? — настороженно спросил Лукас.

Я покачала головой: сейчас, сидя в обнимку с ним и греясь о его тело, я ни на что не могла обижаться.

— Ты просто наблюдательный, а я почему-то показалась тебе интересным объектом. К тому же ты ведь рисуешь и других людей, которые, наверное, тоже не специально тебе позируют.

Он усмехнулся и вздохнул:

— Даже не знаю, лучше мне или хуже от такого оправдания.

Склонившись набок, я положила голову на татуированное плечо Лукаса и так, снизу вверх, посмотрела ему в лицо. Простыню я все еще прижимала к себе: на меня вдруг нашла запоздалая стыдливость. Или неуверенность. Я заметила, как его разгоряченный, обжигающий взгляд быстро скользнул вниз. Потом Лукас снова посмотрел мне в глаза.

— Я уже не сержусь из-за того, что ты не сказал мне, кто ты такой. Я тогда подумала, ты мною играешь, потому и разозлилась. Но потом увидела, что это не так. — Тут я отпустила простыню, и взгляд Лукаса упал вместе с ней. Я провела пальцами по его гладкой щеке, — наверное, он побрился прямо перед моим приходом. — Я никогда тебя не боялась.

Не говоря ни слова, он взял из моих рук тарелку и блокнот, а потом приподнял меня, посадил к себе на колени и принялся целовать мою грудь. Я теребила его волосы, стараясь заглушить внутренний укор в том, что из нас двоих теперь я молчу о чем-то важном. Да, самого Лукаса я не боялась. Но страшилась вновь оказаться брошенной, если скажу ему, что и как я о нем узнала.

Вдохнув его запах, теперь хорошо мне знакомый, я провела пальцами по надписям и узорам на обнимавших меня руках. Все мои терзания приглушил новый поцелуй.

ГЛАВА 23

— А где... — Поймав на себе мой взгляд, Бенджи осекся и, не закончив фразы, указал на пустующее место в
последнем ряду наклоном головы и характерным движением брови.

— Сегодня заключительная лекция, обобщающая.
Ему ни к чему здесь быть.

— Вот оно что. — Мой сосед улыбнулся и, наклонившись ко мне, заговорил тише: — У тебя есть относительно него кое-какие секретные сведения, и при этом
с последних лекций вы уходили вместе. Значит, теперь
кое-кто занимается с ним индивидуально? — Я поджала
губы, а Бенджи весело фыркнул и пропел: — Поздрав-
ляю!

Поднеся костяшки пальцев к его кулаку, поднятому
вверх в приветственном жесте, я вздохнула:

— Господи, Бенджи, все-то ты знаешь!

Он усмехнулся и посмотрел на меня широко открытыми глазами:

— Женщина, если б я был натуралом, я бы тебя
у него вероломно похитил.

Мы посмеялись и приготовились в последний раз
конспектировать лекцию по макроэкономике.

— Привет, Жаклин! — сказал Кеннеди, подсаживаясь
на свободный стул рядом со мной. Бенджи уставился на
него, сощурив глаза, но Мур не снизошел до того, чтобы
это заметить. — Хочу тебя предупредить. — Он сидел на
стуле боком, глядя прямо на меня. — Дисциплинарный

комитет разрешил ему остаться в кампусе до конца следующей недели, если он не будет нарушать предписаний охранного ордера. Потому, что он не признает себя виновным, и потому, что семестр все равно уже заканчивается. После сессии он должен будет уехать.

Я уже знала, что накануне Баку предъявили временный охранный ордер и он был выпущен под залог: Чез по телефону сказал об этом Эрин, а она все передала мне, Минди и ее родителям.

— Ужас! Значит, он остается в общаге?

Мы все надеялись, что его вышвырнут из кампуса, но наше руководство напирало на презумпцию невиновности.

— Да, еще на неделю, а потом уедет. И мы, кстати, не обязаны быть такими же беспристрастными, как университетские чиновники. — Кеннеди улыбнулся. — Похоже, на Ди-Джея снизошло озарение после того, как Кэти промыла ему мозги. Декан тоже перестал упираться, и они пришли к компромиссу: Бак останется до конца сессии, причем выходить он сможет только на экзамены, а с экзаменов должен будет прямиком возвращаться в общагу. — Накрыв мою руку своей теплой ладонью, Кеннеди посмотрел мне в глаза. — Может... может, я могу что-нибудь сделать для тебя?

Я знала своего бывшего слишком хорошо и сразу же поняла скрытую суть этого вопроса. Давать ему второй шанс я не собиралась. Его место уже занял другой человек, но даже если бы тот мне не встретился, я бы лучше осталась одна, чем быть с тем, кто может бросить меня так, как Мур. Дважды. Я высвободила руку и положила ее на колени:

— Нет, Кеннеди. Я в порядке. Мне ничего не нужно.

Он вздохнул и опустил взгляд. Потом кивнул и напоследок еще раз на меня посмотрел. В его знакомых зеленых глазах я увидела исчерпывающее осознание того, что он потерял. Это тешило мое уязвленное самолюбие, и все-таки мне было немножко грустно. Вставая, Кеннеди задел мою соседку и, извинившись перед ней, пошел на свое место. Она как раз только что прибежала и сегодня, видимо, не собиралась делиться с общественностью своими планами на предстоящий уик-энд.

❖ ❖ ❖

После первого курса из колледжа обычно отсеивались студенты, которые в свое время считались звездами школьных оркестров или хоров, но не особенно утруждали себя занятиями. Эти ребята были слишком уверены в своей гениальности, чтобы снисходить до теории или таких «технических мелочей», как разыгрывание гамм и посещение репетиций. Большинство же из тех, кто оставался в университете, было помешано на своей специальности. Мы занимались регулярно, часто по нескольку часов в день, и не позволяли себе расслабиться, каких бы успехов ни достигали.

Я приехала в кампус немного испорченной тем, что дома могла играть на контрабасе сколько пожслаю и когда пожелаю. Родители меня в этом не ограничивали, хотя я, конечно, старалась выбирать такое время, чтобы не слишком им мешать. Поскольку инструмент мой размером со шкаф, держать его в общежитии было невозможно. Он хранился в отдельной кабинке в музыкальном корпусе, и в назначенные часы я ходила туда заниматься. Старалась застолбить себе место на вечер, что не всегда удавалось: корпус был открыт чуть ли не круглосуточно, в том числе и в выходные, но мало кому хотелось через весь кампус идти на занятие в два часа ночи.

Еще труднее было назначить время для репетиций джазового ансамбля. В начале первого курса мы решили встречаться дважды или трижды в неделю. Потом стало ясно, почему так мало желающих репетировать в воскресенье утром: полкампуса маялось с похмелья, и музыкантам тоже ничто человеческое не чуждо. К середине осеннего семестра многие из нас успели пропустить воскресную репетицию по разу, а то и по два. Но что сходило с рук на первом курсе, вряд ли сошло бы теперь.

В пятницу, прямо перед концертом, я в очередной раз попыталась объяснить одному из наших духовиков, почему не смогу прийти в субботу утром на короткий внеплановый прогон, несмотря на то что вечером нам уже выступать:

— У меня завтра занятие...

— Да-да, знаю: курсы самообороны. Просто замечательно. Если мы провалимся, это будет на твоей совести.

Генри был, бесспорно, очень талантлив — как будто родился с саксофоном в длинных пальцах. Его высокомерие оправдывалось действительно недюжинным мастерством, поэтому мы все позволяли ему собой командовать. Но в этот раз мне почему-то не захотелось терпеть брюзжание этого говнюка.

— Что ты несешь, Генри? — Я сердито на него посмотрела. Он сидел в артистически небрежной позе рядом с Келли, нашей пианисткой, которая предпочла не участвовать в споре. — Я за весь семестр пропустила только одну репетицию.

Он пожал плечами:

— Вместе с завтрашней уже две, верно?

Ответить я не успела: начался концерт, и я, скрежеща зубами, села на свое место. Я не менее серьезно относилась к работе, чем кто бы то ни было в нашей группе. Но завтрашнее занятие по самообороне было последним, самым важным, и я не хотела его пропускать.

Ральф нам пообещал, что в эту субботу каждая из нас сразится один на один с Доном или Лукасом, и моя подруга была от такой перспективы в полном восторге.

— Постараюсь, чтобы мне достался Дон, — сказала Эрин, пока мы собирались: она к себе в ресторан, а я на концерт. — Не хочу повредить твоему красавчику какую-нибудь важную деталь, пока ты с ним не наигралась, — добавила она, нанося очередной слой туши на ресницы одного глаза и хитро прищуривая другой.

Лукас целый день не давал о себе знать. Неудивительно: мы оба были так заняты, что я даже почти не думала о том, почему он не звонит. Почти.

Год назад мне бы и в голову не пришло, что я буду спать с кем-то, кроме Кеннеди. У Мура до меня были девушки: мне это стало ясно хотя бы потому, что во время нашего первого раза он уже вел себя как мужчина, у которого есть опыт. Мы о таких вещах никогда не говорили, да они меня и не слишком беспокоили. Лукас тоже далеко не мальчик, это заметно. Но он сказал, что с теми предыдущими девушками у него не было ничего серьезного. Если бы Кеннеди сообщил мне такое, я бы почувствовала облегчение и даже радость. Но, зная о прошлом Лукаса, я, скорее, огорчилась, услышав от него это признание. Я боялась, что трагедия, которая до сих пор накладывала отпечаток на его личную жизнь, как-то повлияет и на наши с ним отношения.

В начале занятия мы повторили все приемы, которые изучили раньше. Ральф ходил по залу, смотрел на нас и давал советы. До перерыва Дон и Лукас не появлялись, чтобы у нас с ними не возникло эмоционального контакта, который потом помешал бы нам драться. Действительно, на занятиях многие из нас теряли драгоценные секунды, думая о том, не слишком ли мы стараемся: ведь я, мол, знаю этого парня, он хороший, надо бы с ним полегче... Эти крупицы времени мы тратили не на самозащиту, а на сомнения — расход небольшой, но все равно досадный.

Замирая от страха, я смотрела, как женщины под ободрительные крики кровожадной толпы (то есть одиннадцати своих одногруппниц) поочередно используют недавно освоенные приемы в борьбе с Доном или Лукасом. Парни были с ног до головы обложены защитными подушечками. Пока один исполнял роль нападающего, другой отдыхал от ударов, пинков и ругательств, которых «жертвы» не жалели. Поскольку защита заглушала боль, инструкторам приходилось демонстрировать актерские способности, чтобы все выглядело по-настоящему.

Например, когда Эрин, улучив подходящий момент, ловко пнула Дона в пах, он скорчился так, будто испытывал нечеловеческие мучения. Одиннадцать голосов закричали: «Беги! Беги!» — но большое, похожее на огромную подушку тело «бандита» перегородило подход к двери, за которой располагалась условная «безопасная зона». На долю секунды моя подруга замешкалась. Дон подкатился к ней, а мы завопили еще громче. Воодушевленная нашими криками, она прыгнула, оттолкнувшись от его груди, как от трамплина, развернулась и после нескольких победных пинков благополучно убежала.

У двери она вскинула кулаки и радостно запрыгала под наши одобрительные возгласы. Когда она вернулась на место, Ральф похлопал ее по плечу. Я взглянула на Лукаса. Он смотрел на нее, и на лице у него была фирменная призрачная улыбка: еще одна женщина теперь вооружена, еще одна женщина получила возможность защитить себя от насилия и, даст Бог, не разделит судьбу его матери. Глаза Лукаса отыскали мои, и я подумала о том, смогут ли эти радостные моменты заглушить ту боль, от которой он так мучился. Боль, о которой мне, как он считает, неизвестно.

Отведя от меня взгляд, он стал ждать, когда на мат выйдет его следующая «жертва». Нас оставалось всего две: Гейл, очень тихая, застенчивая женщина, секретарша из студенческого медицинского центра, и я. Ральф вопросительно посмотрел на нас:

— Кто следующая?

Гейл шагнула вперед, явно очень нервничая. Лукас работал с ней вполсилы, а Ральф тихонько говорил, что делать, хотя другим он ничего не подсказывал. В нашем буклете было написано, что важнейшая задача курса — помочь женщине поверить в собственную способность отразить нападение. Именно это и пытались сделать Ральф и Лукас. С каждым новым ударом, который Гейл наносила «нападающему», мы кричали все громче и громче, а она становилась смелее. Наконец она вернулась к нам, и мы принялись усиленно ее хвалить. На лице у нее были слезы, и она по-прежнему тряслась, но при этом улыбалась во весь рот.

Я вышла последней, моим противником был Дон. Едва шагнув на маты, я почувствовала прилив адреналина, и мне показалось, что по мне побежали крошечные взрывные волны. Не знаю, было ли это так же заметно со стороны, как трясущиеся руки Гейл в тот момент, когда она пыталась придать своему маленькому телу нужное защитное положение. Я не сомневалась, что Лукас и Эрин сейчас внимательно на меня смотрят. В этом зале только они двое знали, какая именно причина привела меня на занятия по самообороне.

Схватка продолжалась всего минуту, от силы две. Пробормотав полагавшееся по сценарию: «Привет, детка!» — Дон обошел вокруг меня. Я уставилась на него, ожидая нападения. Все мое тело было натянуто. Вдруг он наклонился ко мне и попытался схватить мою руку. Я блокировала ему запястье и резко его пнула. Он поймал меня медвежьей хваткой спереди. Не могу точно сказать, было ли это на самом деле или прозвучало только в моей голове (мне все виделось замедленно и неясно,

как под водой), но я услышала голос Эрин: «По яйцам!»
Нанеся Дону удар коленом, я рванулась из его рук. Он,
зарычав, отпустил меня, и я побежала к двери. Торже-
ствующие крики моей подруги, активистки фанклуба
школьной футбольной команды, выделялись на фоне
общего одобрительного шума. Как только я достигла
«безопасной зоны», Эрин проскакала через весь зал, чтобы меня обнять. Поверх ее плеча я взглянула на Лукаса.
Он снял шлем и зачесал назад потные волосы. Теперь
его лицо было открыто, и я увидела на нем знакомую,
едва заметную улыбку.

❖ ❖ ❖

ЛУКАС. Ты сегодня была молодец.

Я.　　Правда?

ЛУКАС. Правда.

Я.　　Спасибо.

ЛУКАС. Кофе завтра? Заеду около 3?

Я.　　ОК. ☺

❖ ❖ ❖

Вечернее выступление требовало от меня полной
концентрации, и думать о чем-то другом я позволила себе, только когда вернулась в свою комнату. Эрин еще не
пришла с очередного собрания общества, но я ждала ее
с минуты на минуту. В общаге жизнь кипела ключом:
все готовились к экзаменам — или забивали на них. Кто-
то наслаждался последним уик-эндом семестра, а кто-то
вовсю собирался домой. Доносившиеся из коридора голоса выражали то предэкзаменационный мандраж, то
предпраздничное возбуждение.

Через стену, напротив которой стояла моя кровать,
просачивалась приятная басовая мелодия, и я переби-

рала пальцами ей в такт. Некоторые люди, когда узнавали, что я басистка, воображали какой-нибудь электрический инструмент и репетиции в гараже. Для этого Лукас подошел бы лучше, чем я: падающие на глаза темные волосы, маленькое серебряное кольцо, повторяющее изгиб нижней губы... Не говоря уж о татуировках и о том, как потрясающе смотрелось бы со сцены сухощавое рельефное тело, угадывающееся под тонкой футболкой. Или без нее. О господи! Так мне ни за что не уснуть.

Телефон подал сигнал: пришла эсэмэска от Эрин.

ЭРИН. У меня разговор с Чезом. Может, буду поздно. Все нормально?
Я. У меня — да. А как ты?
ЭРИН. Даже не знаю. Наверное, полегчало бы, если б я просто дала ему пинка.
Я. По яйцам?!
ЭРИН. Именно.

— Эти люди ненормальные. — Я сидела, подтянув коленки к груди и прижимаясь к Лукасу, а он рисовал озеро, по которому плавали два каноэ. — Ведь там, на воде, небось еще холоднее, чем тут.

Он улыбнулся и натянул мне капюшон поверх шарфа и шапочки из шерсти с кашемиром.

— По-твоему, это холодно? — спросил он.

Я насупилась, потрогала перчаткой нос и ничего не почувствовала, как бывает, когда отходишь от зубоврачебной анестезии.

— У меня нос онемел! Я не очень-то привыкла к полярным температурам. И как ты можешь надо мной смеяться, если сам живешь на побережье! Там разве не теплее, чем здесь?

Лукас усмехнулся, спрятал карандаш за ухо, под шапку, и, закрыв блокнот, положил его на скамью.

— На побережье, конечно, теплее, но вырос я не там, а под Вашингтоном, в Александрии. Тамошнюю зиму ты бы точно не пережила, раз такая неженка.

Я притворилась оскорбленной и пихнула его в плечо, а он сделал вид, что впечатлен силой моего удара:

— Ого! Беру свои слова обратно. Ты крутая! — Он обнял меня одной рукой и открыто улыбнулся. — Настоящая бандитка!

Я прижалась к нему плотнее и, тихонько мурлыча, закрыла глаза. Мне было приятно ощущать его близость, физическую и эмоциональную.

— Да уж, я могу здорово вдарить! — проборматала я Лукасу в капюшон.

Его кожаная куртка лежала рядом: он уверял, что сейчас совсем не холодно и она нужна ему только для езды на мотоцикле. Вторя моему мурлыканью, он осторожно запрокинул мне голову: как ни странно, пальцы у него не замерзли, хотя были не в перчатках.

— Можешь, можешь! Я тебя даже слегка побаиваюсь.

Наши лица разделяло всего несколько дюймов, и мое дыхание смешивалось с его дыханием в одно облачко пара.

— Я не хочу, чтобы ты меня боялся, — сказала я, а в голове у меня вертелись слова, которых я не решалась произнести: «Поговори со мной, поговори со мной».

Я почувствовала, что только поцелуй помог бы мне сейчас отогнать ненужные мысли и помешал бы растущему чувству вины вылиться в несвоевременную исповедь. Как будто я высказала свое желание вслух, Лукас наклонил голову и мягко поцеловал меня.

ГЛАВА 24

После заключительного экзамена почти все студенты разъезжались по домам. Эрин должна была уехать в воскресенье, но я собиралась задержаться, потому что мой любимый ученик пригласил меня на свое выступление в понедельник вечером: ему доверили соло и он хотел покрасоваться. Ну а во вторник, нравилось мне это или нет, надо было уезжать: правила требовали, чтобы все освободили общежитие.

Мэгги, Эрин и я встретились в библиотеке, чтобы подготовиться к последнему экзамену — по астрономии. Где-то часа в два Мэгги шлепнулась головой на открытый учебник и трагически простонала:

— У-у-уфф! Если мы хотя бы немного не отдохнем от этого дерьма, мой мозг превратится в черную дыру!

Эрин ничего не сказала. Я взглянула на нее: она прочитала какую-то эсэмэску, а потом принялась набирать ответ. Нажав «отправить», она заметила, что я на нее смотрю.

— А? — Ее карие глаза были слегка расширены. — Чез просто мне написал, что парни по очереди приглядывают за Баком. Следят, чтобы он не высовывался из общаги.

— А я думала, мы с Чезом не разговариваем... — сонно промямлила Мэгги, закрывая глаза и укладываясь щекой на страницу, которую мы как раз повторяли.

Эрин смотрела куда угодно, только не мне в лицо, и я поняла, что ее непреклонность дала трещину. Я решила

еще немножко помучить подругу, прежде чем ее успо-
коить: Чез мне всегда нравился и, по-моему, пора было
его простить. И я даже радовалась, что Эрин не такое уж
кровожадное чудовище, каким пыталась казаться.

Я взяла телефон и просмотрела нашу с Лукасом не-
давнюю переписку.

Я.   Экзамен по экономике: всех порвала!

ЛУКАС. Благодаря мне, конечно?

Я.   Нет, благодаря Лэндону.

ЛУКАС. ☺

Я.   Бедный мой мозг! Еще 3 экзамена.

ЛУКАС. У меня 1. В пятницу. Потом работаю. Увидимся в суб-
         боту.

— Завтра Минди сдает последний экзамен, — пробормотала Эрин, рисуя замысловатую рамочку вокруг
уравнения в своей тетради.

— Я слышала, отец привозит ее в университет и сидит в холле, пока она не выйдет, — сказала Мэгги.

Я тоже об этом слышала.

— Даже если так, я его понимаю.

Мы поглядели на Эрин: она была осведомлена в этом
лучше всех и точно знала, где правда, а где сплетни.

— Так и есть, — кивнула она и посмотрела на нас
с глубокой неподдельной грустью. — В кампус Минди
больше не вернется, разве только для дачи показаний.
Будет жить дома и учиться в каком-то маленьком местном колледже. Мама Минди говорит, что ей до сих пор
каждую ночь снятся кошмары. И как я только могла ее
там оставить!

Мэгги оторвала голову от учебника:

— Ну вот еще! Мы там много кого оставили. Мы тут
не виноваты, Эрин.

— Знаю, но...

— Она права. — Я заглянула Эрин в лицо. — Вини того, кто действительно виноват, — его.

❖ ❖ ❖

Я наконец-то рассказала родителям про Бака. Последний раз мы с ними разговаривали перед Днем благодарения. По некоторому беспорядку, который я учинила в кладовой, мама догадалась о моем визите и решила мне позвонить. Видимо, ей хотелось удостовериться, что это не грабитель проник в дом и нарушил алфавитный порядок расстановки ее круп и специй. Поэтому я не отпиралась.

— Но... ты же собиралась поехать к Эрин!

Я не стала говорить, что к такому выводу мама пришла сама, что Эрин я упомянула только раз, а потом никто не удосужился поинтересоваться, где я на самом деле и как встретила День благодарения. Вместо этого я соврала: так было проще для нас обеих.

— Я в последний момент решила поехать домой. Не бери в голову.

Она затараторила о том, что мы должны были сделать в каникулы: мне пора к стоматологу, в январе истекает срок регистрации моего грузовика.

— Записать тебя к Кевину или ты там, у вас, нашла другого стилиста?

Вместо того чтобы ответить на этот вопрос, я ни с того ни с сего все выпалила: Бак напал на меня на стоянке, а Лукас его остановил, Бак изнасиловал другую девушку, мы обратились в полицию, будет разбирательство... Стоило только начать, и меня как прорвало.

Сначала я решила, что мама меня не слушает, и, стиснув в руке трубку, подумала: «Если она слишком занята подготовкой к своей чертовой вечеринке и не может уделить мне десять секунд, я не собираюсь все это повторять».

Но вдруг мама сдавленно произнесла:

— Почему ты мне не сказала?

Наверное, она знала почему, так что не стоило объяснять. Они были не лучшими в мире родителями, хотя и не худшими. Я вздохнула:

— Я говорю тебе сейчас.

Несколько неприятно долгих секунд мама молчала. Но я слышала ее шаги по комнате. В субботу родители устраивали у себя вечеринку, и я знала, как мама любит руководить подготовкой дома к этому ежегодному событию и как суетится из-за каждой мелочи. До отъезда в колледж у меня выработалась привычка поменьше попадаться ей на глаза всю неделю перед праздником.

— Я позвоню Марти и скажу, что завтра не приду на работу. — Мама числилась в фирме, которая оказывала консалтинговые услуги по разработке и продаже программного обеспечения. Марти — это начальник. — К одиннадцати буду у тебя.

По характерному звуку я поняла, что она выкатывает чемодан из кладовки под лестницу. На секунду я онемела от удивления, а придя в себя, сказала:

— Нет-нет, мама, со мной все в порядке. Меньше чем через неделю я сама приеду домой.

Я была потрясена еще сильнее, когда услышала, что мамин голос дрожит.

— Мне так жаль, Жаклин! — Произнося мое имя, она будто бы хотела каким-то образом дотронуться до меня через телефонный провод. — Мне так жаль, что все это с тобой случилось!

«Господи, — подумала я, — да она, кажется, плачет!» А вообще-то, моя мама была не из плаксивых.

— Мне так жаль, что меня не было дома, когда ты приезжала. Я была тебе нужна, а меня не было.

Я села на кровать, совершенно потрясенная:

— Перестань, мама, ты же не знала. — Правда, она знала, что меня бросил Кеннеди, но этого я тоже не стала говорить, хотя и была в комнате одна. — Ты же воспитывала меня так, чтобы я была сильной, да ведь? Со мной все хорошо, — сказала я и поняла, что это правда.

— Может, я... Может, мне записать тебя к моему врачу? Или, если хочешь, к кому-нибудь из ее коллег?

Я забыла, что мама время от времени ходила в больницу. Когда я была маленькой, ей поставили какое-то нарушение пищевого поведения — то ли булимию, то ли анорексию. Мы об этом никогда толком не говорили.

— Конечно. Это было бы хорошо.

Мама вздохнула — по-моему, с облегчением: я ей что-то поручила, и она была этим довольна.

❖ ❖ ❖

Когда мы покончили с едой из китайского ресторана и разговором о том, кто как выбирал свою специальность, Лукас выудил из переднего кармана айпод и протянул мне наушники:

— Я тут нашел одну группу. Хочу, чтобы ты послушала. Может, тебе понравится.

Мы сидели на полу, прислонившись спиной к моей кровати. Я надела наушники, Лукас нажал «Play» и стал на меня смотреть. Наши взгляды накрепко приклеились друг к другу, и я ничего не могла видеть, кроме его глаз, как не могла слышать ничего, кроме музыки, которая лилась мне в уши. Он придвинулся ближе, и я вдохнула его успокаивающий аромат. Дотронувшись рукой до моей щеки, он наклонился и поцеловал меня. У этого поцелуя был неспешный ритм песни, звучавшей в наушниках, и вкус гаультерии (из-за конфеток, которые Лукас жевал).

Передав мне айпод, он поднял меня, положил на кровать и лег рядом. Он обнимал меня и целовал, пока одна мелодия перетекала в другую, а та в следующую. Когда он, слегка отстранившись, провел пальцем по краешку моего уха, я вытащила один наушник и протянула ему. Мы лежали бок о бок на моей узкой кровати, на которой Лукас не уместился бы, будь она хоть чуть-чуть короче, и молча слушали. Он открыл новый плей-лист, и мне показалось, что он не просто хочет поделиться со мной своими музыкальными предпочтениями и узнать мои. Мне показалось, что песня, которую он выбрал, несет в себе какой-то особенный смысл.

Под эту песню мы смотрели друг на друга и я тянулась к нему, как будто нас соединяли нити — тонкие и очень хрупкие. Вспомнив стихотворение у него на боку, я подумала, что мы заполняем собой друг друга. Мы могли бы и дальше растапливать и лепить себя так, чтобы наше единение было глубже и радостнее. Не знаю, чувствовал ли это он, но, когда я вслушалась в слова песни, мне показалось, что да: «Ты только не смейся: может быть, я... мягкий изгиб твоей жесткой линии».

В коридоре за дверью было довольно тихо: с самого утра народ собирался домой, теперь большинство уже выехало и все успокоилось. Мы разговаривали исключительно о событиях, которые произошли недавно. Лукас рассказал, как Фрэнсис стал его соседом по квартире:

— Однажды вечером он нарисовался у меня под дверью и стал требовать, чтобы я его впустил. Проспал на диване час, а потом запросился на улицу. Это превратилось в наш ежевечерний ритуал, только с каждым разом он оставался у меня дольше. Наконец я понял, что он поселился у меня насовсем. Вот так этот наглый котяра присвоил себе мое жилище.

Я рассмеялась, и Лукас, тоже смеясь, меня поцеловал, а потом еще раз, по-прежнему улыбаясь. Когда его руки начали скользить по моим бедрам и талии, я выпалила, что Эрин пробудет в кампусе до завтра и в любой момент может войти в комнату.

— Ты же вроде сказала, она уезжает сегодня?

Я кивнула:

— Собиралась. Но ее бывший парень развернул масштабную операцию по восстановлению отношений. Сегодня вечером он уломал ее с ним поговорить.

Пальцы Лукаса забрались ко мне под рубашку и принялись изучать рельеф моего торса.

— А что у них случилось? Почему они расстались?

Почувствовав, как он взял в руку мою грудь, я приоткрыла рот: она была будто специально отлита, чтобы умещаться в его ладони.

— Из-за меня.

Его глаза слегка расширились. Я улыбнулась:

— Да нет, просто Чез был лучшим другом... Бака.

Я с отвращением почувствовала, что при одной только мысли об этом человеке мое тело съеживается, а зубы скрежещут, когда я произношу его имя. Даже на расстоянии он вызывал у меня реакцию, которой я не могла подавить и от этого бесилась.

— Он ведь уже убрался, да? Уехал из кампуса? — спросил Лукас и прижал меня к себе. Его рука скользнула по моей спине и осталась лежать на шее. Я кивнула, закрывая глаза, и уткнулась головой ему в подбородок. — Думаю, в следующем семестре его сюда уже не пустят. Даже до суда.

Я сделала вдох, плотно закрыв рот и втягивая ноздрями запах Лукаса. От этого мне было спокойно, я чувствовала себя защищенной.

— Я постоянно оглядываюсь. Он как клоун, который выскакивает из коробочки. Я тебе не рассказывала, что однажды столкнулась с ним на лестнице?

Не мне одной не удавалось полностью подавлять физические проявления своих чувств. Тело Лукаса окаменело, а прикосновение вдруг стало менее нежным.

— Нет.

Уткнувшись лицом в его грудь, я пробормотала, как все было, стараясь придерживаться одних только фактов, чтобы не разнервничаться.

— Он выставил все так, будто я занималась с ним этим на лестнице. И, судя по выражениям лиц тех, кто был тогда в холле... и по сплетням, которые потом поползли... ему поверили, — сказала я, сдерживая слезы: мне не хотелось больше плакать из-за Бака. — Зато он, по крайней мере, не пробрался ко мне в комнату.

Когда я закончила, Лукас довольно долго молчал, а потом толкнул меня на спину и резко поцеловал, раздвинув мне ноги коленом. Его волосы щекотали мою щеку. Я высвободила руки, которые оказались стиснутыми между нами, и запустила их ему в шевелюру, как будто стараясь прижать его к себе еще крепче. Этот поцелуй был похож на клеймо: казалось, что Лукас втравливает себя мне под кожу.

Он знал все мои секреты, а я — его. Но эта симметрия была ложной, ведь он не открывал мне своих тайн. Я раскопала их сама, и, что самое ужасное, он об этом не знал. Я мучилась от нарастающего чувства вины, которое вклинивалось между нами. И в то же время я страшно хотела, чтобы он поделился со мной своим прошлым, доверился мне. Через три дня я должна была ехать домой: мили и часы, которые будут нас разделять, не позволят мне избавиться от этого груза, но и держать его при себе еще долгих семь недель я не смогу.

Наши движения замедлились, и мы, обнявшись, застыли: порыв желания стих, сердца забились спокойнее. Тогда я решила рискнуть:

— Ты вроде как живешь у Хеллеров, они друзья вашей семьи? — (Он посмотрел на меня и кивнул.) — А как твои родители с ними познакомились?

Лукас перевернулся на спину и прикусил колечко на губе. Видимо, этот жест означал у него то же, что у Кеннеди потирание шеи, — напряжение.

— Они вместе учились в колледже.

Наушники уже полчаса как выпали у нас из ушей. Лукас выключил айпод и аккуратно обмотал вокруг него проводки.

— Выходит, ты знаешь их всю жизнь?

Он засунул айпод обратно в передний карман.

— Да.

Все, что я прочла и о чем рассказал мне доктор Хеллер, замелькало у меня перед глазами. Мне очень хотелось поддержать Лукаса (я еще не встречала людей, которым поддержка была бы так нужна), но как я могла утешить его, если он не поделился со мной своим горем?

— Твоя мама была красивая?

Он не пошевелился. Только уставился в потолок и закрыл глаза:

— Жаклин...

Мы оба вздрогнули, услышав, как в замочную скважину просунулся ключ. В комнате было темно: горела только маленькая настольная лампа. Когда дверь открылась, в проеме вырисовался силуэт Эрин, а на пол упала дорожка света.

— Джей, ты ужс спишь? — прошептала она.

Ее глаза еще не привыкли к темноте, поэтому она не видела, что я не одна.

— Мм... Нет.

Лукас сел, спустив ноги с кровати. Я проделала то же самое. «Правильный расчет времени — важная вещь», — подумала я.

Бросив сумочку на свою кровать и скинув туфли, Эрин повернулась к нам:

— Ой... Привет! Э-э-э... Я как раз собиралась кое-что отнести в стирку, — пробормотала она, стряхивая с себя пальто и хватая почти пустой бельевой мешок.

— Я уже ухожу, — сказал Лукас, наклоняясь, чтобы надеть и зашнуровать ботинки.

— Ах, боже мой! Жалко, что так вышло! — с искренним раскаянием промямлила она у него над головой.

— Все нормально, — промямлила я в ответ, пожимая плечами.

Мы с Лукасом вышли за дверь. Я пригрелась, пока лежала возле него, и теперь ежилась от холода, обхватив себя руками.

— Завтра? — спросила я.

Он застегнул свою кожаную куртку и повернулся ко мне: неулыбающиеся губы застыли, глаза спрятались от моего взгляда. Тогда я поняла (к сожалению, слишком поздно), что между нами уже выросла преграда. Когда мы все-таки посмотрели друг на друга, он вздохнул:

— Каникулы начались. Мне кажется, нам лучше использовать это время, чтобы побыть врозь.

Я пыталась подыскать какое-нибудь внятное возражение, но не могла ничего придумать. В конце концов, я только что сама его на это толкнула.

— Почему? — вырвалось у меня.

— Ты уезжаешь из города, я тоже уеду как минимум на неделю. Тебе нужно собраться, а я на днях должен буду помочь Чарльзу вывесить результаты экзамена. — Очень логичное обоснование. Ни одной ниточки живого чувства, за которую можно было бы уцепиться. — Дай знать, когда вернешься в кампус. — Он наклонился и быстро меня поцеловал. — Пока, Жаклин.

ГЛАВА 25

В воскресенье вечером, пока ехала к Лукасу, я пыталась доказать себе, какая это во всех отношениях неудачная идея — нагрянуть к нему без приглашения и без предупреждения: его может не быть дома, он может быть занят, он думает, что отпугнул меня, что мы уже попрощались. С другой стороны, до моего отъезда осталось совсем мало времени, а я не собиралась просто так позволить ему меня отстранить.

Постучав, я услышала щелканье замка и резкий голос Лукаса:

— Кто там? Карли, не открывай не глядя!

— Там девушка!

Дверь открылась. На пороге стояла миловидная темноглазая блондинка. Она заморгала, видимо ожидая, что я объясню, кто я и что мне нужно. Но я онемела. Было такое ощущение, будто сердце у меня переместилось в пищевод и перестало биться.

Лукас, нахмурившись, подошел к двери. Когда он увидел меня, его брови приподнялись и исчезли под волосами, падавшими на лоб.

— Жаклин, что ты здесь делаешь?

Мое сердце снова заработало, и я было развернулась, чтобы сбежать вниз, но Лукас схватил меня за локоть. Мне показалось, что я взлетела, — так резко он сдернул меня со ступеньки. Внезапно очутившись у самой его груди, я чуть не топнула ему по ноге.

— Это Карли Хеллер, — сказал он мне на ухо. Я застыла. — Там, в комнате, ее брат Кейлеб. Мы играем в приставку.

Мое сердце все еще колотилось от прилива адреналина, когда до меня дошел смысл этих слов. Почувствовав себя ревнивой идиоткой, я повалилась на Лукаса и ударилась головой о его грудь: там раздавался такой же взволнованный стук, как и в моей.

— Извини, — пробормотала я в мягкую ткань футболки, — мне не стоило приходить.

— Может, тебе стоило предупредить, что придешь, но все равно я рад тебя видеть.

Я подняла голову и посмотрела ему в лицо:

— Но ты сказал...

В свете фонаря его глаза казались серебристыми.

— Я пытаюсь защитить тебя. От себя. Поэтому я не... — Он прочертил в воздухе несколько линий от своей груди к моей и обратно.

— Это глупость. Если ты не пробовал раньше, это не значит, что и сейчас не сможешь, — сказала я, стуча зубами. И тут же подумала, что дело, скорее всего, не в неспособности, а в нежелании Лукаса довериться мне. — По-моему, ты просто не хочешь.

Он отпустил мой локоть и, вздохнув, провел обеими руками по волосам:

— Да нет... Все не так...

— Брр... Вы заходите или нет? А то я закрываю дверь, — раздался голос Карли Хеллер.

Я выглянула из-за плеча Лукаса: она была, конечно, очень молоденькая, но иметь виды на симпатичного соседа уже вполне могла. Тем не менее мне не показалось, что она недовольна моим появлением, — скорее, ей было любопытно.

— Что ж, зайдем, раз ты настаиваешь, — ответил Лукас и, сплетя свои пальцы с моими, распахнул дверь.

Карли бросилась на угол дивана, где, лежа на одеяле, спал Фрэнсис, сгребла его в охапку и бросила через плечо, как будто это неодушевленный предмет. Забравшись под одеяло, она подобрала кота, устроила его у себя на коленях и взяла джойстик. Рядом с ней сидел хмурый подросток, темноглазый, как и она, немного моложе, чем мои ученики, но такой же угрюмый.

— Не прошло и года, — пробормотал он, поворачиваясь в сторону Лукаса.

— Не груби! — сказала Карли, подтолкнув его локтем; он закатил глаза.

Лукас взял пульт и жестом пригласил меня сесть.

— Ребята, это Жаклин. Она мой друг. Жаклин, эти обезьянки — Кейлеб и Карли Хеллер.

Мы с Карли обменялись приветствиями, а Кейлеб пробормотал в мою сторону что-то невнятное. Устроившись с ногами на краю дивана, я стала следить за игрой из-за плеча Лукаса.

Через пятнадцать минут Карли потащила брата к двери. Он бросил на меня мрачный взгляд:

— А мне почему-то нельзя оставаться в комнате наедине с девушкой!

Она шлепнула его по затылку:

— Заткнись. Лукас взрослый, а ты озабоченный подросток.

Я кашлянула, чтобы скрыть смешок, а Кейлеб залился краской, выскочил за дверь и бросился вниз по ступенькам. Карли, уходя, приобняла Лукаса и обворожительно улыбнулась мне.

— Всем доброй ночи, — чирикнула она и вышла на лестницу.

Лукас смотрел ей вслед, пока она шла через дворик к своему дому, а потом сказал: «Доброй ночи» — и закрыл дверь. Повернувшись, он прислонился спиной к обшивке и уставился на меня:

— Я думал, мы решили, что должны побыть на расстоянии друг от друга.

Он вроде бы не злился, но и очень обрадованным тоже не выглядел.

— Это ты так решил.

Он сжал губы:

— Разве ты не должна будешь выехать из общежития на несколько недель?

Я сидела, свернувшись в углу дивана, и не собиралась двигаться с места.

— Должна. Через два дня. — Он стоял у двери, распластав по ней ладони и глядя в пол. Я попыталась сглотнуть, но не смогла. Наконец я, запинаясь, проговорила: — Мне нужно тебе кое-что сказать...

— Не подумай, что я не хочу с тобой видеться, — мягко произнес Лукас, по-прежнему не глядя на меня. — Я соврал, что защищаю тебя. — Он поднял голову, и мы посмотрели друг на друга. — На самом деле я себя защищаю. — Он вздохнул так тяжело, что было видно, как поднялась и опустилась его грудь. — Я не хочу быть твоим временным вариантом, Жаклин.

Я вспомнила операцию «Фаза плохих парней»: Эрин и Мэгги придумали ее для меня, чтобы я использовала незнакомого сексуального парня в качестве разрядки после разрыва с Кеннеди, как будто у него, этого парня, не было никаких чувств. Я приняла разработанный подругами план. Я не знала, что Лукас смотрит на меня с начала семестра, что, как только мы начнем общаться, мой интерес к нему усилится и что в конце концов он попытается от меня отдалиться — не из-за отсутствия чувств, а из-за их глубины.

— А ведешь себя так, как будто тебе только этого и нужно! — Я приосанилась, встала с дивана и медленно подошла к двери. — Я тоже не хочу, чтобы ты был временным вариантом.

Лукас стоял, все такой же застывший, и покусывал колечко на нижней губе.

Выпрямившись, он посмотрел на меня, как на тень, которая может в любой момент исчезнуть, и поднес руки к моему лицу:

— И что мне с тобой делать?

Я улыбнулась:

— Есть пара вариантов...

❖ ❖ ❖

— Мою маму звали Розмари. Или просто Роуз...

Эти слова вернули меня с небес на землю. Прижимаясь к Лукасу, я рассеянно трогала лепестки темно-красного цветка, вытатуированного у него на груди, и думала, как же мне сказать ему, что я все знаю. И стоит ли говорить.

— Ты это сделал в память о ней? — спросила я, ведя пальцем по стеблю. В горле у меня застрял комок.

— Да. — Его тихий голос звучал в темной комнате как-то удивительно веско. Изо дня в день он нес в себе такой тяжелый груз, что я не представляла, как он смог выжить, ни с кем не поделившись своим горем. — И стихотворение, которое на левом боку. Его она написала. Для папы.

У меня защипало в глазах: неудивительно, что после ее смерти отец Лукаса замкнулся. Как сказал мне доктор Хеллер, Рэй Максфилд отличался здравым, практическим умом. Видимо, жена была единственным человеком, в отношениях с которым он позволял себе руководствоваться не только холодной логикой.

— Она была поэтессой?

— Иногда. — Моя голова лежала на руке Лукаса. На лице у него появилась всегдашняя призрачная улыбка, но так, в профиль, она выглядела немного непривычно. Он был небритый, и некоторые части моего тела недавно это почувствовали. — Но вообще-то, она была художницей.

Я старалась не обращать внимания на совесть, которая понукала меня покончить с этим обманом, признаться, что я все знаю.

— Значит, это от нее ты унаследовал артистические гены, которые сочетаются в тебе с инженерной частью?

Он перевернулся на бок и, изобразив шаловливую улыбку, спросил:

— Инженерная часть? Интересно, что это за часть такая?

Я приподняла бровь. Он меня поцеловал.

— У тебя есть ее работы?

Я обвела красную розу в кружок и почувствовала, как сильные мускулы напрягаются под моим пальцем. Прижав ладонь к груди Лукаса, я стала кожей слушать размеренные удары его сердца.

— Они или дома, убраны далеко, или висят у Чарльза. Хеллеры были близкими друзьями моих родителей.

— А сейчас твой отец не поддерживает с ними отношения?

Лукас кивнул, глядя на мое лицо:

— Поддерживает. С ними-то я и ездил домой на День благодарения. Они не могут выманить его сюда, поэтому раз в два года сами приезжают к нему всей семьей.

Я вспомнила мамин с папой круг общения: их знакомых и соседей.

— У моих родителей нет настолько близких друзей, чтобы они проводили вместе целые каникулы.

Лукас посмотрел в потолок:

— Мои были с Хеллерами действительно очень близки. Раньше.

Я даже физически ощущала, как ему тяжело. Было ясно, что он не преодолел своего горя, хотя прошло долгих восемь лет. Он построил вокруг себя стены, которые стали для него тюрьмой, а не защитой. Возможно, он никогда окончательно не оправится от ужаса той ночи. Но, по-моему, все-таки нужно было попытаться что-то сделать — иначе этот ужас его поглотит.

— Лукас, я должна тебе сказать одну вещь...

Его сердце стучало под моими пальцами медленно и ровно. Он перевел на меня взгляд, но не пошевелился. Мне показалось, он внутренне отстраняется от меня, ожидая, что я скажу. Но я попыталась отогнать это ощущение: мол, все дело в моей мнительности, вызванной чувством вины.

— Мне захотелось узнать, от чего умерла твоя мама. Я поняла, что тебе тяжело об этом говорить, поэтому разыскала в Интернете сообщение о ее смерти.

Я задышала мелко и часто. Часы тикали, а Лукас молчал. Наконец он заговорил — так холодно, так безжизненно, что этого уже нельзя было приписать моему воображению:

— И ты нашла ответ на свой вопрос?

Я сглотнула и прошептала «да». Быстрый стук моего сердца показался мне громче собственного голоса. Он отвел от меня глаза и лег на спину, с силой кусая губу.

— Это еще не все.

Он вдохнул, выдохнул и, неподвижно глядя в потолок, стал ждать моей следующей исповеди. Я закрыла глаза и выпалила:

— Я говорила об этом с доктором Хеллером...

— Что?

Я почувствовала, как тело Лукаса превратилось в скалу.

— Извини, если я вторглась туда, куда не должна была...

— Если? — выпалил он, не в состоянии поглядеть в мою сторону. Я села, натянув на себя одеяло. — Что ты хотела от него услышать? Разве в газетах не достаточно кровавых подробностей? Тебе хотелось чего-нибудь еще более ужасающего? Или более интимного? — Несколькими резкими движениями он надел трусы и джинсы. — Может, тебе было интересно, как она выглядела, когда ее нашли? Как истекала кровью? Как мой папа голыми руками отодрал ковер... — Лукас порывисто выдохнул, — и увидел под ним огромное кровавое пятно, которое не смогли оттереть с пола, сколько ни терли? — Его голос оборвался. Он замолчал.

Я была так потрясена, что тоже не могла говорить. Даже дышала с трудом. Он молча сел на край кровати и закрыл лицо руками. Он был совсем близко, и я могла погладить крест, вытатуированный у него на спине, но не посмела. Осторожно выбравшись из постели, я оделась, натянула угги и встала в изножье кровати.

Лукас сидел, уперев локти в колени. Руки, как ставни, прятали его лицо. Я смотрела на темные волосы, доходившие ему до плеч, на напряженные мышцы рук, на ленту татуированного узора, обвивавшую бицепс и спускавшуюся к запястью, на красивый сухощавый торс и на строки, темневшие на боку, как клеймо.

— Хочешь, чтобы я ушла? — произнесла я и сама удивилась, что голос у меня не дрожит.

Я почему-то подумала, что он скажет «нет» или промолчит. Я ошиблась: он сказал «да». У меня потекли слезы, но он этого не видел. Он сидел не шевелясь. Я не могла даже разозлиться, ведь я знала, что сама переступила черту и что иногда мало хотеть как лучше. Я взяла с кухонного стола сумочку и ключи, схватила лежавшее на диване пальто. До последнего я прислушивалась: может, он догонит меня, попросит остаться. Но из его спальни не доносилось ни единого звука.

Когда я открыла дверь, Фрэнсис рванул в комнату вместе с потоком морозного воздуха. Оказавшись на лестнице, я всхлипнула. Судорожно глотая холод, я спрашивала себя, как я только умудрилась так безнадежно все испортить. Твердо решив не реветь, пока не доберусь до грузовичка, я, спотыкаясь, побежала вниз: мне было почти ничего не видно из-за облаков, закрывавших луну, и слез, застилавших глаза. Спускаясь, я занозила руку о перила. «Черт!» — вырвалось у меня. Физическая боль сняла барьер, сдерживавший мои рыдания: так и не дотерпев до машины, я заплакала в голос и понеслась по длинной изогнутой подъездной дорожке. «Черт! Черт! Черт!» — бормотала я, ощупью засовывая ключ в замочную скважину.

«Дежавю» — это было первое, что я подумала, когда во второй раз оказалась распластанной по сиденью своего грузовика. Но дальше все разворачивалось не так, как в ночь Хеллоуина.

Прежде чем я убедилась, что это Бак (особенно сомневаться и не приходилось), он захлопнул дверцу, нажал на блокировку и, обездвижив мои голени тяжестью своего тела, схватил меня за левое запястье:

— Что, готова раздвинуть ноги для кого угодно, кроме меня, да, Джеки?

ГЛАВА 26

Лежа на спине, неловко согнув шею и упираясь головой в дверцу, я дернула рукой и безуспешно попыталась пошевелить ногами.

— Слезь! — крикнула я, зная, что это совершенно бессмысленно: на Бака мои слова не подействуют, а никто другой меня, скорее всего, не услышит, потому что припарковалась я на улице, вдалеке от жилых домов. — Выметайся из машины!

Когда он запихивал меня в грузовик, я уронила ключи и теперь шарила правой рукой по полу, чтобы найти их и использовать как оружие.

— Вот этого не обещаю! — Бак покачал головой и схватил меня за другое запястье, как будто прочел мои мысли. — Ты никуда от меня не денешься, пока мы с тобой не поговорим. Вы с этой лживой сучкой, твоей подружкой, всю жизнь мне, на хрен, поломали.

В этот момент у меня в голове раздался голос Ральфа: «Ваше тело — уже оружие. Просто нужно уметь им пользоваться». Резко перестав дрыгаться, я принялась оценивать свои возможности: ударить Бака ногой я не могла. Может быть, я смогла бы высвободить руки, повернувшись и дернув ими вниз, но что дальше? Он снова меня схватит и будет держать еще крепче. Нужно было, чтобы он наклонился ближе, как ни сопротивлялось этому все мое естество. Я отвела глаза.

— Слушай, черт подери, когда я с тобой разговариваю!

Он грубо схватил мой подбородок, впившись в него пальцами, и, поворачивая мое лицо к себе, налег на меня всем телом. Тогда я высвободила правую руку, просунула ее между собой и им, скрутила ему яйца и, дернувшись наверх что есть силы, ударила его лбом в переносицу.

Той ночью на стоянке возле общаги «братишек» все произошло настолько быстро, что я опомнилась, лишь когда непосредственная опасность уже миновала. В этот раз моя борьба с Баком, наоборот, протекала как в замедленной съемке — так невыносимо долго я не могла сделать ничего, что оказалось бы действенным.

И тут наконец он закричал. У него хлынуло из носа. Я никогда еще не видела вблизи так много крови. Из него лило, как из крана, открытого до предела.

Я высвободила левую руку. Бак накренился, и тогда я, по-прежнему сжимая ему яйца, толкнула его левой рукой в плечо, одновременно подняв колено. Когда он боком свалился с сиденья, к моим ногам снова прилила кровь, а по всему телу пробежала дрожь. Я рванулась к дверце и распахнула ее с такой силой, что она чуть не сорвалась.

Не успела я выбраться из машины, Бак поймал меня правой рукой за запястье, как маньяк из фильма ужасов, который, даже если его вроде бы убили, обязательно оживает в самый неподходящий момент. Развернувшись, я изо всех сил ударила Бака кулаком в чувствительную точку чуть ниже локтевого сгиба, и он меня отпустил, бешено воя и пытаясь подняться.

Я не стала ждать, когда у него это получится: соскочила на асфальт и побежала. По идее именно теперь нужно было кричать, но я едва справлялась с дыханием. Слыша у себя за спиной тяжелый неровный топот, я со всей мочи устремилась к лестнице, которая вела к спасительной двери. На полпути Бак больно схватил меня за волосы и повалил на землю. Я завизжала и быстрым перекатом стряхнула его с себя: недавно разученный прием оказался кстати.

Вдруг я увидела Лукаса. Появившись внезапно, как темный ангел мщения, он отдернул от меня Бака, бросил его в сторону и встал между нами. Я по-крабьи отползла на четвереньках назад. Лукас быстро взглянул на меня своими прозрачными глазами, сверкающими в тусклом свете прожектора, и тут же снова повернулся к Баку. Тот поднялся на ноги. Кровь из разбитого носа залила ему всю верхнюю губу и подбородок, но на одежде пятен почти не было.

На углу дома загорелся еще один прожектор. Теперь подъездная дорожка была хорошо освещена. Тяжело дыша, я оглядела себя и вздрогнула: моя бело-розовая кофточка была залита кровью от горловины до живота. Поскольку в тот момент, когда я ударила Бака, он нависал надо мной, хлынувший из его носа поток пришелся как раз мне на грудь. Я с трудом поборола желание сорвать с себя запачканную одежду прямо перед домом доктора Хеллера.

Корчась от боли, Бак попытался обойти Лукаса. Тот, не поворачиваясь, двигался боком. Он не позволял Баку ко мне приблизиться, все время закрывая меня своей спиной.

— Ну держись, вешалка слюнявая! — хрипло рыкнул Бак. — Тогда тебе повезло, что я был бухой, но сейчас я как стеклышко и сначала надеру тебе задницу, а потом всеми возможными способами трахну твою потаскушку — в очередной раз.

«Лживый подонок!» — содрогнулась я.

Лукас не сдвинулся с места и даже не сразу ответил. Только через пару секунд он ровно, как машина, произнес:

— Ошибаешься, Бак.

Не сводя глаз с этой дряни, Лукас расстегнул, стряхнул с плеч и отшвырнул в сторону свою кожаную куртку.

Потом двумя резкими движениями засучил рукава темной трикотажной рубашки. На нем были поношенные джинсы, которые он натянул в момент нашей с ним ссоры, и ковбойские ботинки — видимо, схватил их впопыхах, потому что обувь, более соответствующую погоде, пришлось бы долго зашнуровывать.

Бак широко замахнулся, но Лукас задержал его руку. Еще одна такая же попытка оказалась не более успешной. Не удался и захват спереди: удар по почкам, удар по уху — и Бак согнулся, указывая пальцем в мою сторону:

— Сука! Думаешь, ты для меня слишком хороша? Ты шлюха и больше ничего!

Лукас загородил меня от Бака, а когда тот снова рванулся вперед, схватил его за кисть, выкрутил ее до несвойственного человеческим рукам положения, после чего нанес быстрый удар в челюсть. От этого апперкота голова Бака развернулась чуть ли не на сто восемьдесят градусов и обратно, а потом он получил еще и в губу. Не сходя с защитной стойки, Лукас дернул головой вправо-влево и обернулся на меня: в его полуулыбке сквозила угроза, которая была адресована не мне.

Бак зарычал, сделал рывок, и они оба повалились на землю. По росту противники были равны, а по весу у Бака было преимущество фунтов[1] в сорок-пятьдесят, чем он и воспользовался, придавив своего врага к асфальту и дважды ударив его по лицу. Лукас вывернулся и треснул Бака лбом по черепу. Тот хлопнулся на спину и пару раз тряхнул головой, как будто от этого она могла стать яснее.

Теперь уже Лукас удерживал его в лежачем положении и четырежды подряд съездил ему по морде с таким звуком, что я представила себе, как папа отбивает мясо,

---

[1] Один фунт равен 453,59 г.

и меня затошнило. Физиономия Бака становилась все менее узнаваемой. Мне не было его жалко, но я боялась, что Лукас не сможет вовремя остановиться и это истолкуют как превышение необходимой самообороны.

— Лэндон, перестань! — По подъездной дорожке несся доктор Хеллер. Он оттащил Лукаса от Бака, который уже не двигался. В первую секунду Лукас сопротивлялся, и я было всерьез испугалась за профессора, но мои опасения оказались напрасными: я совсем забыла, что он бывший десантник. Крепко обхватив руками грудь и плечи своего ассистента, почтенный ученый муж рявкнул: — Перестань! С ней все в порядке, все хорошо, сынок.

Лукас успокоился, и доктор Хеллер его отпустил. Послышался приближающийся звук сирены: полицейская машина уже въехала на улицу. Лукас, едва высвободившись, моментально отыскал меня глазами, подошел ко мне, пошатываясь, и упал рядом со мной на траву. Все еще трясясь от избытка невыплеснутого адреналина и тяжело дыша, он посмотрел мне в глаза и осторожно поднял руку, как будто боялся, что я отстранюсь.

Челюсть дергало, и по выражению лица Лукаса я поняла, что вид у меня так себе. От его прикосновения к моей щеке я вздрогнула. Он отдернул руку. Я поднялась на колени:

— Пожалуйста, дотронься до меня! Мне нужно, чтобы ты до меня дотронулся.

Дважды просить не пришлось. Он обхватил меня, притянул к себе и, придерживая мою голову, прижал ее к своей груди.

— Его кровь? Из носа? — Лукас взялся за окровавленную ткань, которая уже успела присохнуть к лифчику и к коже. Я кивнула, содрогаясь от отвращения. — Молодчина. — Он опять меня обнял. — Боже мой, какая же ты у меня потрясная!

При мысли о том, что у меня на теле кровь Бака, я снова почувствовала тошноту и принялась дергать свою кофточку:

— Хочу ее снять! Хочу ее снять!

Лукас сглотнул:

— Конечно. Скоро снимешь. — Он ласково дотронулся пальцами до моего лица. — Мне так жаль, Жаклин! Господи, и как я только мог вот так вот выставить тебя за дверь! — Он осекся. Грудь у него поднималась и опускалась. — Пожалуйста, прости.

Пока он гладил меня, я сидела у него на коленях, сжавшись в комок и уткнувшись головой ему в подбородок.

— Прости, что я полезла выяснять про твою маму. Я не знала...

— Ш-ш-ш... детка, не сейчас. Дай я тебя обниму.

Он подобрал с газона свою куртку, накинул ее мне на плечи и прижал меня к себе еще крепче. Мы замолчали.

Подъехала полиция, а вместе с ней «скорая». Слава богу, Бак был жив. Врачи подняли его и уложили на носилки. Один из полицейских безучастно за этим наблюдал, скрестив руки на груди, а его напарник разговаривал с доктором Хеллером о происшедшем.

— Лэн... Лукас, — позвал профессор. — Сейчас вы с Жаклин должны дать показания, сынок. — Лукас осторожно встал и поднял меня. Доктор Хеллер положил руку ему на плечо. — Этот молодой человек — сын моего лучшего друга. Снимает квартиру у меня над гаражом. — Тут он странно на нас взглянул. — Ну а на того парня, как я уже сказал, — профессор махнул в сторону Бака, которого в этот момент грузили в машину, — выписан охранный ордер, запрещающий ему вступать в контакт с этой молодой леди. Он нарушил предписание, напав на нее возле дома ее молодого человека.

«Так вот чем был вызван этот странный взгляд!» — промелькнуло у меня в голове. Увидев мою окровавленную одежду, полицейские вытаращили глаза.

— Это его кровь, — объяснила я, указывая на «скорую».

Один из полицейских улыбнулся и сказал:

— Молодчина! — Этот комплимент я услышала уже во второй раз за вечер.

Я теснее прижалась к Лукасу. Он все это время поддерживал меня, крепко обхватив за плечи. Полицейские, которых доктор Хеллер уже настроил в нашу пользу, были как нельзя более доброжелательны. Покончив с допросом за двадцать минут, они уехали и увезли с собой Бака. Мы с Лукасом заверили профессора и его семью, что серьезных травм у нас нет и мы сами позаботимся друг о друге, а потом принялись собирать мои вещи, рассыпанные по машине и по асфальту.

Ни слова не говоря, Лукас повел меня вверх по ступенькам к себе в квартиру, прямиком в ванную. Там усадил на столешницу, стащил мои ботинки и носки, включил душ. Через секунду окровавленная кофточка и лифчик полетели в корзину для белья, а следом рубашка Лукаса, тоже забрызганная кровью — его и Бака.

— Будет синяк. Когда примешь душ, приложим лед, чтобы уменьшить отек. — Стоя у меня между коленями, Лукас повернул мое лицо к свету и оглядел челюсть, а потом сквозь стиснутые зубы пробормотал: — Он... тебя ударил?

Я покачала головой, и от этого в ней слегка застучало.

— Нет. Просто сильно схватил. Было больно, но то место, куда я долбанула его головой, должно болеть еще похлеще.

— Правда? — Лукас убрал мне волосы с лица и поцеловал меня в лоб так нежно, что я едва почувствовала его прикосновение. — Обязательно все мне расскажешь, когда будешь готова об этом говорить... а я смогу слушать. Пока я еще слишком на него злюсь.

Я кивнула:

— Ладно.

Он провел пальцем по позвонкам у меня на шее:

— Я понял, что облажался, и выскочил на улицу: собирался сесть на мотоцикл и ехать за тобой. А тут ты бежишь... — Его челюсти напряглись. — Когда он повалил тебя, мне захотелось его убить, и я бы, наверное, это сделал, если бы Чарльз меня не остановил.

Пока Лукас раздевался, я сидела на столешнице. Потом он раздел меня, отвел в душевую кабину, с ног до головы вымыл и осмотрел. Как и следовало ожидать, мы оба были в синяках и ссадинах. Я даже руки с трудом могла поднять.

— Это нормально, — сказал он, заворачиваясь в полотенце и заворачивая меня. — Во время драки не всегда чувствуешь, когда тебя ударили: ты неудачно приземлился или ушибся обо что-нибудь? Адреналин притупляет болевые ощущения. Ненадолго.

С его темных волос, доходивших ему до плеч, по спине и груди стекали струйки воды. Он снова меня усадил, чтобы вытереть мне голову. Я смотрела на маленькие ручейки на его татуированной коже: они змейкой бежали по красной розе, прорезались сквозь строчки на боку, а потом скатывались по дорожке волос на животе и исчезали под полотенцем. Я закрыла глаза:

— В последний раз я сушила голову не сама, когда сломала руку. Это было в шестом классе.

Лукас аккуратно, не дергая, захватывал полотенцем каждую прядь.

— Как это тебя угораздило?

Я улыбнулась:

— Упала с дерева.

Он засмеялся, и от его смеха все мои ссадины и синяки стали болеть меньше.

— Ты? С дерева? Что тебе там понадобилось?

Я лукаво прищурилась:

— Кажется, поспорила с одним мальчиком.

Его глаза загорелись.

— Ах вот оно как! — Он сел передо мной на корточки. — Переночуй у меня, Жаклин. Нужно, чтобы ты побыла здесь хотя бы сегодня. Пожалуйста.

Он взял одну мою руку, а другую я приложила к его лицу. Мне было так удивительно, что эти глаза, похожие на льдинки, могут согревать меня всю до последней клеточки. Серьезных повреждений на лице не было, если не считать назревавшего синяка, ссадины и небольшой ранки на скуле.

Дальше Лукас заговорил шепотом:

— Перед тем как уехать, отец сказал: «Старик, ты остаешься за хозяина. Береги маму». — Мне на глаза навернулись слезы. И ему тоже. Он с усилием сглотнул. — Я не защитил ее, не смог ее спасти.

Я прижала его голову к своей груди. Он плакал, стоя на коленях и обвивая меня обеими руками. Я крепко обнимала Лукаса, гладила по волосам. Я знала, что события нынешней ночи задели самую болезненную струну в его измученном сердце. Все эти восемь лет он страдал не только от пережитого ужаса. Он мучился чувством вины, существовавшей только в его воспаленном сознании.

Когда он затих, я сказала:

— Я останусь у тебя сегодня. А ты сделаешь то, о чем я тебя попрошу?

Лукас преодолел настороженность, которая стала для него естественной: я и раньше видела, как он это делает, но никогда еще в подобные моменты его лицо не было ко мне так близко. Он нервно втянул воздух, собираясь с силами:

— Конечно. Я сделаю все, чего ты захочешь.

Голос у него был хриплый, надтреснутый. Когда он тронул языком колечко на губе, на меня нахлынуло такое бешеное желание, что стало обидно тратить время на разговоры.

— Пойдешь со мной завтра на концерт к Харрисону? Он мой любимый восьмиклассник, и я обещала ему прийти.

Лукас приподнял брови и удивленно заморгал:

— Хм... Ладно. И это все?

Я кивнула. Он покачал головой, нацелив на меня свою призрачную улыбку:

— Пойду принесу из холодильника пару пакетиков льда. А ты пока, может, ляжешь в постель?

Я встала и, положив ладони ему на грудь, подняла на него глаза:

— На спор?

Он накрыл мою руку своей, привлек меня к себе и, наклонившись, ласково поцеловал:

— Почему бы и нет? Только, чур, не падать.

ГЛАВА 27

Школьный зал был битком набит родителями с видео-
камерами и скучающими братьями и сестрами. К неко-
торым из юных дарований пришли даже бабушки с де-
душками. Обойдя людей, кучковавшихся в проходе, мы
с Лукасом сели в один из средних рядов, с краю. Я посмотрела на ксерокопированную программку концерта:
Харрисон играл в оркестре старшеклассников, значит
появиться на сцене должен был не скоро. Два мальчика
моложе его тоже брали у меня уроки, и их выступлений
я раньше никогда не видела. Так что у меня был повод
поволноваться за них за всех.

Я наклонилась к Лукасу и тихо, чтобы никто из родителей не услышал, сказала:

— Думаю, мне стоит тебя предупредить: многие ребята, особенно из тех, которые будут выступать первыми, занимаются всего несколько месяцев. Поэтому не
удивляйся, если они... не совсем виртуозы.

Лукас приподнял уголок рта. Мне захотелось поцеловать его, но я сдержалась.

— То есть ты меня мягко готовишь к тому, что сейчас мне придется слушать скрежет ногтей о стекло? —
спросил он.

Справа, из той части зала, которая предназначалась
для выступающих, раздался голос Харрисона:

— Миз Уоллес!

Я отыскала его взглядом в море черных полиэстеро-
вых смокингов и длинных сиреневых платьев. В тот са-

мый момент, когда я увидела его белобрысую голову, он заметил, что я не одна. Его приветственно поднятая рука застыла в воздухе, а глаза расширились. Я улыбнулась и помахала ему. Он грустно махнул в ответ.

— Это, надо полагать, один из тех, кто на тебя запал? — спросил Лукас; он сидел, положив щиколотку на колено, и, стараясь не прыснуть со смеху, ковырял шов поношенного ботинка.

— Что? Да они все на меня западают! Я же горячая красотка из колледжа! Забыл? — Я рассмеялась.

Лукас посмотрел на меня, и в его глазах сверкнул огонек. Он наклонился к самому моему уху и прошептал:

— Очень даже горячая! Я только что вспомнил, какая ты была сегодня утром, когда проснулась в обнимку со мной в моей постели. Это будет не слишком большой наглостью с моей стороны, если я попрошу тебя остаться и сегодня?

Я почувствовала, как мое лицо теплеет от удовольствия, и посмотрела Лукасу в глаза:

— Я боялась, что ты об этом не попросишь.

Он накрыл ладонью мою руку, лежавшую у меня на колене. В этот момент на сцену вышел дирижер.

Через полтора часа Харрисон отыскал меня у выхода из зала. В руках у него были красные розы на длинных стеблях. Цвет его смущенного лица почти идеально гармонировал с цветом бутонов.

— Это вам, — запинаясь, сказал он и сунул мне букет.

Родители Харрисона остались стоять футах в пятнадцати от нас, чтобы он мог самостоятельно преподнести мне этот дар. Я взяла цветы и понюхала их, а он мельком взглянул на Лукаса.

— Спасибо, Харрисон. Они чудесные. Кстати, я тобой горжусь: сегодня у тебя было потрясающее вибрато.

Он постарался подавить улыбку, и от этого в его лице появилось что-то неврастеническое.

— Все благодаря вам.

Я покачала головой:

— Нет. Ты работал, много репетировал. Это главное.

Он переступил с ноги на ногу.

— Ты здорово играл, старик! Хотел бы я тоже так уметь! — сказал Лукас.

— Спасибо, — пробормотал Харрисон и хмуро на него поглядел. Мой ученик был довольно рослый, выше меня, но тощий: рядом с Лукасом он казался похожим на шнурок. — Больно было? Прокалывать губу?

Лукас пожал плечами:

— Не особенно. Хотя пару крепких словечек я тогда произнес.

Харрисон улыбнулся:

— Круто!

Несколько часов спустя, уже в сумерках, мы с Лукасом лежали лицом друг к другу, положив головы на одну подушку. Я сделала глубокий вдох, молясь, чтобы в этот раз он от меня не отшатнулся. Мне казалось, что сейчас между нами тесная, как никогда, связь, и я надеялась, что теперь все получится.

— Как тебе Харрисон?

Лукас внимательно посмотрел на меня:

— Вроде хороший пацан.

— Вот именно.

Я провела пальцами по его лицу, он прижал меня к себе и улыбнулся:

— А что, Жаклин, ты бросаешь меня и уходишь к Харрисону?

Глядя Лукасу в глаза, я спросила:

— Если бы в ту ночь на стоянке вместо тебя оказался Харрисон, думаешь, он бы мне помог? — (Взгляд Лукаса приковался к моему лицу. Он не отвечал.) — Если бы кто-нибудь в шутку попросил его за мной присмотреть, а потом случилось бы то, что могло случиться, разве его стали бы упрекать?

Лукас резко выдохнул:

— Я понимаю, что ты пытаешься сказать.

— Нет. Ты это только слышишь, но не понимаешь, не принимаешь. Твой отец не мог на самом деле рассчитывать на то, что ты защитишь маму. Наверняка он давно уже не помнит тех своих слов. Он винит во всем себя, а ты — себя, но не виноваты ни ты, ни он.

Глаза у Лукаса стали влажными. Он сглотнул душивший его комок и сильно меня сжал.

— Никогда не забуду, как она кричала, — проговорил он, давясь слезами. — Разве я могу себя не винить?

Я тоже заплакала. Теплые ручейки с моего лица стекали на нашу подушку.

— Лукас, вспомни Харрисона. Вспомни себя, когда ты был таким же, и перестань упрекать мальчика в том, что он не помешал злу, которое смог бы предотвратить далеко не каждый взрослый мужчина. Что ты мне сам всегда говоришь? Это не твоя вина. Тебе нужно с кем-то поговорить и найти способ снять тот груз, который ты не должен был на себя взваливать, — твоя мама никогда бы этого не пожелала. Попробуй! Пожалуйста!

— И как так получилось, что я тебя нашел? — проговорил Лукас, отирая слезы с моих щек.

Я покачала головой:

— Наверное, ты нашел меня, потому что я там, где и должна быть.

— Я буду по тебе так скучать! Поверить не могу, что ты меня покидаешь, — сказала Эрин, плюхаясь рядом со мной на хеллеровский диван.

Лукас получил диплом, и по этому случаю была устроена вечеринка под открытым небом. Стояла жара, во дворике было душно, и мы с подругой на несколько минут зашли отдохнуть под кондиционером.

— Поезжай со мной! — сказала я, опуская щеку к ее загорелому плечу.

Она, смеясь, положила голову поверх моей:

— Это было бы так же глупо, как если бы ты осталась здесь. Тебя там ожидают великие дела, а мне есть чем заняться тут. Хотя, как ни крути, расставаться, конечно, паршиво.

Я подала заявление на перевод в три консерватории. Думала, затея безнадежная, но пару недель назад, после удачного прослушивания в Оберлине (куда я больше всего мечтала попасть), мне сообщили, что с осени я принята.

— Да уж. Пожалуй, тебе действительно лучше остаться, ведь за Чезом нужен глаз да глаз.

Конфликт между Эрин и ее бойфрендом был исчерпан ко Дню святого Валентина. Чез окончательно сломил сопротивление моей суровой подруги, забронировав номер в «их» гостинице. А две недели до этого он ежедневно присылал цветы, так что наша комнатенка превратилась в оранжерею. Не без помощи Эрин Чез смирился с мыслью о предстоящем суде над его бывшим лучшим другом, как ни неприятны были связанные с этим слухи и косые взгляды.

Бак, к всеобщему облегчению, недавно подписал соглашение о признании вины[1]. Правда, теперь его обвиняли в физическом насилии не первой, а второй степени, и светил ему двухлетний срок, из которого он наверняка не отсидит и года.

Мы смотрели на наших молодых людей через приоткрытые створки застекленной двери. Лукас и Чез разговаривали на заднем дворе. Не стоило надеяться, что когда-нибудь парни очень сильно подружатся, но они, по крайней мере, неплохо ладили, хотя были так не похожи друг на друга.

Когда Лукас уговаривал меня перевестись в консерваторию, он казался абсолютно уверенным в том, что у нас с ним все сложится хорошо. Он и теперь в этом не сомневался и заразил своей верой меня. Как бы то ни было, мне не хотелось два года жить в разлуке с ним, и, выбирая, где продолжать обучение, я с удовольствием подстроилась бы под его планы. Но он был категорически против. Он и слушать не хотел о том, чтобы я осталась, а куда собирается поступать на работу, не говорил.

— Жаклин, ты не должна из-за меня отказываться от того, о чем мечтаешь.

— Но я мечтаю о тебе, — пробормотала я, зная, что он прав.

Никаких логических контраргументов у меня не было, а на Лукаса иногда удавалось воздействовать только логикой. В этом он сын своего отца.

---

[1] Соглашение о признании вины — разрешенная законодательством ряда стран письменная сделка, суть которой заключается в том, что обвиняемый признается в совершении преступления, а обвинитель обязуется переквалифицировать это преступление как менее тяжкое.

С Рэем Максфилдом у нас прекрасные отношения.
На весенние каникулы Лукас первый раз отвез меня в
их домик на побережье, и я никогда раньше не видела,
чтобы он так нервничал. Мы с его отцом, как ни странно, сразу нашли общий язык. Я тут же узнала в нем Лэндона: тот же ум, тот же суховатый юмор. Вечером накануне нашего отъезда Рэй порылся на чердаке и принес
оттуда три акварели в рамке. На них был изображен
мальчик, играющий на берегу моря, — единственный ребенок художницы. В уголке каждого листа стояла подпись: «Розмари Лукас Максфилд». Мы повесили акварели у Лукаса в спальне, над столом.

А теперь, что не менее удивительно, Рэй сидел во
дворе с Чарльзом и Синди. По случаю защиты сына он
на несколько дней оставил свою лодку — впервые с тех
пор, как уехал из Александрии.

❖ ❖ ❖

— В пятницу я устроился на работу.

Вот оно! В течение последнего семестра Лукас рас-
сылал резюме в десятки фирм, в некоторые из них ездил
на собеседование, а в несколько мест его потом вызы-
вали еще раз. Неделю назад я слышала, как Чарльз говорил Синди, что Лукаса пригласили в серьезную про-
ектную организацию — здесь, в городе. До сих пор я
ждала, когда он сам мне об этом скажет. В августе я уеду
в Оберлин, и нас будет разделять огромное расстояние —
больше тысячи миль.

— Правда? — спросила я, стараясь не смотреть на
Лукаса, чтобы не расплакаться.

Я молча принялась запихивать в холодильник остатки праздничного ужина, которыми снабдила нас Синди,
а Лукас смотрел на меня, опершись о столешницу. Когда судки с едой были разложены по полкам, я поняла,

что больше не могу уклоняться от неприятного разговора. Взглянув на мое лицо, Лукас поймал мою руку:

— Иди сюда.

Пока он вел меня к дивану, я изо всех сил моргала и так строго, как только могла, внушала себе: «Не плакать! Не плакать! Не плакать!» Он устроился в углу, обнял меня и, откинувшись на спинку дивана, стал рассказывать про компанию, про то, в чем будет заключаться его работа, как хорошо ему будут платить и когда он приступает (со второй недели июля). Я слушала вполуха, не прекращая думать о том, сколько раз в семестр смогу прилетать домой. Для студентов музыкальных отделений свободный уик-энд — невиданная редкость: по выходным бывают концерты, на которых нужно обязательно присутствовать, даже если не выступаешь сам.

— Я пока только одно не решил. Что лучше: жить в Оберлине и ездить в Кливленд или жить под Кливлендом и ездить к тебе?

Он подпер голову рукой и посмотрел на меня, ожидая моей реакции. Я моргнула, не поверив собственным ушам:

— Что?

Он улыбнулся, изображая наивность:

— Ах, неужели я забыл тебе сказать? Компания находится в Кливленде.

— В Кливленде? В Огайо? Ты будешь работать в Кливленде, Огайо?

От Кливленда до моего колледжа было чуть больше получаса езды.

— Да.

Тут я все-таки не удержалась и заплакала:

— Почему ты так решил?

Лукаво улыбнувшись, он свободной рукой заправил мне за ухо прядь волос.

— Ты ведь слышала про зарплату, да? А еще я буду рядом с тобой. — Он вытер большим пальцем слезинку с моей щеки и добавил: — Это главное.

Я вспомнила, как раскаивалась, что поехала в колледж за Кеннеди. Вспомнила, как Лукас просил меня не жертвовать ради него своими карьерными планами.

— Но ведь ты мне говорил, что нужно заниматься любимым делом, быть тем, кем хочешь, и ни на кого не оглядываться? Разве к тебе самому это не относится?

Он поднес ладонь к моему лицу и, заглядывая мне в глаза, вздохнул:

— Во-первых, я получил прекрасное место и мне наверняка будет там интересно. — Лукас привлек меня к себе и поцеловал. Я легла к нему на грудь, скользнув рукой под футболку, и уже забыла, что он не договорил. Но вдруг он прошептал: — Во-вторых, у меня действительно есть планы, но я смогу осуществить их в любом городе.

Он встал и на руках отнес меня в спальню, не переставая целовать. Я соскользнула на пол, сдернула с себя топик и, прыгнув на середину кровати, стала смотреть, как он через голову снимает футболку. Я бы с радостью согласилась прокручивать это его движение снова и снова, как эпизод любимого фильма, если бы не знала, что будет потом.

Подобравшись ко мне с края кровати, Лукас медленно накрыл меня собой, ласково взял за руки и положил их на подушку — как в тот самый первый раз, когда он рисовал мой портрет. Потом он осторожно сжал мои скрещенные запястья. Он научил меня всем возможным приемам, с помощью которых я могла бы освободиться от его захвата. Но мне этого ни капельки не хотелось. Он был настроен на неторопливый лад: это всегда сводило меня с ума, и от блаженного нетерпения я кусала нижнюю губу.

Пока Лукас смотрел на меня, склонившись над моим лицом, я разглядывала его удивительные глаза (еще одна картина, которая никогда мне не наскучит).

— Зато не в любом городе я могу быть с тобой. — Он наклонился еще ниже и, трогая мою кожу кончиками пальцев, провел языком по моему рту. Я оторвала голову от подушки и взяла его губы в свои. Когда он отпустил мои руки, я обняла его за шею и почувствовала, как синхронно стучат наши сердца. — Я решил, что хочу быть с тобой, и это было для меня совсем не сложно, — выдохнул Лукас. Он процеловал на моей шее извилистую дорожку от уха к плечу и в последний раз отстранился, чтобы поглядеть мне в глаза. — Это просто, Жаклин. Невероятно просто.

Веббер Т.

В 26   Просто любовь : роман / Таммара Веббер ; пер. с англ. М. Николенко. — СПб. : Азбука, Азбука-Аттикус, 2014. — 320 с. — (Сто оттенков любви).

ISBN 978-5-389-06866-7

Жаклин мечтала о консерватории, но вслед за своим возлюбленным поступила в обычный колледж. Платой за самопожертвование была черная неблагодарность — бойфренд вдруг порвал с девушкой и пустился во все тяжкие. Отвергнутая Жаклин впадает в глухую тоску и запускает учебу. И как будто мало этих бед, ее пытаются изнасиловать на вечеринке в студенческом общежитии. К счастью, на помощь вовремя приходит симпатичный незнакомец с крепкими кулаками.

Оказывается, этот парень, Лукас, учится с ней на одном курсе. И тайно влюблен в нее. Но он очень странный. У него на теле вытатуированы красная роза и романтические стихи, и как прикажете это понимать? А еще он упорно молчит о своем прошлом.

Вроде бы жизнь налаживается. Завязывается новый роман, да и с учебой все не так уж безнадежно. Вот только как быть с Лэндоном, репетитором-невидимкой, человеком еще более загадочным, чем Лукас?

УДК 821.111(73)
ББК 84(7Сое)-44

Литературно-художественное издание

ТАММАРА ВЕББЕР

ПРОСТО ЛЮБОВЬ

Ответственный редактор *Геннадий Корчагин*
Редактор *Алексей Смирнов*
Художественный редактор *Илья Кучма*
Технический редактор *Татьяна Тихомирова*
Компьютерная верстка *Ирины Варламовой*
Корректоры *Ирина Киселева, Светлана Федорова*

Подписано в печать 16.09.2013.
Формат издания 75 × 100 $^1/_{32}$. Печать офсетная.
Тираж 7000 экз. Усл. печ. л. 16,8.
Заказ № 5821/13.

Знак информационной продукции
(Федеральный закон № 436-ФЗ от 29.12.2010 г.):

ООО «Издательская Группа „Азбука-Аттикус“» —
обладатель товарного знака АЗБУКА®
119991, г. Москва, 5-й Донской проезд, д. 15, стр. 4

Филиал ООО «Издательская Группа „Азбука-Аттикус“»
в Санкт-Петербурге
191123, г. Санкт-Петербург, наб. Робеспьера, д. 12, лит. А

ЧП «Издательство „Махаон-Украина“»
04073, г. Киев, Московский пр., д. 6 (2-й этаж)

Отпечатано в соответствии с предоставленными материалами
в ООО «ИПК Парето-Принт».
170546, Тверская область, Промышленная зона Боровлево-1,
комплекс № 3А.
www.pareto-print.ru

HMOL1484801R

ПО ВОПРОСАМ ПРИОБРЕТЕНИЯ КНИГ ОБРАЩАЙТЕСЬ

В Москве:
ООО «Издательская Группа
„Азбука-Аттикус“»
Тел.: (495) 933-76-00,
факс: (495) 933-76-19
E-mail: sales@atticus-group.ru
info@azbooka-m.ru

В Санкт-Петербурге:
Филиал ООО «Издательская Группа
„Азбука-Аттикус“» в г. Санкт-Петербурге
Тел.: (812) 327-04-55
факс: (812) 327-01-60
E-mail: trade@azbooka.spb.ru
atticus@azbooka.spb.ru

В Киеве:
ЧП «Издательство „Махаон-Украина“»
тел./факс: (044) 490-99-01
E-mail: sale@machaon.kiev.ua

Информация о новинках и планах,
а также условия сотрудничества
на сайтах

www.azbooka.ru
www.atticus-group.ru